W9-CAA-454

BONITAS SOLO FIDE UNAQUE
"Goodness Through Faith Alone"
K.W.R.
Bonum est ambulare in via justitia

Καλόν ἐστι
περιπατεῖν
ἐν τῇ ὁδῷ τῆς
δικαιοσύνης

EX LIBRIS Klaus Werner Raab

Ein Stern in der Nacht

Weihnachtsgeschichten für unsere Zeit
Herausgegeben von
Annemarie Gregor-Dellin

nymphenburger

★

Hoffentlich macht es Dir ein wenig
Freude, diese Geschichten zu lesen.

Schöne Weihnachten

1982
von Deine Kampschreiber

© Nymphenburger Verlagshandlung GmbH,
München 1972, 1982
Alle Rechte, auch der photomechanischen Vervielfältigung
und des auszugsweisen Abdrucks, vorbehalten.
Druck und Bindung: May & Co., Darmstadt
ISBN 3-485-00435-9
Printed in Germany

Inhalt

Elly Heuss-Knapp · Weihnachten entgegen 7

Karl Valentin · Das Christbaumbrettl 11

Val Mulkerns · Ein Mann, der nicht Weihnachten feiern wollte 21

Maxim Gorki · Von einem Knaben und einem Mädchen,
   die nicht erfroren sind 32

Hugo Hartung · Eine ganz belanglose Geschichte 40

Joan O'Donovan · Kleines braunes Jesuskind 43

Manfred Hausmann · Der Junge, der hereinkam 49

Otto Ernst · Von der Kunst des Schenkens 61

Truman Capote · Eine Weihnachtserinnerung 65

Otto Wittke · Das Klavier auf dem Fensterbrett 80

Hugh Walpole · Ein reizender Gast 83

W. Somerset Maugham · Die Weihnachtsreise 94

O. Henry · Die Weihnachtsansprache 100

Wilhelm Raabe · Ein Gang über den Weihnachtsmarkt 111

Wolfdietrich Schnurre · Die Leihgabe 116

Selma Lagerlöf · Trollmusik 123

E.T.A. Hoffmann · Pate Drosselmeier beschert die Kinder 134

Theodor Storm · Unter dem Tannenbaum 140

Friedrich Wolf · Lichter überm Graben 160

Rudolf Otto Wiemer · Die Reise nach Bethlehem 164

Heinrich Böll · Nicht nur zur Weihnachtszeit 174

Georg Britting · Die Könige sind unterwegs 198

Marie Luise Kaschnitz · Alle Jahre wieder 202

Dino Buzzati · Zuviel Weihnachten 209

Christine Brückner · Geboren am 24. Dezember 1945 214

Lukas-Evangelium 218

Bibliographischer Nachweis 219

Elly Heuss-Knapp · Weihnachten entgegen

Ein Gelehrter kam aus Moskau nach Berlin und besuchte einen Fach-
kollegen. Seine erste erstaunte Frage galt dem weihnachtlichen Schmuck der
großen Stadt. Er konnte sich von früher nicht darauf besinnen, daß schon
vier Wochen zuvor das Fest seine Strahlen vorauswerfe. Diese Beobachtung
eines Fremden war der Ansatzpunkt zu einem langen Gespräch im Freun-
deskreis.

Der Kulturkritiker klärte ihn auf: Unsere Sitten sind doch tot oder sterbend,
ausgehöhlt vom Rationalismus unserer Zeit. Der Weihnachtsschmuck der
Schaufenster bezeugt nur die Herrschaft von Mode und Propaganda, nichts
weiter. Jetzt oder nie verdienen die Warenhäuser, deshalb sorgen sie für
Stimmung, die im Großbetrieb billig geliefert wird . . . .

Da setzt der Widerspruch ein. Das weise und gerechte Alter konstatierte
zunächst, daß die weihnachtlichen Sitten sich gefestigt haben. Noch vor
einem Menschenalter war der Adventskranz nur in Norddeutschland bekannt, der vielstrahlige Papierstern leuchtete nur bei den Herrnhutern.
Selbst der Christbaum war noch vor 80 Jahren in den katholischen Gegenden Deutschlands fast unbekannt. Heute ist für den Deutschen der Christbaum nicht vom Weihnachtsfest zu trennen. In katholischen Gegenden ist
er noch nicht lange zu Hause; ja, er gilt vielfach als ausgesprochen luthe-
risch. An seiner Stelle wurde die Krippe aufgebaut, an der oft Generationen
in wochenlanger Winterarbeit gebastelt hatten. Heute haben sich diese
Unterschiede verwischt. Der Christbaum ist allen Deutschen gemeinsam,
auch solchen, denen die Weihnachtsbotschaft kaum mehr bewußt ist als
Goldgrund des Festes oder die sie bewußt überhören wollen. Auch ist es
heute kaum mehr bekannt, daß der Christbaum ursprünglich am Morgen
des ersten Feiertages brannte. Wenn die Erwachsenen aus der Frühmesse
kamen, dann zündete die Mutter die Kerzen des Baumes an. Ohne Zweifel
ist auch die Krippe unter dem Baum verbreiteter als in Vorväterzeiten,
ebenso wie der Adventskranz mit seinen Lichtern und Bändern.

Der Theologe im Kreis macht neue Bedenken geltend; sind diese Sitten noch sinnerfüllt? Der Advent zeigt die Wandlung am deutlichsten. Mit der Verbreiterung kommt auch die Verflachung. Ursprünglich ist es eine ernste Zeit der inneren Sammlung und Einkehr. Man singt »Mit Ernst, o Menschenkinder, das Herz in euch bestellt« und nicht schon vier Wochen im voraus »O du fröhliche, o du selige ...«. Die kirchlichen Texte reden vom Jüngsten Gericht. Man saß im Dunkeln und ließ nur ein kleines Licht der Sehnsucht und der Hoffnung schon an Weihnachten mahnen. Heute dagegen brennen die Weihnachtsbäume an den Straßenkreuzungen der Großstadt bereits vom ersten Advent an, und die Schaufenster der Warenhäuser funkeln und glitzern, strahlen und leuchten so stark, daß der eigene Christbaum den Kindern fast dunkel dagegen erscheint. Wochenlanges Vorausfeiern entwertet Weihnachten, während stille Vorfreude es erhöht.

Dann ist da das Schlagwort: »aufgeklärte Weihnachten«. Im Grunde ist es ein Widerspruch in sich selbst, die Begriffe Aufklärung und Weihnachten zusammenzubringen; aber die aufgeklärte Weihnacht hat es doch fertiggebracht: ihr Symbol ist der »Weihnachtsmann«. Er ist gänzlich anonym, aber reich und verschwenderisch. Am besten gedeiht er im Warenhaus. Da steht er in voller Größe mit einem Sack, aus dem alle guten, teuren Sachen herausquellen. Früher hatte er auch eine Rute an der Seite hängen, aber die ist jetzt schon unmodern.

Natürlich hat der Weihnachtsmann ursprünglich auch einen Namen und eine Geschichte gehabt. Aber als er aufgeklärt wurde, legte er sie ab, um keinen Anstoß zu erregen. Nun paßt er für alle. Früher hieß er St. Niklas, St. Ruprecht oder Pelzmärte und kam gar nicht zu Weihnachten, sondern in der Adventszeit. Er war nur ein Bote. Die guten Gaben brachte das Christkind selber. Von all der Herrlichkeit blieb nur der alte Mann mit dem Bart und den vielen Geschenken übrig. Die Großstadtkinder halten ihn wahrscheinlich für den Auslieferer des Warenhauses, wenn sie überhaupt darüber nachdenken.

Es gibt in den ganz aufgeklärten Schulen schon ganz aufgeklärte Lehrbücher, worin von der Weihnachtsfreude nur noch eine trockene Aufzählung geblieben ist von wünschbaren Dingen, die die guten Eltern kaufen und den Kindern schenken. Da ist dann der Weihnachtsmann, der säkularisierte Heilige, auch abgeschafft, und als Symbol bleibt nur noch – die Weihnachtsgans, der Festbraten übrig. Vor lauter Aufgeklärtheit wird die Welt immer dunkler, obwohl das physikalisch schwer zu erklären ist. Doch das Christkind und der Weihnachtsstern lassen sich nicht aufklären. Dafür sind sie selber lauter strahlendes Licht, das scheint in der Finsternis.

Die Jungen im Kreis verwahren sich dagegen, daß unsere, daß ihre Zeit herabgesetzt wird. Klingen nicht die alten Lieder in der Schule und in der Kirche in neuem, beschwingtem Rhythmus, und trägt nicht das Radio dies Wissen von neuem Singen in jedes Haus? Ist euch überhaupt bewußt, wieviel der Rundfunk zur Verteidigung der Sitte beiträgt? Der Kritiker fällt ein: Verteidigung der Sitte – das ist bereits ein Zeichen für ihre Gefährdung, alle echte lebendige Sitte herrscht selbstverständlich und unbewußt.

Die Mutter sagt: »Ihr solltet nur einen Abend lang miterleben, wie altmodisch unsere Kinder aufs Christfest warten und Ausschau halten, ob das Christkind vorbeifliegt, dann würdet ihr nicht mehr von leerer Konvention sprechen. Wer in der Verbitterung so denkt, sollte sich einmal ernstlich vorstellen, was unser nordisches Klima und unser langer Winter für eine trostlose Angelegenheit wäre ohne den Höhepunkt des Weihnachtsfestes. Um zu spüren, was eine Sitte bedeutet, muß man sie sich aus unserem Leben gestrichen denken. Was wäre die Woche ohne den Sonntag, die Kinderstube ohne die Geburtstagsfeier, der Winter ohne Weihnachten! Bis in die Politik hinein trägt das Christfest seine Forderung der Ruhe und des Friedens. Ein paar Tage lang schweigt die Hetze und Unrast. Wir wissen von keiner anderen Sitte, die solche Wirkung ausübt.«

Ein junger Konservativer spricht: »Vielleicht ist es überhaupt eine falsche Einschätzung der intellektuellen Menschen, wenn sie halb verächtlich sagen: ›Das ist ja nur Sitte‹, anstatt ehrfurchtsvoll zu bekennen: ›Es ist sogar schon Sitte geworden‹. Denn wirksam bis in die Tiefen des Volkes werden große Gedanken und starke Überzeugungen erst durch die Versittung. Sie wirken dann durch die Macht der Gewohnheit auch auf die Kinder, die noch keine eigene Überzeugung haben, auch auf die Gleichgültigen, die solche nicht mehr haben.«

»Aber nicht wegen der traulichen Stimmung«, ergänzt die Mutter, »sondern weil das Weihnachtsfest die Menschen lehrt, ihren Egoismus zu überwinden und an die anderen zu denken. Wir schenken, weil wir uns dankbar als Beschenkte fühlen.«

»Wird die Weihnachtssitte die Menschen dazu führen, wirklich Frieden auf

Erden zu halten?«, fragt der radikale Kritiker ernst. Alle schweigen betroffen. Sie denken an die Weihnachtsfeste im Schützengraben.

»Nein«, sagt der Theologe, »man darf von der Sitte nicht zuviel verlangen. Wir wollen sie nicht unterschätzen, aber sie ist doch nur etwas Vorletztes, nur eine Stufe zum Heiligtum, nur der Docht, an dem die Flamme sich entzünden kann, nur der Kanal, in den lebendiges Wasser sich ergießen will, nur Spalier, woran der Obstbaum sich hochrankt. Aber nicht das Spalier ist es, das Früchte trägt . . . « Eine lebendige Kraft geht auch von den Weihnachtssitten nur da aus, wo Menschen die Botschaft gläubig hören, als Forderung an sich selbst verstehen und mit ihrem Leben darauf antworten. Diese Forderung heißt Wiedergeburt, das erst ist die Erfüllung der Sitte.

Karl Valentin · Das Christbaumbrettl

Arme kleine Leute wollen sechs Monate nach Weihnachten das Fest nach-
feiern. Das Bühnenbild zeigt ihre armselige Stube, man erblickt durch das
große Fenster in der Mitte die herrliche Aussicht auf eine Frühlings-
landschaft mit blühenden Bäumen. In buntem Durcheinander steht der
Hausrat umher: ein Kinderdreirad an der Rückwand, mit einem alten Sack
zugedeckt, eine Kommode mit zerbrochenem Geschirr, ein Grammophon
und ein alter eiserner Ofen, eine Küchenuhr, billige Öldrucke und eine Zug-
posaune an den Wänden, ein Tischtelefon, Tintenlöscher und Strickzeug
mit dicker Wolle vervollständigen die Unordnung. Daß ein Festtag ist,
erkennt man an der lecker aussehenden Schaumtorte, die auf einem Stuhl
neben dem Kleiderschrank steht. Die Abenddämmerung fällt allmählich
ein. Ehe sich der Vorhang gehoben hat, hört man das Grammophon ›O du
fröhliche, o du selige, gnadenbringende Weihnachtszeit‹ spielen.
DIE MUTTER *(Liesl Karlstadt) sitzt in einem ärmlichen Hauskleid und mit*
einer blauen Schürze in Fleckerlschuhen an einem kleinen runden Tisch
in der Mitte der Bühne unter der altmodischen Petroleumhängelampe;
sie hat weinend den Kopf in die Hände gestützt und spricht Die Weih-
nachtsglocken läuten; o hätte ich nie mehr diesen Tag erlebt. Ich kann
keine Freude mehr haben. Mein Sohn, mein Alfred, er ist ja nicht mehr
bei mir, er ist hinausgezogen in ein fernes Land, aus dem er wohl nie
wieder zurückkehren wird. Ach Alfred, warum hast du mir das angetan!
Er ist nach Oberammergau gegangen, er wollte Fremdenführer werden;
aber als er hinkam nach Oberammergau, waren die Passionsspiele bereits
schon lange beendet. Ach Alfred, was Blöderes hätte dir gar nimmer
einfallen können. Die alten Augen sind müde vor Weinen und das Bild ist
schon so verstaubt, ich kann ihn gar nicht mehr sehen! Pfui! *Sie spuckt*
auf das Bild und wischt es mit dem Taschentuch ab – So, jetzt ist es
besser, jetzt schaut er wieder so frisch in die Welt, daß man seine Freude
daran haben kann. *Sie wirft das Bild ein paarmal in die Höhe* Ach ja! –
Sie zündet sich eine Zigarre an Wo nur mein Mann so lange bleibt?

Mein guter Mann – diesen langweiligen Uhu habe ich heute auf den Viktualienmarkt geschickt, daß er ein Christbäumchen heimbringt für die kleinen Kinder, und nun kommt er so lange nicht heim. Ich glaub, daß er gar nimmer heimfindet, der alte Depp. Es wird ihm wohl nichts passiert sein. Es ist schon so spät, die Sonne muß auch schon bald aufgehen. Eins – zwei – drei – Aha, da ham mas schon. Ich muß doch nachschaun, wo er sich momentan wieder herumtreibt. *Sie nimmt das Telefon* Sebastian, wo bist du denn augenblicklich? So, am Viktualienmarkt gehst du grad? – Hast schon ein Christbäumchen? – Dann ists schon recht – geh nur glei heim! Gib Obacht, wenn du über die Straße gehst, daß dich keine Frau überfährt mitn Kinderwagl. *Es klopft* Ja, herein! Also adje, Sebastian, komm nur gleich! – ich wart auf dich – Grüß dich Gott, Sebastian! *Es klopft* Ja, herein! *Sie legt den Hörer auf. Im selben Moment kommt der Vater (Karl Valentin) mit dem Christbaum herein. Er trägt einen schneebestäubten Raglan, Brille, schneebestäubten Hut, Fäustlinge und einen Christbaum.* Ah, da ist er ja! Im Moment hab ich mit dir noch telefoniert und jetzt bist du schon da!

DER VATER Ja, i hab glei einghängt und bin glei herg'laufen.

DIE MUTTER Das ist recht – da hast ja's Bäumerl, ah der is nett – wunderschön.

DER VATER No ja, kindisch ist er halt.

DIE MUTTER Er gehört ja auch nur für d' Kinder.

DER VATER Ja, ich war in zwei Christbaumfabriken, und da hams mir den gebn.

DIE MUTTER Ja, da is ja kein Christbaumbrettl dran, hast dus verloren? Ich hab doch ausdrücklich gsagt, du sollst an Baum mit Brettl bringen.

DER VATER Ja, der hat ja keins.

DIE MUTTER Das seh ich ja, daß er keins hat.

DER VATER Wie kannstn das sehn, wenn keins dran ist?

DIE MUTTER Aufgschriebn hab ich dirs sogar, an Baum mit Brettl!

DER VATER Ja, die haben lauter Bäum mit Brettl ghabt, das war der einzige ohne Brettl.

DIE MUTTER Und den hast extra rausgesucht?

DER VATER Aber so ist er doch viel natürlicher, im Wald wächst er doch auch ohne Brettl.

DIE MUTTER Aber den kann man doch nicht brauchen, den kann ich ja nicht hinstellen am Tisch.

DER VATER Dann legn man halt heuer hin – jetzt ham man fünfzehn Jahre hin*stellt*, jetzt *legn* ma amal heuer hin.

DIE MUTTER Ich möcht doch den Baum aufputzen. Ich hab solche Sprüch gmacht bei den Kindern, ich hab gsagt, wenn du kommst, dann kommt's Christkindl auch gleich. Und jetzt bringt er an Baum ohne Brettl! Da wärs mir schon lieber gwesn, du hättst bloß a Brettl bracht und gar koan Baum.

DER VATER Am Brettl allein hätten die Kinder auch kei Freud ghabt.

DIE MUTTER Aber so kann ich ihn nicht hinstellen!

DER VATER Ja, dann halt ich ihn halt.

DIE MUTTER Geh, du kannst doch nicht bis am heiligen Dreikönigstag so dastehn und kannst den Baum halten.

DER VATER Warum nicht, ich hab ja so nichts zu tun, ich bin ja arbeitslos.

DIE MUTTER Aber da sind doch noch vierzehn Tag hin, du kannst doch nicht Tag und Nacht den Christbaum halten, du mußt doch auch manchmal wieder amal nausgehen.

DER VATER Dann nimm ich ihn mit.

DIE MUTTER Das kannst dir denken – jetzt gehst da hin, wo du den Baum kauft hast, und tauschtn um, sagst sie sollen dir an andern geben.

DER VATER Naa, naa, der is froh, daß er den anbracht hat.

DIE MUTTER Dann muß ma halt selber a Brettl hinmachen.

DER VATER Ja, ich geh zu der Hausmeisterin und hol a paar Bretter vom Hof rauf, da schneiden wir a Stück runter.

DIE MUTTER Holst einfach so ein kleines Brett rein, das machen wir hin.

DER VATER So ein Stück Brett halt.

DIE MUTTER Aber zieh dich zuerst aus.

DER VATER Ganz?

DIE MUTTER Dein Mantel und dein Hut – aber leg mir an Hut nicht aufs Bett nauf, sonst zerlauft der ganze Schnee.

DER VATER Der zlauft nicht, das ist ja ein Christbaumschnee.

DIE MUTTER Jetzt geh nur.

DER VATER Ich trag jetzt mein Raglan naus und hol die Bretter.
Er geht ab.

DIE MUTTER So ein schönes Bäumchen hat er bracht, er ist ein guter Mann, aber ein furchtbares Rindvieh – bringt er einen Baum ohne Brettl daher. – *Man hört Kindergeschrei* Pst! – Ja, wer hat denn das Kind verkehrt herg'legt, da steigt ja 's ganze Blut in den Kopf. *Abermals Kindergeschrei* Ja, sei nur still – Hundsbankert, hör auf, der ist gewiß wieder naß *Sie legt das Kind auf den Tisch* Ja, ja, ich werde dich gleich trocken legen. *Sie nimmt den Tintenlöscher und trocknet das Kind damit, das Kind schreit immer noch* Jetzt sei doch ruhig – wart, ich werd dir ein Wiegenlied blasen, *Sie nimmt die Posaune von der Wand* So, mein Kind, jetzt paß schön auf *Sie bläst* ›Schlaf, Kindlein, schlaf‹ *usw. – beim letzten Ton ist das Kind eingeschlafen. Der Vater kommt mit zwei langen Brettern herein, bleibt damit in der Hängelampe hängen, stößt alles um, der Tisch fällt auseinander, der Fliegenfänger klebt ihm im Gesicht, ein verzweifeltes Durcheinander entsteht, die Mutter will ihm helfen* Da, nimms Kind. *Sie drängt ihm das Kind auf und hängt die Posaune wieder an die Wand.*

DER VATER Nimm mir doch die Bretter ab!

DIE MUTTER Mein Gott, wie ders Kind hat! Mein Gott, ist das was! *Umständlich befreit sie ihn vom Fliegenfänger, von den Lampenketten usw.*

DER VATER Sind die Bretter recht? Daraus können wir uns Christbaumbrettln im voraus machen für mindestens zwanzig Jahr.

DIE MUTTER Was hast denn jetzt da für lange Bretter bracht, waren denn keine längeren mehr da?

DER VATER Naa, des war des längste.

DIE MUTTER Ja, dann hol eine Säge und schneid ein Brettl runter!

DER VATER Ja, dann hol ich jetzt ein Stück Säge.

DIE MUTTER Und ich heiz einstweilen ein.

DER VATER *kommt mit der Säge und legt den Christbaum der Länge nach auf das Brett* Das gibt drei Christbaumbrettl.

DIE MUTTER O Gott, o Gott, raucht der Ofen wieder!

DER VATER Hastn höchstens angezunden.

DIE MUTTER Dummes Gered! Vor zwei Jahren hab ich schon zu dir gsagt, du sollst den Kaminkehrer holen.

DER VATER Ich telefonier ihm halt, weißt du die Kaminnummer? *Er telefoniert* Wie bitte? Die Nummer wissen wir beide nicht, Fräulein.

DIE MUTTER Wer ist denn eigentlich da?

DER VATER Wir sind falsch entbunden, der König Herodes hat, glaub ich, grad gesprochen.

DIE MUTTER *reißt ihm das Hörrohr aus der Hand* Wer ist denn da? Wie? – Ah, grüß Gott!

DER VATER Wer is denn?

DIE MUTTER Die Frau vom Kaminkehrer ist da! Grüß Gott Frau Kaminkehrersgattin! Ist Ihr Mann daheim? Geh, sagn S' ihm, er soll gleich rüberkommen. *Der Vater spricht dazwischen* Sagn S' bei uns raucht der Ofen.

DER VATER Er soll rauskehren vom Ofen.

DIE MUTTER Ich sags ihm schon.

DER VATER Ich kanns ja auch.

DIE MUTTER Dann sagst dus ihr, wenn du so gscheit bist.

DER VATER Ach bitt schön, möchten S' nicht mit der Leiter bei uns den Ofen auskehren?

DIE MUTTER Schmarrn, sie weiß doch schon alles, was sagts denn?

DER VATER Sie sagt, er kommt vielleicht ganz bestimmt. *Er legt das Hörrohr in den Geschirrhafen hinein.*

DIE MUTTER Schneid doch amal das Brett ab! *Sie kniet noch immer beim Ofen am Boden. Der Vater nimmt die Säge und setzt sich auf die Mutter* Was machst denn, siehgst nimmer, blinder Heß?

DER VATER Wie groß soll denn das Brettl eigentlich sein?

DIE MUTTER Hast denn noch nie a Christbaumbrettl gsehn?

DER VATER Schon oft, aber das hab ich nimmer so im Gedächtnis.

DIE MUTTER Dann nimm halt das vorjährige Brettl als Muster. *Der Vater sägt das Brett ab, die Mutter hilft ihm dabei.* Gib obacht, daß du dich nicht schneidst!

DER VATER *redet immer* Die Kinder werden a Freud haben. Jetzt kommt ein Ast. – *Die Mutter geht ab und holt das Kaffeeservice.* Bring mir eine Schweinsschwarte zum Schmieren. *Die Mutter geht an den Tisch. Er drückt mit der Säge das Brett in die Höhe und stößt der Mutter das Geschirr aus der Hand* Ich hab doch gesagt, du sollst's Brett halten.

DIE MUTTER Wo hast du denn das Brettl, das du runtergschnitten hast?

DER VATER Da ists. *Er hält das lange Brett immer noch in der Hand. Die Mutter steigt am anderen Ende drauf. Das Brett haut den Vater auf die Füße* Au, au, jetzt ists am Fuß naufgfallen.

DIE MUTTER Auf was fürn Fuß?

DER VATER Auf unsern Fuß. *Er hebt das Brett auf, fahrt der Mutter unterm Rock damit herauf.*

DIE MUTTER Was machst denn? Heute am Heiligen Abend macht er so saudumme Sachen.

DER VATER Ist doch erst der Heilige Nachmittag.

DIE MUTTER Jetzt hat er so a kleins Brettl runtergschnitten, das können wir doch nicht brauchen. Da nehmen wir halt das alte her, aber da mußt du noch ein Loch hineinbohren.

DER VATER Dann hol ich den Bohrer. *Er tut es und bohrt ins Brettl ein Loch hinein; das Brettl dreht sich immer.*

DIE MUTTER Komm, laß dir helfen. Das Brett legt man daher am Tisch, ich halt dir und du bohrst. *Der Vater bohrt und spricht dabei.* So red doch nicht immer, paß doch aufs Loch auf!

DER VATER Ja, ich kann doch unterm Bohren reden.

DIE MUTTER Das brauchst gar nicht.

DER VATER So! *Er hat durch das Brett und durch den Tisch gebohrt, daß der Bohrer unten raussteht.*

DIE MUTTER Das sieht dir wieder gleich! Bohrt er in den schönen Tisch a Loch hinein, da brauchst dir noch was einbilden drauf, das schönste Stück in unserer Wohnung is jetzt auch kaputt.

DER VATER Das war vorauszusehen.

DIE MUTTER Das Loch ist überhaupt zu groß, da paßt der Christbaum gar nicht hinein.

DER VATER Das Brettl brauchen wir ja jetzt nicht. Jetzt können wir den Christbaum glei in den Tisch neistecken.

DIE MUTTER Das hättest glei tun können, da hätten wir überhaupt kein Brettl braucht.

DER VATER Das sag ich ja immer, drum hab ich ja an Christbaum ohne Brettl kauft.

DIE MUTTER Jetzt schmück amal den Baum, häng a paar Kugeln hin, die Kinder freun sich ja schon drauf.

DIE KINDER *hinter der Szene* Mama, dürfen wir schon rein?

BEIDE Nein, noch lange nicht.

DIE MUTTER Schick dich doch, die Kinder möchten schon herein.

Der Vater hängt ein paar Christbaumschmuck-Glaskugeln hin, wirft aber dabei Tisch und Baum um.

DIE MUTTER Jessas, jessas, was machst denn wieder? *Die Kinder schreien wieder.* Gleich, Kinder, schreit doch nicht so! *Zum Vater* Schick dich doch, mach die Kerzen hinauf. *Die Kinder schreien abermals.* Seids doch still – ihr Hundsbankerten, ihr miserablen!

DER VATER Hundsbankerten brauchst net sagn zu dene Saukrüppeln! *Die Kinder schreien erneut.*

DIE MUTTER Seids doch ruhig, der Teufel soll euch holen!

DER VATER Vergiß dich doch nicht, der Teufel solls holen: wenns der Teufel holt, braucht ma uns doch die ganze Arbeit nicht machen.

DIE MUTTER Das geht dich gar nichts an, schick dich doch!

DER VATER O tuh, tuh! *Er heult furchtbar.*

DIE MUTTER Seids still, Kinder, der Vater is narrisch wordn. *Zum Vater* Was machst denn jetzt? *Der Vater hat sich einen Kerzenhalter an den Finger gezwickt.* Um Gottes willen, das Unglück auch noch! *Die Kinder schreien wieder.* Gleich kommts Christkindl – *Zum Vater* So, du zündest jetzt amal den Baum an und ich bring derweil die Kinder.

DER VATER Die hast schon einmal gebracht.

DIE MUTTER Ich mein, ich brings herein. *Sie geht ab. Der Vater nimmt ein Zündholz und zündet den Baum unten an.*

DIE MUTTER *kommt herein und schreit* Was machst denn da, du zündest ja den Baum an!

DER VATER Du hast doch gesagt, ich soll den Baum anzünden!

DIE MUTTER Ich hab doch gemeint die Kerzen.

DER VATER An Baum hast gsagt.

DIE MUTTER No ja, wie man halt so sagt. *Sie geht ab. Der Vater zündet die Kerzen an, läutet mit der Handglocke und läßt das Grammophon spielen. Die Mutter und die Kinder kommen herein* So, Kinder, jetzt is 's Christ-kindl kommen. *Alle stellen sich um den Baum.*

KINDER Ah, ah, der ist schön!

DER VATER No, gar so schön ist er nicht.

ALLE *singen* Ein Prosit, ein Prosit, der Ge – müt – lich – keit! Eins – zwei – drei – Gsuffa!

DER VATER No, no, no, jetzt bist in an Frühschoppen hineingekommen.

DIE MUTTER *zum Kind* Jetzt sagst du dein Gedicht. Kannst es noch? Jetzt sags schön, daß der Vater a Freud hat.

DAS KIND »Sankt Niklas durch die Wälder schritt
Manch Tannenbäumchen nimmt er mit,
Und wo er wandert, bleibt im Schnee
Manch Futterkörnchen für Hase und Reh.
Leise macht er die Türen auf,
Jubelnd umdrängt ihn der kleine Hauf:
Sankt Niklas, Sankt Niklas,
Was hast du gebracht?
Was haben die Englein für uns gemacht?«
Vater und Mutter weinen währenddem.

DER VATER Schön hat sies gsagt, sehr schön!

DAS KIND So, gute Mutter, und das gehört dir! *Es schenkt der Mutter eine Haube.*

DIE MUTTER *freut sich* Ach du gutes Kind, ich danke dir!
Da schau her, Vater, so was Schönes!

DER VATER Ah, Ölsardinen!

DIE MUTTER Geh, mach doch deine Batzlaugen auf. A Haube hat sie mir geschenkt, die is schön, die kann ich notwendig brauchen. Ja, hast du die Haube selbst gestrickt?

DAS KIND Nein, Mutter, die hab ich nicht selbst gestrickt, die hab ich gestohlen.

DER VATER Ja was is des?

DIE MUTTER Ja, wo hast denn die Haube gestohlen?

DAS KIND Beim Oberpollinger.

DER VATER Des is recht!

DIE MUTTER So, beim Oberpollinger? Ja habns denn da so schöne Hauben? Das gute Kind, jetzt is alles so teuer, man kann so nichts mehr kaufen.

DER VATER Natürlich, man ist ja direkt verpflichtet dazu.

DIE MUTTER Hoffentlich hat dich kein Mensch gesehen!

DAS KIND Nein, Mutter, da hat mich niemand gesehen.

DIE MUTTER Dann gehst nächste Woch noch einmal hinein und holst mir eine.

DER VATER Und wennst amal beim Henne vorbeikommst, dann nimmst mir an ›Mercedes‹ mit.

DIE MUTTER Du bist ein gutes Kind, du bist jetzt schon reif fürs Zuchthaus. – Mach nur so fort. Da schau her, was dirs Christkindl bringt, eine Zugharmonika.

DAS KIND Ah, danke, Mutter!

DIE MUTTER *zum zweiten Kind* Und dir ein Springseil.

DAS ZWEITE KIND Ah, danke Mutter.

DER KAMINKEHRER, *entsetzlich lang, mit hohem schwarzen Zylinder, Hacke, Leiter und Besen, kommt plötzlich herein.* Grüß Gott beieinander! *Die Kinder schreien und fürchten sich vor ihm.*

DIE MUTTER Seid ruhig, Kinder, der tut euch nichts – *Zum Kaminkehrer* Um Gotteswillen, Herr Kaminkehrer, Sie können wir jetzt nicht brauchen, wir haben doch jetzt gerade Bescherung.

DER VATER Ausgerechnet jetzt kommt er. Ich hab doch eigens telefoniert, Sie sollen morgen am Feiertag kommen. Speziell als Kaminkehrer sollen S' soviel Anstand haben, daß S' jetzt nicht am Ofen umananderkratzn.

DER KAMINKEHRER Das werden wir gleich haben. Ich bin gleich fertig. *Er fängt am Ofen sehr laut zu klopfen und zu kratzen an.*

DIE MUTTER Geh, warten S' doch einen Moment, Sie sehn doch, daß wir gerade Bescherung haben, man versteht sein eigenes Wort nicht mehr, vor lauter Lärm. *Die Kinder machen auch Lärm.* So hört doch auf, ihr Fratzen!

DER VATER Wartens S' an Moment, Herr Kaminkehrer. *Zur Mutter* Da schau her, du bekommst deine Fotografie, die hab ich vergrößern lassen. *Er überreicht ihr einen Papierdrachen.*

DIE MUTTER Was, an Drachen? Ich glaub, du willst mich derblecken. Was meinst denn da damit? Da schau her, Vater, du kriegst von mir auf Weihnachten ein Cockorell-Motorrad – aber heuer mußt noch selber treten; 's nächste Jahr kriegst dann an Hilfsmotor dazu. *Sie gibt ihm das Kinderdreirad, das zugedeckt auf der Bühne steht. Zum Kaminkehrer* Herr Kaminkehrer, nehmen S' an Moment Platz.

DER KAMINKEHRER Bin so frei! *Er setzt sich von rückwärts auf den Stuhl, auf dem der Schaumkuchen liegt, mitten in denselben hinein.*

DIE KINDER *schreien* Mutter, der Kaminkehrer hat sich in den Schaumkuchen gesetzt!

DER KAMINKEHRER Jessas Maria! Daß mir des grad auf Johanni passieren muß. *Er dreht sich um und wischt mit der Hand den Schaum von seiner Hose.*

DER VATER *hat sich währenddessen auf das Rad gesetzt und fährt damit über die Bühne, wobei alles umfällt – die Lampe fällt herunter – es entsteht ein fürchterlicher Tumult. Die Mutter und die Kinder schreien. Er bleibt plötzlich mit offenem Munde in fassungslosem Staunen in der Mitte stehen* Ja wia komma denn Sie auf Johanni?

DER KAMINKEHRER Was wolln S' denn, heut ist doch der 24. Juni!

DER VATER Himmikreuzsapprament! Da geht nacha mei Abreißkalender nach!

DIE MUTTER Des schaugt dir scho gleich!

DER VATER Siehgst, Alte, drum hab ich ja heut den Christbaum auch so billig kriagt!

Vorhang

Val Mulkerns
Ein Mann, der nicht Weihnachten feiern wollte

Seit Mr. Murphy nach Dublin gekommen war, um dort bei Eastmans im Geschäft zu arbeiten, kannte er die Geschichte vom alten Ebenezer. Ihn selber kannte er allerdings nur vom Sehen. Der alte Herr mußte hochbetagt sein, doch war er noch immer recht beweglich, nur mit dem Schnaufen haperte es. Aber das kam daher, weil er jeden Morgen die sechs Treppen steigen mußte, die zu seiner »Festung« führten, der Buchhaltung im obersten Stock des Hauses. Dort war er seit fünfzig Jahren tätig und hatte niemals einen einzigen Sommerurlaub genommen. Er hatte seine zwei Wochen Ferien auf Weihnachten verlegt. Es war ein Vorrecht, das ihm wegen treuer Dienste gewährt wurde, denn schließlich hatte er Nicholas Eastman, den jetzigen Inhaber der Firma, schon gekannt, als der noch ein Hosenmatz war und nur im Geschäft erschien, um den Weihnachtsmann anzustaunen.

Mr. Murphy hatte den alten Ebenezer von jeher bewundert und hielt ihn für ebenso gescheit wie mutig. Denn das mußte er ja sein, wenn die Geschichte stimmte, die man sich im Geschäft von ihm erzählte. Er nahm noch immer seinen Urlaub während der Weihnachtszeit und reiste in die Grafschaft Cork – wohin, das wußte niemand. Daß seine Verwandten längst nicht mehr dort lebten – sie waren verstorben oder ausgewandert –, ging niemanden etwas an. Und jedenfalls war er früher zu ihnen gefahren und hatte als Geschenk für das Familienoberhaupt stets fünfzig Zigaretten mitgenommen. Für seine eigene Familie, die er in Dublin zurückließ, hatte er auch Geschenke vorbereitet: jeder bekam ein Paar Winterschuhe von ihm. Seine Jungen und Mädchen durften nicht, wie andere, die Torheit begehen und sich zum Schulanfang neue Sommerschuhe anziehen, aus denen schon im Herbst die Zehen hervorschauten. Nein, ihre Schuhe mußten von einem Weihnachtsfest zum nächsten halten.

Wie der alte Ebenezer aber mit seiner Frau fertig wurde, das war für Mr. Murphy eine interessante Frage. Hatte er ihr auch jedesmal ein Paar neue

Schuhe geschenkt, die er ohne sie ausgesucht hatte? Und hatte sie sich das gefallen lassen – wie überhaupt seine Weihnachtsreise?

Niemand konnte es Mr. Murphy verraten. All die vielen Winterschuhe waren stets im ersten Stock in der Schuhabteilung gekauft worden, bei einem Abteilungsleiter, der längst nicht mehr lebte. Doch die köstliche Geschichte von den Schuhen war nicht in Vergessenheit geraten, und auch der Ebenezer nicht. Er arbeitete noch immer allein da oben in seiner Buchhaltung, vermutlich, weil Mr. Eastman zu niemand anderm Vertrauen hatte, nicht einmal zu den Rechenmaschinen, die den alten Mann umgaben.

Als nun das diesjährige Weihnachtsfest näherrückte, dachte Mr. Murphy häufiger als sonst an den weisen alten Ebenezer. Er mußte ihn um Rat fragen. Aber wo? Auf der Personaltreppe konnte er ihn nicht gut ansprechen, denn er wollte ihm ja seine seelische Bedrängnis enthüllen. Ihn zu einem Gläschen Bier einzuladen, ging auch nicht an, denn der alte Herr trug die Abstinenzlernadel. Vielleicht sollte er doch eines Tages von seiner Abteilung – Herrenkonfektion – die Treppen hinaufsteigen und dem alten Ebenezer einen Besuch in seiner Festung abstatten. Ja, das wäre wohl das beste.

Mittlerweile begann sich das Netz bedrohlich über seiner geängstigten Seele zusammenzuziehen. Es war noch nicht einmal Ende November, und trotzdem hatte er anfangen müssen, an ganz gewöhnlichen Pullovern und Hosen kleine mit Weihnachtsgrün geschmückte Schildchen zu befestigen, die den Käufern weismachten, dies wäre »Genau das Richtige unter dem Gabentisch« oder, noch deutlicher, ein »Begehrter Geschenkartikel«. Simple Taschentücher, die sie sonst im Stückverkauf anboten, erschienen plötzlich, zu je drei Stück assortiert, in Schachteln mit dem Hinweis »Ia Weihnachtsgeschenk«, und sogar Allerweltssocken, die vermutlich tagaus, tagein von jedermann getragen wurden, mußten mit Weihnachtskärtchen geschmückt werden, die den Aufdruck trugen: »Sein sehnlichster Wunsch.« Insgeheim knirschte Mr. Murphy mit den Zähnen. Er stach sich viel öfter in den Finger als das übrige Personal, das diesen Rummel als selbstverständlich mitmachte. Die Verkäuferinnen aus der Kurzwarenabteilung kletterten unter vergnügtem Gelächter auf wackelige Himmelfahrtsleitern und hängten silberne Glöckchen und kitschige Papiergirlanden an die Beleuchtungskörper – schöne, antike Bronzelampen, die zu Großvater

Eastmans Zeiten für Gasglühlicht umgearbeitet worden waren und die man nicht hätte verschandeln sollen. Junge Burschen (wahrscheinlich von der Sportabteilung) wetteiferten miteinander, wer sein Tannengrün (aus widerlichem Plastik!) am höchsten anbringen könnte. Es war alles lächerlich. In dem ganzen irrsinnigen Warenstapelplatz bewahrten nur er selbst und (offenbar) der alte Ebenezer ihren gesunden Menschenverstand.

Denn bei ihm zu Hause war es – nun schon seit der ersten Dezemberwoche – noch schlimmer. Seine Familie und seine Töchter begannen seinen Rat einzuholen, wie sie es alljährlich taten, ohne sich je von seiner gleichgültigen, abweisenden Miene einschüchtern zu lassen.

»Noel, dies Jahr müssen wir Tante Agatha einladen, denn voriges Jahr hatten wir Tante Nell gebeten, das weißt du doch? Oder sollen wir lieber beide auffordern, und Mutter dazu, damit sie sich gemeinsam amüsieren können?«

»Ja«, erwiderte Mr. Murphy, »schon möglich.«

»Du hörst gar nicht zu, Noel! Sieh mal, ich verspreche dir, daß ich sie bis zu deinem Geburtstag alle drei wieder aus dem Haus befördert habe – rücksichtsvoller kann ich doch wirklich nicht zu dir sein?« (Dank einer merkwürdigen Ironie des Schicksals hatte Mr. Murphy nämlich vier Tage nach Weihnachten das Licht der Welt erblickt und deshalb den Namen »Noel« erhalten.) »Du weißt doch, was für Freude es den alten Leutchen immer macht, soviel Jugend um sich zu sehen!«

»Aber wie steht's mit der Jugend?« maulte Anna, seine Älteste, die schon ins Büro ging.

»Wir dürfen doch nicht selbstsüchtig sein, nicht wahr, Daddy? Erst recht nicht zu Weihnachten!« sagte seine tugendhafte Tochter Maureen. »Wie kann man denn drei alte Leute zu Weihnachten allein lassen und sich selber amüsieren?«

»Es geht eher darum«, widersprach Joan, die dritte Tochter, »daß wir noch nie alle drei gleichzeitig eingeladen hatten und daß es ihnen vielleicht keinen Spaß macht. Was meinst du, Daddy?«

»Möglich«, erwiderte Mr. Murphy und rutschte verdrießlich tiefer in seinen Sessel hinein.

»Dann ist es also abgemacht!« rief Mrs. Murphy strahlend. »Morgen früh rufe ich sie alle an! Aber ich werde es noch keiner verraten, daß die andern auch kommen – das tu' ich erst später, als besonders nette Überraschung. Daddy hat ganz recht: weil sie alle gleich alt sind, können sie sich gut verstehen und haben die gleichen Ansichten über alles!«

»Das hat Daddy gar nicht gesagt!« fuhr Anna auf. »Und wenn ich meine Meinung sagen darf: es wird das reinste Narrenhaus! Ich hätte die größte Lust, mich zu verdrücken. Was findest du, Daddy?«

»Ja, ja«, lautete Mr. Murphys Antwort. Der einzige Weg, eine derartige Situation zu meistern, bestand seiner Ansicht nach darin, das Gehör auszuschalten und den Geist auf das Kreuzworträtsel der letzten Seite seiner Abendzeitung zu konzentrieren. Sie würden ja, so oder so, doch nur tun, was sie wollten.

Erst ein paar Tage später wurde es Mr. Murphy klar, was ihre von ihm nicht beachteten Aussprüche zu bedeuten hatten. In diesem Jahr würde also sein Haus während der Feiertage nicht, wie sonst, um zwei, sondern um drei Damen in vorgerücktem Alter und mit unerschöpflichem Redetalent bereichert werden. Ein heimliches Angstgefühl beschlich ihn, das allmählich in Panik überging. Sieben Frauen auf einen Mann – wie konnte man nur nach einer solchen Feuerprobe noch in ein frohes neues Jahr hinüberrutschen? Und plötzlich reifte seine unbestimmte Sehnsucht, einmal mit dem alten Ebenezer zu sprechen, zu einem festen Entschluß. Eines Montagmorgens, noch vor Öffnung des Geschäfts, stieg er die steile, dunkle Personaltreppe hinan, die ihn mit jeder Stufe weiter in die Vergangenheit des Hauses zurückzubringen schien.

Und Vergangenheit umgab auch den dürren, aber unleugbar lebendigen Körper des alten Mannes, der verwundert den Kopf hob, als Mr. Murphy eintrat. Das Gesicht über dem weißen Stehkragen (mit Klappecken, wie sie der Premierminister Gladstone getragen hatte) war hager, jedoch charaktervoll und, dank der Gewohnheit Ebenezers, täglich zu Fuß ins Geschäft zu gehen, von frischer Farbe. Eine schmale Hakennase sprang unter den durchdringenden blauen Augen hervor. Der Haarwuchs war natürlich etwas schütter, aber immer noch dunkel und sorgfältig von einem Mittelscheitel seitwärts gekämmt – eine Frisur, die der junge Oscar Wilde bevorzugt hatte. Ein gestärktes Taschentuch schaute hinter den Füllfederhaltern seiner Brusttasche hervor, und im Knopfloch steckte unter der Abstinenzlernadel eine kleine Rose.

»Guten Morgen! Mr. Delaney, der neue Mann von der Schuhabteilung, nicht wahr?«

»Nein, ich bin Murphy von der Herrenkonfektion.«

»Ach ja, natürlich! Nehmen Sie Platz, Mr. Murphy!« Der alte Mann bot ihm höflich einen Stuhl an. Er selbst thronte auf hohem Büroschemel vor einem Pult, das, wie überhaupt die ganze Szene, an Dickens' *Christmas Carol* und das Büro des alten Scrooge erinnerte. Mr. Murphy war nervös und verlegen. Wie war er nur auf die verrückte Idee gekommen, einen völlig Fremden, mit dem er zwanzig Jahre nichts als einen flüchtigen Gruß gewechselt hatte, um Einzelheiten aus seinem Privatleben zu bitten? Er hustete, und sein Kragen wurde ihm zu eng.

»Erstaunlich, in dieser Jahreszeit eine Rose in Ihrem Knopfloch zu sehen!« stammelte er drauflos. Das alte Gesicht vor ihm leuchtete auf: die Zähne waren jünger, sehr weiß und völlig übereinstimmend in Form und Farbe.

»Ach, Mr. Murphy, das ist mein kleines Geheimnis! Ich will's Ihnen aber gern anvertrauen. Schneiden Sie Ihre Rosen nie vor Ende Januar zurück – erst dann hört nämlich bei unsern irischen Rosen das Wachstum auf. Wenn ich durch Balsbridge nach Hause gehe, wundere ich mich stets über die Unzahl von Vorgärtchenbesitzern, die ihre Rosen schon im Oktober stutzen. Überall sieht man säuberlich heruntergeschnittene und in Moos gebettete Stummel, die einem noch bis Weihnachten Freude bereitet hätten. Bei mir blühen jetzt zum Beispiel *Crimson Glory* und *Lady Chatterley*, denn wir hatten ja noch keinen richtigen Frost, verstehen Sie?«

»Ja, ich seh's ein und werde mir Ihren Tip merken. Besten Dank, Sir!« Mr. Murphy errötete beim Gedanken an seinen einzigen Rosenstrauch, eine Kletterrose, die nicht so sehr seine Familie erfreute, als vielmehr die Liebespärchen am Zaun der Hintergasse, über den sich die Blüten in wilder Fülle ergossen. Und er konnte sich auch nicht erinnern, den Strauch je im Leben zurückgeschnitten zu haben. Er lachte auf, weil die blauen Augen des alten Mannes ihn belustigt musterten.

»Ja, die Zeit fliegt nur so«, begann er zaghaft. »Kaum ist man von den Sommerferien zurück, da muß man schon die Weihnachtsfeier vorbereiten.« Der alte Mann kicherte. »Das Problem habe ich schon vor vielen Jahren gelöst, Mr. Murphy. Für mich sind Sommerferien und Weihnachtsferien das gleiche.«

»Ja, ja«, kam es gedrückt aus Mr. Murphys Kehle. »Das habe ich immer für sehr klug von Ihnen gehalten. Aber wie haben Sie nur Ihre Familie damit aussöhnen können?«

Der alte Mann blickte überrascht auf, als wüßte er nichts vom Vorhandensein einer solchen Schwierigkeit. Dann kicherte er wieder: »Ich habe sie nie um ihre Meinung gefragt!«

»Auch Ihre Frau nicht?« Da er nun glücklich so weit gelangt war, wollte er nicht aufgeben. »Sind Sie denn ... einfach ...« Er stotterte. Durfte er es sich anmerken lassen, daß ihm die Schuhgeschichte bekannt war? Wußte der alte Ebenezer, daß jeder im Geschäft sie kannte?

»Meiner guten Frau«, lächelte der alte Mann, »war es lieber, wenn ich in allen Dingen die Initiative ergriff. Sie sah ein, daß mir Ferien in einer andern Jahreszeit zuwider waren, und sie wußte, daß ich Erholung brauchte.«

»Aber ihr Weihnachtsgeschenk ...« fuhr Mr. Murphy fort. »Haben Sie's ihr einfach dagelassen, oder gingen Sie zusammen aus, um es gemeinsam zu kaufen und sie hinterher zum Essen auszuführen?«

Der alte Ebenezer kicherte wieder. »Meine gute Frau schwärmte für schöne Hausschuhe. Sie pflegte sie und hegte sie, dutzendweise, und wäre sehr enttäuscht gewesen, hätte ich sie mit etwas anderem überrascht.«

Er hatte es also getan! Er hatte nicht nur für seine Kinder, sondern auch für seine Frau eine Schuhschachtel dagelassen! Mr. Murphy kam sich klein und feige vor.

»Eigentlich wollte ich zu Ihnen, um Ihren Rat einzuholen, Sir, wie ich mich in dieser Frage meiner Frau gegenüber verhalten soll, denn schon seit langer Zeit will mir Weihnachten zu Hause gar nicht mehr gefallen, und ich hatte immer daran gedacht, ob ich vielleicht ... in diesem Jahr ... wegfahren sollte ...«

»Mit dem größten Vergnügen gebe ich Ihnen meinen Rat, lieber Murphy: Besprechen Sie es nicht mit Ihrer Frau! Legen Sie ihr Weihnachtsgeschenk auf den Schrank, sagen Sie ihr liebevoll Lebewohl und reisen Sie ab! Das Leben der Ehefrauen wurde erst schwierig, als die Männer begannen, alle Probleme mit ihrer Frau durchzusprechen. Die traditionelle Methode war einfacher – und sogar, auf lange Sicht betrachtet, friedlicher.«

»Besten Dank, Sir! Und nun will ich Sie nicht länger aufhalten. Darf ich Ihnen ein frohes Weihnachtsfest wünschen?«

»Gewiß, Mr. Murphy! Früher ging ich meistens in die schönste Gegend unseres Landes, nach Glengariffe. Doch leider sind die Kosten für Hotel und Verpflegung unerschwinglich geworden.«

›Allerdings‹, dachte Mr. Murphy. ›Für den Gegenwert von fünfzig Zigaretten gibt's jetzt keine Ferien mehr!‹ – »Dann wünsche ich Ihnen recht gute Erholung, Sir!« sagte er und verließ die Buchhaltung. Eine große Last war ihm von der Seele genommen. Diesmal würde er also wegfahren und die Damen ihrer eigenen Weihnachtsfeier überlassen. Und was so großartig war: er wußte genau, wohin er reisen würde! Nach Donegal! Dort gab es an der Küste des Atlantik ein Gästehaus, das während des ganzen Jahres geöffnet blieb. Es war nichts als ein ausgebautes Bauernhaus: groß, gastfreundlich und billig. Mit seiner Frau war er vor ein paar Jahren dagewesen, und es hatte ihr nicht gefallen, weil es ihr zu abgelegen und zu still war. Er wollte heute abend noch hinschreiben! Später, wenn alles fest abgemacht war, konnte er es ja beiläufig zu Hause erwähnen. Und er wollte ihnen allen besonders hübsche Geschenke aussuchen, beschloß er großmütig. Sogar für die alten Tanten.

Ungewohnt munter ging er von der Bushaltestelle zu Fuß nach Hause. Seine Frau Vera begrüßte ihn so herzlich wie immer, und die drei Mädchen waren so reizend zu ihm, daß es ihn an früher erinnerte, als sie noch klein gewesen waren und sich um seine Hände gestritten hatten, an denen sie ihn nach der Rückkehr vom Büro ins Haus zogen. Heute stürmte Maureen aus der Küche nach oben, um seine Pantoffeln zu holen, und bestand darauf, sie erst am Feuer zu wärmen, ehe er sie anziehen durfte. Aus der Küche drang der appetitliche Duft frischer Kartoffelpuffer, und als er sich in seinen Sessel setzte, flüsterte Anna ihm ins Ohr: »Ich war heute in Backstimmung, als ich vom Büro heimkam! Was sagst du zu einer Mokkatorte als Abschluß?«

Mr. Murphy ließ sich freundlich brummend eine gewisse Vorfreude anmerken und versteckte sich dann hinter seiner Zeitung, denn die Vorfreude wurde gedämpft durch eine nicht geringe Besorgnis. Heute abend hing eine seltsam ungewohnte Stimmung in der Luft. Zwar waren sie auch sonst nett zu ihm – doch warum gleich so reichlich? Und wieviel Pfeile hatten sie noch für ihn in ihrem Köcher? Hoffentlich war es nur ihre allgemeine Festtagsfreude!

Das Eßzimmer wies schon jene leichte Unordnung auf, die seine Frau sonst nie duldete, ausgenommen in der letzten Woche vor Weihnachten. In der Durchreiche, die sie nie benutzten, war schon ein Berg bunter Päckchen aufgestapelt, und auf der Anrichte türmten sich weihnachtliches Einwickelpapier und farbige Bänder. Auf einem Seitentisch standen Schachteln, in denen sie von Jahr zu Jahr den Baumschmuck aufbewahrten. Sie würden wahrscheinlich am nächsten Wochenende geöffnet werden – wenn er hoffentlich schon Antwort von Mrs. MacGinlay hatte. Während er aufs Abendessen wartete, dachte er, wie eigentlich die traditionelle Weihnachtsfeier bei den MacGinlays verlaufen mochte: viel einfacher, nahm er an, und mehr nach seinem Geschmack. Vielleicht gab's sogar am Weihnachtsmorgen ein kleines Wettschießen mit den jungen Burschen. Mrs. Mac Ginlay hatte außer ihren drei Töchtern noch einige stramme Söhne.

Seine eigenen drei Töchter sprangen, sowie die Mahlzeit beendet war, mit ungewohnter Bereitwilligkeit hoch, um den Tisch abzuräumen und abzuwaschen, und seine Frau nahm sich einen Stoß Weihnachtskarten und ihr Notizbuch vor. Ihre Stimme klang etwas geistesabwesend, als sie sich, wie immer, nach Neuigkeiten in seinem Abendblatt erkundigte, und bald war sie so in ihre Schreiberei vertieft, daß sie ihn nicht länger störte. Nach einiger Zeit steckte Anna den Kopf zur Tür herein und fragte, ob alles okay sei, woraufhin ihre Mutter sie ärgerlich wegscheuchte. Gleich danach erhob sie sich und beugte sich über ihn.

»Noel, Liebster, ich muß dir etwas sagen! Unsere Pläne für die Feiertage sind ins Wasser gefallen. Man sollte es nicht glauben! So etwas ist mir noch nie passiert! Dabei ist alles meine Schuld!« Das war ein so unerhörtes Eingeständnis, daß Mr. Murphy die Zeitung sinken ließ und seine Frau aufmerksam ansah. Sie schien bestürzt, jedoch nicht so sehr, wie es ihre Worte hätten vermuten lassen.

»Wir wollten dir nicht erzählen, daß es schon vor einer Woche begann, weil die Mädchen und ich dich nicht belästigen mochten. Mutter hat sich also ein für allemal geweigert, zu Weihnachten zu uns zu kommen, wenn wir Tante Agatha auch bei uns haben, und Tante Nell sagt, sie könnte beim besten Willen nicht noch ein Weihnachtsfest mit Mutter ertragen. Deshalb bemühten wir uns alle vier, die Mädchen und ich, diplomatisch vorzugehen und alles einzurenken, bis Anna plötzlich sagte: ›Hör mal,

Mutter, warum sollen wir uns ihretwegen ärgern? Es kommt alles bloß daher, weil wir Weihnachten immer zu Hause bleiben.‹«

Mr. Murphy richtete sich kerzengerade in seinem Sessel auf, faltete die Zeitung umständlich zusammen und legte sie vor seine Füße. »So?« entgegnete er sehr ruhig. Obwohl er vor einem lodernden Kaminfeuer saß, überlief ihn ein kalter Schauer.

»Reg dich nicht auf, Noel, Liebster! Jetzt ist alles in Ordnung!« sprudelte es über die Lippen seiner Frau, während sie ihn herzte und drückte. »Ich weiß, du fühlst dich am wohlsten bei uns zu Hause und würdest nie freiwillig verreisen, vor allem nicht zu Weihnachten – aber wir fahren weg!«

»Wir fahren weg?« Mr. Murphy begriff, weshalb es ihn fröstelte und weshalb er aufmerksam zuhören mußte.

»Ja, wir fahren Weihnachten weg!« verkündete seine Frau strahlend. »Es ist die einzige Möglichkeit, um Ärger mit unsern nächsten Verwandten zu vermeiden. Zufällig weiß ich, daß Mutter und die beiden Tanten noch andere Einladungen bekommen haben, wir lassen sie also nicht etwa im Stich. Anna sagt ganz richtig, es geschieht ihnen recht, wenn es einmal nicht nach ihrem Kopf geht, bloß, weil sie achtzig sind. Von Anna stammt überhaupt der ganze Einfall!«

»Aber die Kosten!« versuchte Mr. Murphy matt einzuwenden.

»Bedenke nur, was wir alles nicht zu kaufen brauchen!« erklärte seine Frau.

»Keinen Truthahn für mindestens fünf Guineas, keinen Schinken, keinen teuren Alkohol, keine Büchsen mit Delikatessen und keine kostspielige Gastfreundschaft für all und jeden, der während der Feiertage gern mal hereinschauen möchte. Mich würde es gar nicht wundern, wenn wir zu guter Letzt sogar dabei gespart hätten. Jedenfalls will ich alles, was wir über die üblichen Weihnachtsunkosten hinaus noch ausgeben müssen, aus der Sommerferienkasse bestreiten. Anständiger kann man doch nicht sein, was, Liebster?«

In diesem Augenblick platzten die drei Töchter ins Zimmer. »Ach, Daddy, wie süß von dir, daß du einverstanden bist!« rief Anna, plumpste auf seine Knie und küßte ihn auf die Nase.

»Ich habe noch kein Wort . . .«, protestierte Mr. Murphy.

»Denk nur, wie phantastisch und wie schick es sein wird!« seufzte Maureen.

»Mir wäre so ein Gedanke nicht im Traum gekommen, aber schließlich sind die alten Leutchen ja noch woanders eingeladen.«

»Und wahrscheinlich freuen sie sich genauso über unsern Plan wie wir! Ich meine, ich hab's ja schon vorher gewußt, daß der Vorschlag, sie alle drei gleichzeitig bei uns zu haben, verrückt war!« erklärte Joan und steckte zwei eiskalte Finger hinter seinen Kragen, um ihn in den Nacken zu kneifen – aus Zärtlichkeit, wie er hoffte.

»Hört mal, Kinder«, begann er, erinnerte sich verzweifelt an den alten Ebenezer und rief ihn in Gedanken zu Hilfe, »eigentlich wollte ich . . .«

»Warte doch, bis du gehört hast, wohin wir fahren, Noel, Liebster«, unterbrach ihn seine Frau ausgelassen. »Du wirst die Augen aufreißen vor Staunen! Aber gottlob ist alles fest abgemacht – sie können uns unterbringen! Heute früh habe ich die Zusage bekommen. Deshalb sagen wir es dir erst jetzt, wo keine Enttäuschung mehr zu befürchten ist. Und wir können bis zu deinem Geburtstag bleiben.«

»Wo?« Mr. Murphys Frage klang unhörbar leise, aber sie hätten es ihm ohnehin gesagt.

»Wir gehn nach Donegal!« rief Anna und erstickte ihn fast in ihrer bärenstarken Umarmung. »Dorthin, wo's dir vor zwei Jahren so rasend gut gefallen hat! Ist es nicht toll, unser Weihnachtsessen im Anblick des tosenden Ozeans zu genießen?«

»Mrs. MacGinlay schrieb mir, sie wäre entzückt, uns aufzunehmen«, erzählte seine Frau selbstgefällig. »Sie schrieb, sie sehnten sich alle nach ein bißchen Leben, weil die Jungen in England Arbeit angenommen haben, bis die Lachsfischerei wieder beginnt. Natürlich fühlen sie sich einsam da oben, am Ende der Welt, die Armen! Und für uns ist es weitaus der geeignetste Ort, denn Mutter könnte ärgerlich werden und beschließen, mit uns zu kommen, falls wir nur auf die Skerries gingen. Aber wenn wir mitten im Winter so gut wie nach Sibirien reisen, folgt uns kein Mensch. Also sind bloß Mrs. MacGinlay und ihre Töchter und wir da, und unsern Baumschmuck nehmen wir mit, dann ist's genau wie zu Hause!«

»Gib's zu, Daddy, daß du dich freust!« schmeichelte Maureen. Sie hatte das liebste Lächeln von allen, und dabei bedrängte sie ihn nicht einmal, sondern stand einfach da und lächelte, so daß er an die niedlichen Mäusezähnchen denken mußte, die sie als Kleinkind gehabt hatte. »Ja, ja, ich freu' mich ja«, brummte Mr. Murphy, und sofort ließen ihn seine vier Damen in Ruhe und flogen auseinander – zu ihren mancherlei Weihnachtsvorbereitungen.

Daß wieder ein Hindernis auftauchen würde, hatte er ja befürchtet – obwohl ihm diese groteske Möglichkeit nicht in den Sinn gekommen wäre. Den Rat des alten Ebenezer – ob er nun richtig oder verkehrt war – hatte er jedenfalls zwanzig Jahre zu spät erhalten.

Maxim Gorki
Von einem Knaben und einem Mädchen, die nicht erfroren sind

In den Weihnachtserzählungen ist es von alther üblich, jährlich mehrere arme Knaben und Mädchen erfrieren zu lassen. Der Knabe oder das Mädchen einer angemessenen Weihnachtserzählung steht gewöhnlich vor dem Fenster eines großen Hauses, ergötzt sich am Anblick des brennenden Weihnachtsbaumes in einem luxuriösen Zimmer und erfriert dann, nachdem es viel Unangenehmes und Bitteres empfunden hat.

Ich verstehe die guten Absichten der Autoren solcher Weihnachtserzählungen, ungeachtet der Grausamkeit, welche die handelnden Personen betrifft; ich weiß, daß sie, diese Autoren, die armen Kinder erfrieren lassen, um die reichen Kinder an ihre Existenz zu erinnern; aber ich persönlich kann mich nicht dazu entschließen, auch nur einen einzigen Knaben oder ein armes Mädchen erfrieren zu lassen, auch zu solch einem sehr achtbaren Zweck nicht.

Ich selbst bin nicht erfroren und bin auch nicht beim Erfrieren eines armen Knaben oder armen Mädchens dabeigewesen und fürchte, allerhand lächerliche Dinge zu sagen, wenn ich die Empfindungen beim Erfrieren beschreibe, und außerdem ist es peinlich, ein lebendes Wesen erfrieren zu lassen, nur um ein anderes lebendes Wesen an seine Existenz zu erinnern.

Das ist es, weshalb ich es vorziehe, von einem Knaben und einem Mädchen zu erzählen, die nicht erfroren sind.

Es war Heiligabend, ungefähr um sechs Uhr. Der Wind wehte und wirbelte hier und da durchsichtige Schneewölkchen auf. Diese kalten Wölkchen von nicht greifbarer Gestalt, schön und leicht wie zusammengeknüllter Mull, flogen überall umher, gerieten den Fußgängern ins Gesicht und stachen ihnen mit Eisnadeln in die Wangen, bestäubten den Pferden die Köpfe, die sie – warme Dampfwolken ausstoßend – laut wiehernd schüttelten. Die Telegrafendrähte waren mit Reif behängt, sie sahen wie Schnüre aus weißem Plüsch aus. Der Himmel war wolkenlos und funkelte von vielen Sternen. Sie glänzten so hell, als ob jemand sie zu diesem Abend mit Bürste und Kreide sorgfältig geputzt hätte, was natürlich unmöglich war.

Auf der Straße ging es laut und lebhaft her. Traber sausten dahin, Fußgänger kamen, von denen einige eilten, andere ruhig dahinschritten.

Dieser Unterschied lag sichtlich darin begründet, daß die ersteren etwas vorhatten und sich Sorgen machten oder keine warmen Mäntel besaßen, die letzteren aber weder Geschäfte noch Sorgen hatten und nicht nur warme Mäntel, sondern sogar Pelze trugen.

Dem einen dieser Leute, die keine Sorgen hatten und dafür Pelze mit üppigen Kragen, einem von diesen Herrschaften, die langsam und wichtig dahinschritten, rollten zwei kleine Lumpenbündel direkt vor die Füße und begannen, sich vor ihm herumdrehend, zweistimmig zu jammern.

»Lieber, guter Herr«, klagte die hohe Stimme eines kleinen Mädchens.

»Euer Wohlgeboren«, unterstützte es die heisere Stimme eines Knaben.

»Geben Sie uns armseligen Kindern etwas!«

»Ein Kopekchen für Brot! Zum Feiertage!« schlossen sie beide vereint.

Das waren meine kleinen Helden – arme Kinder: der Knabe Mischka Pryschtsch und das Mädchen Katjka Rjabaja.

Der Herr ging weiter; sie aber liefen behende vor seinen Füßen hin und her, wobei sie ihm beständig im Wege waren, und Katjka flüsterte, vor Aufregung keuchend, immer wieder: »Geben Sie uns doch etwas!« während Mischka sich bemühte, den Herrn soviel wie möglich am Gehen zu hindern.

Und da, als er ihrer endlich überdrüssig geworden war, schlug er seinen Pelz auseinander, nahm sein Portemonnaie heraus, führte es an seine Nase und schnaufte. Darauf entnahm er ihm eine Münze und steckte sie in eine der sehr schmutzigen kleinen Hände, die sich ihm entgegenstreckten.

Die beiden Lumpenbündel gaben augenblicklich dem Herrn im Pelz den Weg frei und fanden sich plötzlich in einem Torweg, wo sie eng aneinandergedrückt eine Zeitlang schweigend die Straße auf und ab blickten.

»Er hat uns nicht gesehen, der Teufel!« flüsterte der arme Knabe Mischka, boshaft triumphierend.

»Er ist um die Ecke herum zu den Droschkenkutschern gegangen«, antwortete seine kleine Freundin. »Wieviel hat er denn gegeben, der Herr?«

»Einen Zehner!« sagte Mischka gleichmütig.

»Und wieviel sind es jetzt im ganzen?«

»Sieben Zehner und sieben Kopeken!«

»Oh, schon soviel! . . . Gehen wir bald nach Hause? Es ist so kalt.«

»Dazu ist noch Zeit!« sagte Mischka skeptisch. »Sieh zu, drängele dich nicht gleich vor; wenn dich die Polente sieht, packt sie dich und zaust dich . . . Dort schwimmt eine Barke! Los!«

Die Barke war eine Dame in einer Rotonde, woraus zu ersehen ist, daß Mischka ein sehr boshafter, unerzogener und älteren Leuten gegenüber unehrerbietiger Knabe war.

»Liebe gnädige Frau«, begann er zu jammern.

»Geben Sie etwas, um Christi willen!« rief Katjka.

»Drei Kopeken hat sie spendiert! Sieh mal an! Die Teufelsfratze!« schimpfte Mischka und schlüpfte wieder in den Torweg.

Und die Straße entlang stoben nach wie vor leichte Schneewölkchen, und der kalte Wind wurde immer rauher. Die Telegrafenstangen summten dumpf, der Schnee knirschte unter den Schlittenkufen, und in der Ferne hörte man ein frisches, helles weibliches Lachen.

»Wird Tante Anfissa heute auch betrunken sein?« fragte Katjka, sich fester an ihren Kameraden schmiegend.

»Warum denn nicht? Warum sollte sie nicht trinken? Genug davon!« antwortete Mischka wichtig.

Der Wind wehte den Schnee von den Dächern und begann leise ein Weihnachtsliedchen zu pfeifen; irgendwo winselte eine Türangel. Darauf erklang das Klirren einer Glastür, und eine helle Stimme rief: »Droschke!«

»Laß uns nach Hause gehen!« schlug Katjka vor.

»Nun, jetzt fängst du noch an zu jammern!« fuhr der ernste Mischka sie an. »Was gibt es denn schon zu Hause?«

»Dort ist's warm«, erklärte sie kurz.

»Warm!« äffte er sie nach. »Und wenn sich wieder alle versammeln, und du mußt tanzen – ist es dann schön? Oder wenn sie dich mit Schnaps vollpumpen und dir wieder schlecht wird . . . und da willst du nach Hause!«

Er reckte sich mit dem Ausdruck eines Menschen, der seinen Wert kennt und von seiner richtigen Ansicht fest überzeugt ist. Katjka gähnte fröstelnd und hockte sich in einem Winkel des Torweges nieder.

»Schweig lieber . . . und wenn es kalt ist – halt aus . . . das schadet nichts. Wir werden schon wieder warm werden. Ich kenne das schon! Ich will . . .«

Er hielt inne, er wollte seine Kameradin zwingen, sich dafür zu interessieren, was er wolle. Sie aber zeigte nicht das geringste Interesse und zog sich immer mehr zusammen. Da warnte Mischka sie besorgt:
»Paß auf, daß du nicht einschläfst, sonst erfrierst du! Katjuschka?!«
»Nein, mir fehlt nichts«, antwortete sie zähneklappernd.
Wenn Mischka nicht dagewesen wäre, wäre sie vielleicht auch erfroren; aber dieser erfahrene Bursche hatte sich fest vorgenommen, sie an der Ausführung dieser in der Weihnachtszeit üblichen Tat zu hindern.
»Steh lieber auf, das ist besser. Wenn du stehst, bist du größer, und der Frost kann dich nicht so leicht bezwingen. Mit Großen kann er nicht fertig werden. Zum Beispiel die Pferde – die frieren niemals. Aber der Mensch ist kleiner als das Pferd ... er friert ... Steh doch auf! Wir wollen es bis zu einem Rubel bringen – und dann marsch nach Hause!«
Am ganzen Körper zitternd, stand Katjka auf.
»Es ist schrecklich kalt«, flüsterte sie.
Es wurde in der Tat immer kälter, und die Schneewölkchen verwandelten sich nach und nach in herumwirbelnde dichte Knäuel. Sie drehten sich auf der Straße, hier als weiße Säulen, dort als lange Streifen lockeren Gewebes, mit Brillanten besät. Es war hübsch anzusehen, wenn solche Streifen sich über den Laternen schlängelten oder an den hellerleuchteten Fenstern der Geschäfte vorüberflogen. Dann sprühten sie als vielfarbige Funken auf, die kalt waren und die Augen mit ihrem Glanz blendeten. Obgleich alles schön war, interessierte es meine beiden kleinen Helden absolut nicht.
»Hu – hu!« sagte Mischka, indem er die Nase aus seiner Höhle hinaussteckte. »Da kommen sie geschwommen! ein ganzer Haufen! ... Katjka, schlaf nicht!«
»Gnädige Herrschaften!« begann das kleine Mädchen mit zitternder und unsicherer Stimme zu jammern, während es auf die Straße kullerte.
»Geben Sie uns ar-men... Katjuschka, lauf!« kreischte Mischka auf.
»Ach, ihr, ich werde euch«, zischte ein langer Polizist, der plötzlich auf dem Bürgersteig erschienen war.
Aber sie waren bereits verschwunden. Sie waren wie zwei große zottige Knäuel fortgekullert und verschwunden.
»Sie sind fortgelaufen, die kleinen Teufel!« sagte der Polizist vor sich hin, lächelte gutmütig und blickte die Straße entlang.

Und die kleinen Teufel rannten und lachten aus vollem Halse.

Katjka fiel immer wieder hin, weil sie sich in ihren Lumpen verwickelte, und rief dann: »Lieber Gott! Schon wieder . . .«, und sah sich beim Aufstehen ängstlich lächelnd um.

»Kommt er hinterher?«

Mischka lachte, sich die Seiten haltend, aus vollem Halse und bekam einen Nasenstüber nach dem anderen, weil er fortwährend mit Vorübergehenden zusammenstieß.

»Nun aber genug! Hol dich der Teufel! Wie sie herumkullert! Ach du dumme Trine! Plumps! Mein Gott, schon wieder plumpst sie hin, das ist ja zu komisch!«

Katjkas Hinfallen stimmte ihn heiter.

»Jetzt wird er uns nicht mehr einholen, sei nur ruhig! Er ist nicht schlecht, das ist einer von den guten . . . Der andere, der von damals, hat gleich gepfiffen... Ich renne los – und dem Polizisten direkt gegen den Bauch! Und mit der Stirn an seinen Knüppel...«

»Ich weiß noch, du bekamst eine Beule...«, und Katjka lachte wieder hellauf.

»Nun, schon gut!« sagte Mischka ernst. »Du hast genug gelacht! Hör jetzt, was ich dir sage.«

Sie gingen nun im bedächtigen Schritt ernster und besorgter Leute nebeneinanderher.

»Ich hab' dich belogen, der Herr hat mir zwei Zehner gegeben, und vorher habe ich dich auch belogen, damit du nicht sagen solltest, es sei Zeit, nach Hause zu gehen. Heute haben wir einen guten Tag! Weißt du, wieviel wir gesammelt haben? Einen Rubel und fünf Kopeken! Das ist viel.«

»Ja-a-a!« flüsterte Katjka. »Für soviel Geld kann man sogar Schuhe kaufen... auf dem Trödelmarkt.«

»Nun, Schuhe! Schuhe stehle ich für dich... warte nur... ich habe es schon lange auf ein Paar abgesehen... ich werde sie schon stibitzen. Aber weißt du was, wir wollen gleich in eine Schenke gehen... ja?«

»Tantchen wird wieder davon erfahren, und dann setzt es was, wie das vorige Mal«, sagte Katjka nachdenklich; aber in ihrem Ton klang schon Vorfreude auf die Wärme.

»Dann setzt es was? Nein, das wird nicht geschehen! Wir wollen uns eine Schenke suchen, wo uns niemand kennt.«

36

»Ach so«, flüsterte Katjka hoffnungsvoll.

»Also vor allem wollen wir ein halbes Pfund Wurst kaufen, das macht acht Kopeken; ein Pfund Weißbrot für fünf Kopeken. Das sind dreizehn Kopeken! Dann zwei Stück Kuchen zu drei Kopeken – das sind sechs Kopeken und im ganzen schon neunzehn Kopeken! Dann zahlen wir für zweimal Tee sechs Kopeken... das macht einen Fünfundzwanziger! Siehst du! Dann bleiben uns...«

Mischka schwieg und blieb stehen. Katjka schaute ihm ernst und fragend ins Gesicht.

»Das ist aber schon sehr viel«, wiederholte sie schüchtern.

»Sei still... warte... Das macht nichts, es ist nicht viel, es ist sogar noch wenig. Dann essen wir noch was für acht Kopeken... dann sind es im ganzen dreiunddreißig! Essen wir drauflos! Ist ja Weihnachten. Dann bleiben... bei fünfundzwanzig Kopeken acht Zehner und bei dreiunddreißig etwas über sieben Zehner übrig! Siehst du, wie viel! Hat sie noch mehr nötig, die Hexe?... Hei!... Geh mal schneller!«

Sie faßten sich an den Händen und hopsten auf dem Bürgersteig weiter. Der Schnee flog ihnen ins Gesicht und in die Augen. Mitunter wurden sie von einer Schneewolke vollständig bedeckt; sie hüllte die beiden kleinen Gestalten in einen durchsichtigen Schleier, den sie in ihrem Streben nach Wärme und Nahrung rasch zerrissen.

»Weißt du«, begann Katjka, vom schnellen Gehen keuchend, »ob du willst oder nicht, aber wenn sie es erfährt, werde ich sagen, daß du das alles... ausgedacht hast... Tu, was du willst! Du wirst schließlich fortlaufen... aber ich habe es schlechter... mich kriegt sie immer... und schlägt mich mehr als dich... sie mag mich nicht. Paß auf, ich werde alles sagen!«

»Nur zu, sag es nur!« nickte ihr Mischka zu. »Wenn sie uns auch durchprügelt – es wird schon wieder heilen. Das macht nichts... Sag es nur...«

Er war von Mut erfüllt und ging einher, pfeifend den Kopf zurückgeworfen. Sein Gesicht war schmal und seine Augen hatten einen unkindlich schlauen Ausdruck, seine Nase war spitz und ein wenig gebogen.

»Da ist sie, die Schenke! Es sind sogar zwei! In welche wollen wir gehen?«

»Los, in die niedrige. Und zuerst in den Laden . . . komm!«

Und nachdem sie im Laden alles, was sie sich vorgenommen, gekauft hatten, traten sie in die niedrige Schenke.

Sie war voller Dampf und Rauch und einem sauren, betäubenden Geruch. Im dichten rauchigen Nebel saßen an den Tischen Droschkenkutscher, Landstreicher und Soldaten, zwischen den Tischen liefen unglaublich schmutzige Bediente umher, und alles schrie, sang und schimpfte.

Mischka fand mit scharfem Blick in einer Ecke ein leeres Tischchen und ging geschickt lavierend darauf zu, nahm schnell seinen Mantel ab und begab sich zum Büfett. Schüchtern um sich blickend, begann und Katjka ihren Mantel auszuziehen.

»Onkelchen«, sagte Mischka, »kann ich zwei Glas Tee bekommen?« Und schlug gleich mit der Faust auf das Büfett.

»Tee möchtest du haben! Bitte sehr! Gieß dir selbst ein und hol dir auch selbst kochendes Wasser ... Sieh aber zu, daß du nichts zerbrichst! Sonst werde ich dich ...«

Aber Mischka war schon nach dem heißen Wasser fortgerannt. Nach zwei Minuten saß er mit seiner Kameradin ehrbar am Tisch, im Stuhl zurückgelehnt, mit der wichtigen Miene eines Droschkenkutschers nach tüchtiger Arbeit – und drehte sich bedächtig eine Zigarette aus Machorka. Katjka schaute ihn voller Bewunderung für seine Haltung in einem öffentlichen Lokal an. Sie konnte sich noch gar nicht an den lauten, betäubenden Lärm der Schenke gewöhnen und erwartete im stillen, daß man sie beide »am Kragen nehmen« oder daß noch etwas Schlimmeres geschehen würde. Aber sie wollte ihre geheimen Befürchtungen nicht vor Mischka aussprechen und versuchte, indem sie ihr blondes Haar mit den Händen glättete, sich unbefangen und ruhig umzuschauen. Diese Bemühungen ließen ihre schmutzigen Backen immer wieder erröten, und sie kniff ihre blauen Augen verlegen zusammen. Aber Mischka belehrte sie bedächtig, bemüht, in Ton und Rede den Hausmann Signej nachzuahmen, der ein sehr ernster Mensch, wenn auch ein Trinker war und vor kurzer Zeit wegen Diebstahls drei Monate im Gefängnis gesessen hatte.

»Da bettelst du zum Beispiel ... Aber wie du bettelst, das taugt nichts, offen gesagt, ›Ge-e-eben Sie, ge-e-eben Sie uns etwas!‹ Ist denn das die Hauptsache? Du mußt den Menschen vor den Füßen sein, mach es so, daß er Angst hat, über dich zu fallen ...«

»Ich werde das tun ...«, stimmte Katjka demütig zu.

»Nun, siehst du ...«, nickte ihr Kamerad gewichtig. »So muß es auch sein. Und dann noch eins: Wenn zum Beispiel Tante Anfissa ... was ist denn diese Anfissa? Erstens eine Trinkerin! Und außerdem ...«

Und Mischka verkündete aufrichtig, was Tante Anfissa außerdem noch war. Im völligen Einverständnis mit Mischkas Bezeichnung nickte Katjka mit dem Kopf.

»Du folgst ihr nicht ... das muß man anders machen. Sage zu ihr: ›Liebes Tantchen, ich werde brav sein ... ich werde Ihnen gehorchen ...‹ Schmier ihr also Honig ums Maul. Und dann tu, was du willst ... So mußt du es machen ...«

Mischka schwieg und kratzte sich gewichtig den Bauch, wie es Signej immer tat, wenn er zu reden aufhörte. Damit war sein Thema erschöpft.

Er schüttelte den Kopf und sagte: »Nun wollen wir essen ...«

»Ja, los!« stimmte Katjka bei, die schon längst gierige Blicke auf Brot und Wurst geworfen hatte.

Dann begannen sie ihr Abendessen zu verspeisen inmitten des feuchten, übelriechenden Dunkels der mit berußten Lampen schlecht beleuchteten Schenke, im Lärm zynischer Schimpfreden und Lieder. Sie aßen beide mit Gefühl, Verstand und Bedacht, wie echte Feinschmecker. Und wenn Katjka, aus dem Takt kommend, heißhungrig ein großes Stück abbiß, wodurch sich ihre Backen blähten und ihre Augen komisch hervortraten, brummte der bedächtige Mischka spöttisch: »Schau mal einer an, Mütterchen, wie du über das Essen herfällst!«

Das machte sie verlegen, und sie bemühte sich, beinahe erstickend, die wohlschmeckende Kost rasch zu zerkauen.

Nun, das ist auch alles. Jetzt kann ich sie ruhig ihren Weihnachtsabend zu Ende feiern lassen. Glauben Sie mir, sie werden nun nicht mehr erfrieren! Sie sind am richtigen Platz ... Wozu sollte ich sie erfrieren lassen ...? Meiner Meinung nach ist es äußerst töricht, Kinder erfrieren zu lassen, welche die Möglichkeit haben, auf gewöhnliche und natürliche Weise zugrunde zu gehen.

Hugo Hartung · Eine ganz belanglose Geschichte

Der Polizeibericht bestand nur aus wenigen Zeilen und war völlig uninteressant: »Der vermißte und von der Polizei gesuchte fünfjährige Dieter G. konnte wohlbehalten in einem Gehöft, zwölf Kilometer von der Stadt entfernt, gefunden werden. Unverständlicherweise machte die Frau, die das verirrte Kind aufgenommen hatte, den Behörden erst nach drei Tagen Meldung.« Eine Zeitung hatte den Bericht tadelnd überschrieben: »Sträfliches Verhalten bei Kindesauffindung«. Im übrigen schien die Angelegenheit zu belanglos, als daß ihretwegen Reporter bemüht oder Fotos in die Zeitung aufgenommen wurden. Dennoch möchte ich von ihr erzählen, weil ich meine, daß sie mit dem Polizeibericht noch nicht zu Ende ist.

Dieter stand an einem Dezemberabend im dunklen Zimmer der Parterrewohnung seiner Mutter und sah den milchigen Dunst über den hohen Miethäusern in einem ungewohnten und unwahrscheinlich durchdringenden Violett leuchten. Er wollte wissen, woher dieses sonderbare Licht käme. Die Wohnung war verschlossen, weil die Mutter von der Fabrik weg gleich ins Kino gegangen war. Sie würde es nicht merken, wenn ihr Junge durch das niedrige Küchenfenster in den Hof hinabstiege und später auf demselben Weg zurückkehrte.

Niemand achtete in den belebten Straßen der großen Stadt auf ein kleines Bürschchen, das an diesem kalten Abend ohne Mantel war und zu einem Dach hinaufstarrte, darauf hohe Neonröhren violette Buchstaben an den diesigen Nachthimmel schrieben. Dieter, der nun wußte, woher der neue Glanz aus der Höhe stammte, ging dennoch wie gebannt weiter. Je mehr er sich der Stadtmitte näherte, um so wunderbarere Dinge sah er. Funkelnde Lichterketten spannten sich über die Straßen, die Fassaden von Kaufhäusern waren übersät mit riesigen leuchtenden Silbersternen. Goldene Engel flogen in Schaufenstern über starr lächelnde Modepuppen, in anderen Fenstern rasten Spieleisenbahnen über Brücken und durch Tunnels. Menschen, die bunte Pakete mit silbernen und goldenen Schnüren trugen, stießen den kleinen, blassen Jungen an. Autotüren knallten. Die Luft war voll Benzingeruch, und aller Lärm der lauten Straße wurde überdröhnt von einem Lautsprecher. Knabenstimmen, ins Riesenhafte verzerrt, brüllten »Stille Nacht, heilige Nacht«.

Dieter ging durch die laute, unheilige Nacht des frühen Dezembers und wußte nicht mehr, wohin er ging. Er kam durch fremde Vorstadtstraßen; denn dort im Industrierevier wuchsen die Städte immer mehr zu einem gigantischen Stadtmoloch zusammen. Der Moloch spielte auf der Gemütsharfe. »Weihnachts-Vorfreude« nannte er seine Melodie. Reklame und Weihnachtsgeschäft hieß sie in Wirklichkeit.

Als die Frau das erschöpfte Kind vor dem Zaun ihres Anwesens fand, geschah es, weil ihre Hunde sie geweckt hatten. Es waren mächtige Tiere, Neufundländer, aber ihr drohendes Gebell erschreckte den halb ohnmächtigen Knaben in den Armen ihrer Herrin nicht.

Aus der Erschöpfung sank Dieter in einen tiefen Schlaf, aus dem er erst am nächsten Mittag erwachte. Er nannte der Frau seinen Namen – Dieter Groß –, aber er wußte den der Stadt und ihrer Straße nicht. Er wußte vieles nicht. Wie sein Vater hieß und ob er noch lebte. Warum das Weihnachtsfest gefeiert würde, das jetzt schon so viel Licht, Glanz und Lärm über die Straße brachte. Er fragte auch nicht danach. Doch fragte er die Frau, warum sie so riesengroße Hunde besäße. Sie habe eine Hundezucht, sagte sie, seit sie auf der Flucht in dieses Land gekommen sei. Das Kind wußte auch nicht, was Flucht ist.

Die Frau erklärte es dem kleinen Jungen und sagte ihm, warum die Menschen Weihnachten feiern. Sie fragte ihn, ob er denn nicht die Geschichte von der Heiligen Nacht in Bethlehem kenne. Er sagte, ihm gehöre nur ein Geschichtenbuch, und zog ein zerfleddertes Heftchen aus der Hosentasche, darin riesige Muskelmänner mit dünnen Köpfen aufeinander einhieben, und aus den Mündern stiegen ihnen Seifenblasen, in denen Wortfetzen standen. Die Frau zerriß das Heftchen und warf es in den Ofen.

Sie benahm sich überhaupt merkwürdig und sogar »sträflich«, wie nachher die Zeitung in ihrer Überschrift schrieb. Sie benachrichtigte die Polizei nicht von dem aufgefundenen Kind. Sie beherbergte es drei Tage bei sich, erzählte ihm von vielen merkwürdigen Dingen und Begebenheiten und zog ihm einen Mantel über, der ihm beinahe paßte und der herrlich warm war. Ihr Peter sei zwar ein Jahr jünger gewesen, aber damals schon sehr viel größer, als er auf dem Treck aus Schlesien in einer Januarnacht erfroren sei. Dieter lachte, weil er das Wort »Treck« komisch fand.

Schon am zweiten Tage war Dieter mit den Hunderiesen gut Freund. In der Nacht nahm ihn die Frau mit vors Haus. Draußen war eine sonderbare Luft – leicht zu atmen und ganz ohne Geruch – und eine Stille, wie das Kind sie nie kennengelernt hatte.

Nur ein fernes Summen hörte man noch von den Städten, über denen am Horizont ein gleißender Lichtstreifen war. Und über ihnen und über den Feldern am Rande des Industriereviers standen viele Sterne.

Der Junge sagte zu der Frau, in den Straßen seien die Sterne viel heller und viel größer; und er lachte sie aus, als sie ihm weismachen wollte, diese winzigen Lichtpünktchen da droben seien millionenmal heller und millionenmal größer als alle Reklamesterne der Großstädte zusammengenommen. Aber als sie die Sterne zu Bildern werden ließ, die sie ihm am Himmel zeigte, und als sie von einem besonders hellen Stern sprach, der in einem fremden Palmenlande über einem Stall mit einem neugeborenen Kind in einer Pferdekrippe inmitten von Ochs und Esel, von Hirten und Königen gestanden habe, sagte er, das sei doch eine ganz hübsche Geschichte. Ob sie noch mehr davon wüßte.

Vielleicht lag es an diesen Geschichten, daß die Frau von der »Kindesauffindung«, wie das die Zeitung nannte, der Polizei so spät Mitteilung machte. Als Frau Groß ihren Dieter abholen kam, freute er sich nicht einmal besonders darüber. Doch die Mutter nahm ihm das nicht weiter übel. Ja, sie zeigte sich großzügig, als die Gastgeberin ihres Jungen sie bat, er möge die Weihnachtstage bei ihr verbringen. An den Feiertagen gab es in den Kinos großartige Programme, und sie würde dann sowieso nicht wissen, was sie mit dem Kind anfangen sollte. Als sie fortgingen, streichelte Dieter zum Abschied die großen Hunde.

Das ist die belanglose Angelegenheit, die ein Polizeibericht in fünf Zeilen zusammenfaßte. Aber man wird mich jetzt vielleicht verstehen, wenn ich sage, sie dürfte mit jenen drei Adventstagen nicht zu Ende gewesen sein.

Joan O'Donovan · Kleines braunes Jesuskind

»Pause!« sagte ich wieder. »Du hast die Pause vergessen!« Im dunklen Kandiszuckergesicht der Jungfrau Maria blitzten die Augäpfel.

»Ja, Miß«, sagte sie gottergeben.

»Versuch's noch mal! Und achte auf mich!«

Es war wirklich schade, daß Heliotrope Smith am geeignetsten war. Sie und keine andere würde die Jungfrau Maria sein müssen, aber das ging nicht ohne Schwierigkeiten ab. Denn sie war nicht nur eine »Zurückgebliebene«, sie hatte auch den natürlichen Künstlerinstinkt – eine heikle Mischung.

»Pause!« rief ich.

Diesmal griente Heliotrope von einem Ohr zum andern und zeigte all ihre weißen Zähne. Man mußte sie ebenso gern haben, wie man ein junges Hündchen gern haben muß. Heliotrope war nicht einfach unartig – sie war der reinste Sprengstoff. Sogar Jim, der es glatt fertiggebracht hatte, der Handarbeitslehrerin eine Büchse voll Würmer an den Kopf zu werfen und den Hausmeister mit seinem eigenen Besen zu schlagen, versuchte sich vor Heliotrope in Sicherheit zu bringen, indem er sich an mich heranschlängelte und heimlich tuschelte: »Ist doch schrecklich, Miß, wenn's immer Unruhe gibt!«

Ich wußte, was er meinte. Wer weiß, was passieren konnte. Ehe Heliotrope kam, hatte es in der Gudge Street nie eine Farbigenfrage gegeben, doch sie hatte gleich am ersten Tag eine geschaffen, indem sie uns »dreckige Weiße« nannte. Sie wurde dafür beinahe gelyncht.

Seltsamerweise war es Doreen Bax, die ruhigste der ganzen Klasse, die Heliotropes Freundin wurde – und jetzt, so schien es, sollte unser Stück dem ein Ende machen, denn – was für ein Pech – Doreen hatte angenommen, daß sie die Jungfrau Maria spielen dürfe. In meinem Stück war sie ein Engel. Seit vierzehn Tagen schmollte sie mit mir.

Der Morgen mit der Generalprobe kam – wir sollten das Stück am Nachmittag für die Schule aufführen –, und es fing gleich damit an, daß Gertie

Pugh die rote Glasbrosche von der Teemütze mauste, die der eine von den Heiligen Drei Königen auf dem Kopf tragen sollte. Wir brachten es fertig, die Brosche aus ihrer Pumphose zu entfernen, doch das erforderte Zeit, und weil Gertie beim Mausen die Nadel abgerissen hatte, mußte ich sie jetzt mit Leim auf die Teemütze kleben. Dann bekam Jim, der siebente Schäfer, seine Nervenzustände und schlug Josef zu Boden, und die Frau des Herbergsvaters erschien in einer gelben Papierkrinoline, langen schwarzen Handschuhen und einem Künstlerhut, denn so hatte ihre Mutter meine Bitte um ein altes Leintuch und ein paar Sicherheitsnadeln ausgelegt, und sie machte mich noch nervöser, als sie sich in Hut und Handschuhen im Zuschauerraum zeigte. Doch schlimmer als alles, weit schlimmer, war die Krise wegen der Puppe. Ich hatte vorgeschlagen, daß wir für das Jesuskind auf der Bühne weiter nichts als ein Stoffbündel benutzten, um das ein Schal gewickelt wurde. Aber davon wollte die Klasse nichts wissen. Sogar Jim, der sich in seinen ruhigen Momenten bei mir einschmeichelte, konnte so etwas nicht dulden.

» Jeder kann sehen, daß da kein Jesus in dem Zeugs steckt«, erklärte er. » In unsrer Kirche haben sie eine Puppe, Miß. Und Stroh.«

Jim war ein in die Höhe geschossener, schlaksiger Junge mit unkontrollierten Bewegungen und Nagelschuhen. Manchmal fiel er platt aufs Gesicht. Es war mir neu, daß er die Kirche besuchte.

» Ja, Miß«, tadelte die Klasse, » wir woll'n eine Puppe!«

Daher wählte ich Doreen; sie wollte ihre Puppe mitbringen. Es schien sie aufzuheitern.

» Und Stroh!« erinnerte mich Jim. » Ohne Stroh ist es nicht richtig.«

» Gut, Jim«, sagte ich. » Wenn du Stroh bekommst, bring es mit!«

Doch war es mir nicht unangenehm, als er dann ohne Stroh erschien. Ich hatte genug Sorgen. Doreen brachte zwar ihre Puppe, aber eine kleine, kleine Hätschelpuppe von der Sorte, die wir früher, in weniger aufgeklärten Zeitläuften, ein Negerbaby genannt hätten. Doch auch Heliotrope brachte eine Puppe an, eine weiße Puppe, und sie war fast einen Meter groß und durchaus eine Dame.

» Hier ist Jesus, Miß«, sagte sie.

Die Klasse starrte hingerissen auf das flitterbesetzte Ballkleid und die Stöckelschuhe.

»Die ist größer als die Puppe in unsrer Kirche«, sagte Jim finster.

Damit hatte er recht.

Doreen preßte ihr Püppchen an sich, und ihr Gesicht wurde allmählich puterrot. Ich war töricht genug, es bei Heliotrope mit Überredung zu versuchen.

»Es ist eine schöne Puppe, Heliotrope, aber ich finde sie ziemlich groß.«

»Groß, Miß?« Heliotrope platzte fast vor ungläubigem Gelächter. »Groß? Das ist doch gar nichts. In Jamai . . .« Ich unterbrach sie.

»Außerdem hat Doreen schon ihre Puppe mitgebracht. Ich hatte sie aufgefordert. Es war abgemacht.«

Heliotrope tat überrascht. »Meinen Sie das winzige Püppchen?« fragte sie mit sachlicher Stimme. »So ein kleines? Ich glaube nicht, daß so ein kleines gut genug ist, um Jesus zu sein.«

Ich hatte es noch nie erlebt, daß Doreen ihre Stimme erhob. Ich hätte es überhaupt nicht für möglich gehalten. Doch jetzt kreischte sie vor Wut.

»Jesus war keine Dame!«

Heliotrope flog herum. Der Kampf war eröffnet.

»Jesus konnte sein, was er wollte«, schimpfte sie los. »Er hätte eine Maus sein können oder ein Löwe . . . oder sonst was! So steht's nämlich in der Bibel!«

»Aber in unserm Stück ist er 'n Baby, und fertig!«

Ich dachte, die Klasse würde ihr recht geben, doch die Kinder starrten wie hypnotisiert auf die Balldame, und Heliotrope wußte ihren Vorteil zu nutzen. Ihre Katzenaugen verengten sich, bis sie gehässige Schlitze waren. »Deine Puppe ist schwarz«, sagte sie trocken. »Jesus hätte alles sein können, aber schwarz war er niemals. Jesus war schön weiß.« Sie zuckte verächtlich mit der Schulter. »Das kleine schwarze Würmchen!«

Es war höchste Zeit einzugreifen. Wir würden mit einem Stoffbündel proben, erklärte ich mit fester Stimme. Die Puppen wurden beiseite gelegt, und die endgültige Entscheidung wurde auf den Nachmittag verschoben. Wenn wir Glück hatten, konnte immer noch etwas dazwischenkommen.

Nach dem Mittagessen nahm ich vier Aspirintabletten und legte mich hin. Die anderen Lehrer waren in der Kantine, und ich hatte das Lehrerzimmer für mich allein. Ich fing an, mich zu entspannen. Der Rektor war ein vernünftiger Mann: Er würde von der Versuchsklasse nichts weiter erwarten, als daß sie hinaufzottelten und wieder nach unten zottelten. Aber darauf kam's auch nicht an. Der Versuchsklasse würde es den größten Spaß machen.

Das Getrampel von Stiefeln auf der Treppe riß mich aus einem leisen Schlummer, und ein gräßlicher Junge namens Fisher platzte herein.

»Sie werden gesucht!« sagte er.

»Wer sucht mich?« fragte ich.

»Ein Mann mit 'nem Pferdewagen.«

Es hörte sich wie ein Traumsymbol an. Ich ging die Treppe hinunter und trat in die abgestandene Kälte der Gudge Street. Eine arme Frau mit einem Kohlkopf unter dem Arm ging vorbei. Von einem Mann war nichts zu sehen, auch nichts von einem Pferd oder Wagen.

Im Klassenzimmer sah ich dann die Bescherung. Stroh! Ganze Berge von Stroh! Mein Katheder war verschwunden, die Zentralheizung schaute nur noch wie die zackige Einfassung eines Blumenbeetes aus dem Strohmeer. Halme steckten in den Tintenfässern. Die Luft war voll Staub. Ich blickte mich stumpfsinnig um. Hinter mir tauchte Jim auf.

»Ich hab' Sie nicht im Stich gelassen«, erzählte er mir glückstrahlend. »Mein Pappi sagt, es kostet nix. Die fünf Shilling waren für den Lumpenmann, der uns seinen Wagen geliehen hat. Es war zuviel Stroh für Pappis Karre. Mehr als in der Kirche!«

»Das ist sehr nett von deinem Pappi, Jim«, sagte ich mühsam.

Er warf vergnügt eine Handvoll Stroh in die Luft, die auf uns niederregnete. Dann kratzte er sich. »Flöhe!« sagte er heiter. »Im Stroh sind immer 'ne Masse Flöhe!«

Als Heliotrope ins Klassenzimmer kam, sah ich, daß sie einen langen Kratzer auf der Backe hatte, und bei Doreen schien sich ein blaues Auge zu bilden.

»Miß«, fragte sie mit einer Stimme, die sich nicht länger mit Versprechungen vertrösten ließ, »welche Puppe ist Jesus?«

Ich wußte, was es bedeutete. Wenn ich nicht vorsichtig war, konnte ich meiner Jungfrau Maria nachwinken. Matt blickte ich auf Doreen. Mit dem geschwollenen Auge war ihr Ausdruck unerhört zäh geworden, und sie glich ihrer Mutter wie noch nie. Auch das stimmte mich bedenklich. Dann kam mir eine Erleuchtung.

»Wir haben zwei Jesuskinder«, erklärte ich knapp.

Da muß ich mir nun meine Versuchsklasse loben: Sie war durch keinerlei Vorurteil getrübt.

»Prima!« schrie Jim. »In der Kirche hatten sie bloß einen Jesus!«

Heliotrope strahlte. Sie begann zu kichern. Über Doreens Gesicht glitt ein befriedigtes Lächeln. Sie blickten sich an. Heliotrope stürmte vor und schlang ihrer Rivalin den Arm um den Hals.

»Dein kleiner Jesus ist gar nicht so schwarz«, sagte sie, »er ist eben einfach ein kleines braunes Jesuskind!« Sie nahm ihn auf den Arm und herzte ihn.

Die Balldame kam also in die Krippe, das heißt, die untere Hälfte von ihr. Das Stroh verhüllte Nylonstrümpfe und Stöckelschuhe. Und es war erstaunlich, daß keiner seinen Text vergaß, nicht mal Jim. Doreen sah im Profil interessant aus, und nur ich konnte das blaue Auge sehen. Heliotrope bot der Gudge Street die Weihnachtsgeschichte dar, und die Gudge Street hörte in atemlosem Schweigen zu. Schließlich waren es gefährdete Kinder, Heimatlose, Vertriebene, acht in einem Zimmer . . . Die Gudge Street wußte, was das bedeutete.

Ich stand in den Kulissen und verfolgte das Spiel. Nun fehlte nur noch das Schlußsolo. Heliotrope saß allein auf der Bühne und wartete, wie ich's ihr gesagt hatte, doch als wir beide bis zehn gezählt hatten, blickte sie nicht auf mich, sondern auf das braune Püppchen in seinem Schalbündel. Anstatt zu singen: »Zur Krippe kommet im nächtlichen Stall«, stimmte sie eine Melodie an, die ich als Trinidad-Steptanz erkannte:

> »Kleines braunes Jesuskind,
> schlaf mir ein geschwind . . .«

Ich blickte entsetzt auf die Zuschauer. Nichts rührte sich. Heliotrope war ganz versunken; wie eine liebevolle Mutter sang sie ihrem Baby vor:

> »Kleines braunes Jesuskind,
> schlaf mir ein geschwind,
> wenn du schreist, wird Mammi bös,
> Pappi Josef sägt Holz im Stall,
> und der liebe Gott macht schön Wetter!
> Schlaf mir, braunes Jesuskind,
> sonst haut dich deine Mammi . . .
> haia – humm, haia – humm . . .«

Die Stimme wurde leiser. Heliotrope warf mir einen Blick zu, einen energischen; er bedeutete Vorhang.

Ich ließ den Vorhang langsam herunter. Fünf Sekunden herrschte völlige Stille, dann brach wildes Beifallsgetöse aus. Ich flog auf die Bühne und fing Heliotrope auf. Sie kicherte verrückt und umschlang mich wie ein Affe mit Armen und Beinen. »Warum weinen Sie denn, Miß?«

»Schreib's mir auf, das Lied! Hörst du?«

Ich spürte, wie sie leblos wurde. Dann fiel's mir ein. Sie war eine »Zurückgebliebene«. Das Schreiben war ihr Strafe und Qual.

»Nein, Dummchen! Es gefällt mir ja, das Lied! Du sagst mir die Worte, und ich schreibe es selber auf.«

Am anderen Morgen wollte mich Heliotropes Mutter sprechen. Es war eine ernste kleine Frau, und sie war sehr ärgerlich. Sie verbat es sich, daß ich ihrer Tochter Trinidad-Lieder beibrächte. Sie sagte, ihre Tochter solle fein erzogen werden, nach der englischen Mode . . .

Manfred Hausmann · Der Junge, der hereinkam

Als die Teestunde beendet war, breiteten wir unsere Arbeiten auf dem abgeräumten Tischchen aus: Isabel ihre Nähsachen und ich meinen Malkasten und die kleine, altertümliche Eisenbahn, die ich für Martin aus Holz erbaut hatte. Die Lokomotive mit dem dünnen, oben in eine Zackenkrone auslaufenden Schornstein sollte schwarz und golden, die Reihe der teils offenen, teils postkutschenartig geschlossenen Wagen gelb, grün und rosa bemalt werden.

Draußen fiel schnell die Dämmerung ein. Die verschneiten Sträucher und Bäume des Gartens wichen gleichsam zurück und vergingen. Dann und wann trieb ein Flockenwirbel durch den Lichtschein des Fensters und wehte mit weichem Prickeln an die Scheibe.

»Ach ja, das wollte ich dir noch erzählen«, murmelte Isabel mit geschlossenem Munde. Sie konnte nur murmeln, denn sie hielt einen Nähfaden zwischen den Lippen und suchte in ihrem Korb nach einer passenden Nadel. »Buko ist heute morgen ganz wild gegen Reye geworden.« »Buko?«

»Ja, im Laden. Anfangs benahm er sich so höflich und gesittet wie immer. Aber mit einem Male wurde er richtig wild. Nicht, daß er ihn schon an die Kehle gefaßt hätte, aber so ungefähr.«

»Erzähl doch mal!« Wenn Isabel von den dörflichen Begebenheiten berichtet, so hat das für mich immer, weil sie alles so anders sieht als ich, eine besondere Verlockung. Ich wüßte niemanden, dem ich mit größerem Behagen zuhörte.

Sie nahm den Faden aus dem Munde und drängte sein gezwirbeltes Ende, die Nadel gegen die Lampe hebend, durch das Öhr. Dann schob sie ihre Unterlippe mit dem Mittelfinger nachdenklich hin und her, lächelte und begann: »Tja ... zuerst kaufte er Lichter ein. Du, ich möchte ja doch einmal wissen, wozu er das alles haben will. Lichter, Flitterschnüre, Lebkuchen, ein Segelschiff und zum Schluß noch eine Trompete. Er hat irgend etwas Verborgenes vor. Vielleicht will er ja eine Kinderbescherung machen. Aber dazu war es eigentlich wieder zu wenig.«

»Ein ganz kleines bißchen der Reihe nach! Also du kamst in den Laden.
Und da?«

»Und da war er schon drin. Er hatte den Mantelkragen hochgeklappt,
du weißt ja, wie er es immer so macht, die Enden so übereinanderge-
klappt, daß er sie mit dem Kinn festhalten konnte. Und rasiert war er
auch nicht. Aber deshalb ist er doch ein netter Kerl. Wie er da stand,
mußte ich wieder denken, daß er so gute und treue Augen hat, und überhaupt . . . das Gesicht, so der Ausdruck, er ist ja doch der Beste von allen.
Schade, daß er sich so zurückhält. ›Wenn ich bitte eine Schachtel Lichter
haben könnte, gelbe‹, sagte er. Und Reye mit seinem Bleistift hinterm
Ohr brachte die Schachtel herbei und fragte Buko, was er als Kunstmaler
denn davon halte, seine Frau wolle den Baum diesmal ganz in Natur
schmücken, nur so den Baum und dann weiße Kerzen auf den Zweigen,
ganz in Natur sozusagen. Aber Buko antwortete nur ›hm‹ und verlangte
goldene Flitterschnüre und dann zwei Lebkuchenherzen und dann eine
kleine Kindertrompete. Und Reye immer zuvorkommend mit ›Bitte sehr!‹
und ›Darf es sonst noch etwas sein?‹, wie Reye so ist. Und mit einem Male
brach es aus ihm heraus. Ich hatte schon gemerkt, daß Buko an irgend
etwas anderes dachte. Es rumorte schon in ihm herum. Und mit einem
Male beugte er sich über den Ladentisch und sah Reye scharf in die Augen.
Sein Mantelkragen öffnete sich, aber das war ihm ganz gleich. Er stampfte
mit der Hand auf den Tisch, so von oben mit den Fingerknöcheln, und dann
brach es aus ihm heraus: ›Hören Sie mal, Sie haben mich aber enttäuscht,
Herr Reye!‹ – ›Ich?‹ – ›Sie, jawohl! Bislang habe ich Sie nämlich für einen
Mann gehalten, der das Herz auf dem rechten Fleck hatte. Ja, Fleutjepie-
pen!‹ – Reye wußte gar nicht, wie ihm geschah. Er wollte etwas sagen, aber
Buko ließ ihn überhaupt nicht zu Worte kommen. Und was hatte er ver-
brochen, ich meine Reye? Du liebe Zeit, ich war ganz gerührt. Buko hielt
ihm das Schaufenster vor. Hättest du geglaubt, daß er sich Reyes Schaufenster ansähe? ›Hören Sie mal‹, sagte er, ›in jedem Jahr sind Sie beige-
gangen und haben ein Weihnachtsschaufenster errichtet mit einem kleinen
Tannenbaum, mit einem kleinen Nikolaus, mit einer kleinen Kirche, die
innen erleuchtet war, das haben Sie sehr stimmungsvoll hingekriegt, und
dann der glitzernde Schnee und der Weg aus Rosinen und alles, sehr stimmungsvoll. Und wie haben die Kinder sich darüber gefreut! Und ich selbst

auch. Wenn Ihr Weihnachtsschaufenster erschien, dann fing für mich die Vorfreude auf das Fest an. Ich bin immer stehengeblieben und habe es mir angesehen und ein freundliches Gefühl dabei gehabt. Sieh einer an, habe ich gedacht, Reye hat das Herz auf dem rechten Fleck, er vergißt die Kinder nicht! Aber in diesem Jahr! Wollen wir mal eben vor die Türe gehen und Ihr Schaufenster besichtigen? Wollen wir mal nachsehen, was für eine Weihnachtsstimmung Sie den Kindern in diesem Jahr beschert haben? Kaffeetassen, Milchtöpfe, Weingläser und ein Bowlegefäß. Hören Sie mal, es ist eine Schande wert. Man müßte Ihnen einfach die Fensterscheibe einwerfen. Tatsächlich, das müßte man.‹ – Aber unser Reye war auch nicht auf den Mund gefallen. ›Gewiß‹, sagte er, ›der Weihnachtsmann, die Kirche, der Schnee, gewiß.‹ Aber man sei ja schließlich Geschäftsinhaber. Und wenn man sich neuerdings entschlossen habe, auch Glaswaren und Porzellan zu führen, dann müsse man den Leuten ja etwas vor Augen breiten, damit es sich herumspräche. Man habe es heutzutage ja nicht einfach als Geschäftsinhaber, das wolle er ihm gerne schriftlich geben. – Und dann ging Buko wieder gegen ihn an und nannte ihn einen Pfennigfuchser, und er habe den Adventssonntag und das Kinderglück für dreißig Silberlinge verraten. Und so redeten sie hin und her, bis Reye mit seinem Bleistift auf den Ladentisch tippte und fragte, ob er sonst noch Wünsche habe. Allerdings, Buko wollte noch ein kleines Segelschiff erwerben. Er stand immer noch vorgebeugt da und durchbohrte Reye mit seinen drohenden Blicken. Einen Augenblick schielte er in seinen Tabaksbeutel, aus dem er zwei Scheine holte und auf den Tisch warf, dann starrte er Reye wieder an. Aber Reye tat nicht dergleichen. Er behält ja immer seine Besonnenheit. Weißt du, Reye ist ja auch nicht verkehrt. Ich komme immer gut mit ihm aus. Inzwischen tat Buko seine Siebensachen in einen alten Rucksack und brummte, alles was recht sei, aber das sei nicht recht. In der Tür drehte er sich noch einmal um und rief: ›Gesegneten Handel, Herr Geschäftsinhaber!‹ Reye lachte jedoch nur mit seinen gelben Zähnen und fragte mich, was es heute denn sein sollte. ›Sie kennen ihn ja auch‹, sagte er. ›Ich nehme ihm das weiter nicht übel. Künstler! Wenn ich gleich ein paar Tannenzweige mit Lametta zwischen die Gläser stelle, versöhnt er sich morgen, wer weiß, vielleicht heute abend schon wieder mit mir.‹ – Siehst du, Reye ist gar nicht so. Ich habe es ja immer gesagt ... Ob ich nicht lieber einen grauen Faden nehme? Grau oder blau, womit näht man diesen Saum nun am besten?«

»Blau«, sagte ich. »Ich würde dies blasse Blau nehmen.«

»Meinst du? Hm ... Ich gäbe ja doch etwas darum, wenn ich wüßte, was er mit den Sachen im Sinn hat. Womöglich will er sie ja für seinen Baum verwenden. Aber ich glaube es nicht. Er hat irgend etwas Besonderes im Sinn. Man konnte es ihm ja geradezu an der Nase ansehen.«

»Würdest du entrüstet auffahren, wenn ich durchblicken ließe, daß ich dich in meinem Innern der Neugierde verdächtige?«

»Bin ich auch! Wenn es sich um Buko handelt, bin ich auch neugierig.«

»Ich übrigens gleichfalls. Und da ich mir sowieso noch etwas Krapplack von ihm ausbitten muß, will ich nachher auf dem Weg zur Post einmal bei ihm vorsprechen.« »Das tu nur. Denn mit einer Kindertrompete ... Was will er zum Beispiel mit einer Kindertrompete anfangen?«

Zuerst dachte ich, es schneite nicht mehr. Aber dann fühlte ich, daß ein feines Geriesel gegen mein Gesicht wehte. Die Flocken schienen körniger geworden zu sein. Wahrscheinlich war Kälte im Anzug. Noch sah der Himmel allerdings dumpf und schwarz aus. Kein Stern zeigte sich. Aber auf dem Schnee der Felder lag ein Hauch von Dämmerlicht, so daß ich die Fußspuren, die den Weg bezeichneten, ganz gut erkennen konnte. Im Dorf fiel hier ein rötlicher Schimmer aus einer halboffenen Stalltür und dort ein gelblicher aus den verhängten Fenstern eines Häuschens an der Straße. Vermummt und vornübergebeugt schlurften die wenigen Menschen dahin, die jetzt noch unterwegs waren. Der Schnee sank auf sie nieder und erstickte jedes Geräusch. Nur ein paar Kinder, die mich gleitend und laufend überholten, durchbrachen mit ihrem aufgeregten Gespräch und dem gedämpften Klappklapp ihrer Holzschuhe die Stille. Ich erkannte die Stimme von Meta Wendelken: »Jo jo, sowat hes dien Lebtach noch nich sehn. – Wo ist Jan denn? Jaahan!«

»Minsch, du lochs jo!« rief ein Junge.

»Och, un de flächt do jümmer boben rom. Wunnerbor, kann eck di seggen. – Jan!«

»Richtige Engels? Du lochs jo!«

»Un 'n Schipp in 'n gollenen Woter, un ne Poppe, wunnerbor, un so 'n Kerl mit 'n gaanz gräsigen Mund, und de Engels, de flächt do jümmer rom.«

»Minsch, dat kann jo woll nich angohn.«

»Kumm man her! – Wo bliewt Jan denn all wedder? Jan!«

Der kleine Jan klapperte nölend und schnüffelnd hinterher. Bei der Post bogen sie in den Heckenweg ein, der zum Redder hinunterführte. Ich warf meine Briefe in den Kasten und folgte ihnen. Buko wohnte ja auch im Redder, und es sollte mich wundern, wenn der Kerl mit dem gräsigen Mund und das Schiff und die Engel nicht irgendwo mit Bukos Einkäufen zusammenhingen.

Als ich ungefähr bei Bäcker Monsees war, kam Bukos Häuschen in Sicht, das etwas zurücklag. Ich hatte mich nicht getäuscht: ein dunkles Kindergewimmel drängte sich im Vorgarten durcheinander, über das sich ein weicher Glanz aus dem erleuchteten Atelierfenster ergoß. Langsam ging ich näher heran. Was hatte Buko da denn um Himmelswillen vollbracht? Wie ein Traum schwebte es mit Buntheit und zartem Geglitzer hinter der Scheibe. Vorn auf der Fensterbank waren sieben Äpfel aufgestellt, in denen brennende Kerzen steckten. Dahinter erhob sich auf einem herangerückten Tisch, über den Buko ein verschossenes grünes Tuch gebreitet hatte, eine unwirkliche Märchenwelt. Vor allen Dingen war da eine Pyramide aus drei mit Silberpapier umwickelten Holzstäben erbaut, auf deren Spitze ein dunkelblaues Flügelrad sich langsam in der aufsteigenden Wärme mehrerer Kerzen drehte. Unter den Flügeln hingen an kaum sichtbaren Fäden fünf schräg geneigte Rauschgoldengel mit sternbesäten Gewändern und großen, blauen Flügeln, die schwerelos durch die Luft glitten, während unten in einer moosigen Landschaft drei Hirten inmitten einer Heidschnuckenherde, deren Wollzotteln bis auf die Erde fielen, mit erhobenen Armen zu ihnen emporstarrten. Da die senkrechte Achse des Flügelrades, ein durch halb abgehobene Späne verzierter Stab, unten in einer Stopfnadel endete, die in die Vertiefung eines halben Druckknopfes gesetzt war, geschah der Engelreigen in unbeschreiblicher Leichtigkeit. Am hinteren Rande des Tisches bildeten aufgeschichtete Bücher eine Art von Felsengrat. Das grüne Tuch hob sich in Falten über ihn hinweg und stieg zu einer Staffelei hinauf, die den Schauplatz gegen das Zimmer abschloß.

Rechts auf dem Felsen saß eine altmodische Puppe in brüchiger Seide und Goldgespinst und lächelte mit ihrer Spielzeugunschuld ins Leere. Zu ihren Füßen wiegte sich auf den Wellen einer hin und her geschlungenen Flitter-

schnur ein Vollschiff mit geblähten Segeln. Auf der anderen Seite zeigte
ein stattlicher König Nußknacker, dessen frisch aufgetragene Farben feucht
erglänzten, seine Zähne und sah grimmig zum Fenster hinaus. Der Hampelmann hingegen, der sich, an einem Flitterfaden frei im Raum schwebend,
über dem Schiff bald nach rechts und bald nach links wendete, lachte übers
ganze Gesicht, wiewohl er in der einen Hand einen gebogenen Säbel und in
der anderen eine Pistole mit trichterförmig sich erweiterndem Lauf hielt
und mit seinem fransenbesetzten Anzug aus metallischem Glanzpapier,
seinen Stulpenstiefeln und seinem Federhut offensichtlich einen Räuber-
hauptmann darstellte. Teils höher als er, teils tiefer drehten sich, ebenfalls
an Flitterfäden hängend, zwei Lebkuchenherzen und eine Trompete mit
hellgrüner, silberdurchwirkter Schleife gemächlich um sich selbst. Die
Lichter brannten ohne zu flackern, lautlos kreisten die Engel in wechseln-
der Beleuchtung, das Flittergold fing den Kerzenschein auf und warf ihn
vielfältig gebrochen zurück.

Da sollten die Kinder wohl Mund und Nase aufsperren. Sie schoben sich
so nahe wie irgend möglich an das Fenster heran und flüsterten und riefen
durcheinander. Die vordersten mußten von Zeit zu Zeit den Hauch weg-
wischen, den ihr Atem auf der Scheibe entstehen ließ. Ein kleiner Junge,
der seine Pudelmütze tief über die Augen gezogen hatte, tappte mit seinem
ungeschickten Finger immer wieder in der Richtung des Segelschiffes gegen
das Glas und sang selbstvergessen vor sich hin, das wolle er »to Wienacht
hebbn«. Ich spähte seitwärts an der Staffelei vorüber in die Tiefe des
dunklen Ateliers, wo ich Buko irgendwo vermutete. Dabei überlegte ich
mir, ob es unter diesen Umständen eigentlich angebracht sei, zu ihm
hineinzugehen. War er denn überhaupt zu Hause? Ich konnte ihn nirgends
entdecken. Doch, zu Hause mußte er wohl sein. Er durfte die Kerzen doch
nicht sich selbst überlassen. Oder sollte er das Schattenhafte da sein, da
rechts, diese verwischte hellere Stelle im Hintergrund? Ich schirmte den
Lichterglanz mit der Hand ab und beugte mich etwas vor. Ja, es war Buko.
Er saß unbeweglich in seinem alten Ohrensessel, rauchte eine Pfeife und
betrachtete die Kinder. Nun, wo meine Augen sich an die Dunkelheit gewöhnt hatten, erkannte ich ihn. Eine Welle der Zuneigung zog durch mich
hindurch. Ich mußte an die Worte denken, die Isabel vorhin über ihn gesagt hatte. Sein Gesicht war zerfurcht und gedankenvoll. Er lebte so einsam

wie keiner von uns allen. Was er an Hab und Gut sein eigen nannte, war kaum der Rede wert. Ich wußte, daß er zuweilen bei einer Flasche Rotwein die Nacht durchwachte und in seinem Atelier umherging und mit sich selbst Zwiesprache hielt. Er las, ging umher, malte dunkel aufleuchtende Bilder und schwieg gegen jedermann. Kunstmaler Buko. Und da hatte er sich nun in seiner Einsamkeit dies Schaufenster für die Kinder ausgedacht. Nein, ich konnte ihn jetzt nicht stören. Es war seine Stunde. Außerdem mußte ich ja auch schleunigst Viola und Martin hierherschicken. So zog ich mich vorsichtig zurück. Ich wollte nach dem Abendessen wiederkommen, wenn die Lichter hier erloschen waren.

»Was ich noch sagen wollte . . .«, murmelte Buko, als ich mich in der Haustür von ihm verabschiedete.

»Ja?«

Er machte zögernd »Hm«, stieß mit dem Fuß an die Schwelle, sah auf, wandte sich ab und stieß abermals an die Schwelle. »Sie haben nicht zufällig diesen seltsamen Jungen bemerkt, vorhin, als Sie draußen vor dem Fenster standen?«

»Was für einen Jungen meinen Sie?«

»Links vorn. Das heißt von Ihnen aus rechts. Er hatte keine Mütze auf. Ein Junge von fünf oder sechs Jahren mit hellem Haar. Dicht an der Scheibe. Aber vielleicht phantasiere ich mir ja auch etwas zurecht. Ich weiß nicht.«

»Warten Sie mal«, sagte ich. »Keine Mütze auf? Nein, eigentlich nicht. Hat er denn etwas angestellt? Oder weshalb fragen Sie?«

»Nein . . . ja . . . Doch, er hat etwas angestellt, aber . . . Och, kommen Sie doch noch einen Augenblick herein! Ich muß Ihnen etwas . . . Haben Sie noch einen Augenblick Zeit?« Wir gingen ins Atelier zurück. Buko ließ sich auf der Matratze nieder, die, auf vier Klötzen ruhend, tagsüber sein Diwan und des Nachts sein Bett war.

Ich rückte mir den Ohrensessel zurecht, in dem ich vorhin schon gesessen hatte. Zwischen uns stand ein Tischchen, auf dem ein Tabaksbeutel und ein paar Äpfel lagen. In einem gläsernen Leuchter brannte eine Kerze. Es roch nach Pfeifenrauch, Terpentin und Wachs. Wir saßen eine Weile schweigend da. Buko hatte sich vornübergebeugt und betrachtete den Fußboden. Schließlich lehnte er sich zurück und sagte, ohne die Augen zu heben, er möchte mir etwas anvertrauen, aber er wisse nicht, ob er einem vernünftigen Menschen mit solchem Zeug kommen dürfe. Andererseits sei es ihm ja gerade um die Meinung eines vernünftigen Menschen zu tun. »Natürlich habe ich bei offenen Augen geträumt«, sagte er mit einem kurzen, verlegenen Auflachen, »nur eben . . . es ist ja gleich, ob Traum oder Wirklichkeit. Auch ein Traum kann eine merkwürdige Wahrheit . . . Entschuldigen Sie, ich bin noch ein bißchen durcheinander!« Er nahm einen Apfel in die Hand, warf ihn hoch, fing ihn auf und legte ihn wieder an seinen Platz.

Ich sagte leise, oft würde die Wirklichkeit, wenn ich sie tiefer und tiefer bedächte, so schwebend und ungewiß wie ein Traum. Und wiederum wüßte ich viele Träume, die in mein Leben eingegangen seien wie Wirklichkeiten.

Aber Buko schien nicht zuzuhören. Seine Schuhspitze umfuhr langsam einen dunklen Fleck auf dem Fußboden. Er dachte an das, was ihn bewegte.

»Zuerst hatte ich ihn gar nicht bemerkt«, sagte er. »Neben ihm stand so ein Knirps mit verschmiertem Gesicht und schlug gegen die Scheibe und sang dazu.«

»Ja, den habe ich gesehen. Die Mütze ging ihm bis über die Augen. Den habe ich gesehen. Aber den andern nicht.«

»Und wie ich mich noch über das kleine Ungeheuer freute . . . Wissen Sie, so ein Kindergesicht ist ja doch etwas . . . oh! Ein bewegender Anblick eigentlich. All die Kindergesichter in der Dämmerung hinter der Scheibe, die staunenden Augen, das Leuchten so von innen her, das Glück, die Unschuld, die Gläubigkeit, sie ahnten ja nicht, daß ich sie beobachtete, sie gaben sich ja mit ganzer Seele an das Wunder der goldbestäubten Märchenwelt hin, die vor ihnen schimmerte. Was habe ich alles gesehen! Gott im Himmel, was habe ich gesehen!«

Er legte die Hand über die Augen und schüttelte überwältigt den Kopf. Dabei atmete er seufzend durch die Nase.

Ich verstand, daß ich ein wenig Geduld haben mußte.

Die Kerzenflamme sank knisternd herab und stieg gleich darauf wieder hoch. Draußen klingelte ein Schlitten vorbei. Dann herrschte wieder vollkommene Stille. Sogar das Rieseln des Schnees hatte aufgehört.

Schließlich wischte Buko mit der Hand über sein Gesicht und rieb sich das Kinn: »Ja, also . . . wie ich mich noch über das kleine Ungeheuer mit der Rotznase freute, wurde mein Blick auf eine sonderbare Weise von dem anderen Jungen angezogen. Eigentlich wollte ich noch bei dem Kleinen verweilen, aber es war mir nicht möglich. Sozusagen gegen meinen Willen mußte ich den anderen ansehen. Nicht als ob er durch irgendein Gebaren meine Aufmerksamkeit auf sich gezogen hätte. Er stand nur da und betrachtete mit seinen großen, blauen Augen die Engel, die durch die Luft glitten. Und diese Augen waren ebenso verwundert und selig wie die der sonstigen Kinder. Aber als sie einmal wie zufällig über mich hingingen, gewahrte ich, daß in ihrer Tiefe ein Wissen und eine Traurigkeit lebte . . . wie soll ich das sagen? Kinderaugen mit einem Ausdruck des Erbarmens. Unschuldige Augen, die das Leid der Welt kannten. Noch nie in meinem Leben hatte ich solche Augen gesehen. Sie werden denken, Unschuld und Wissen seien unvereinbar. Ja, ja. Ich denke ja auch, daß . . . Und dennoch!« Er hielt inne und starrte mich unsicher an. »Vielleicht waren es keine Menschenaugen«, fügte er unsicher hinzu.

Obwohl er die letzten Worte mit einem fragenden Unterton gesprochen hatte, antwortete ich ihm nicht. Ich war nicht imstande, etwas zu sagen, denn er starrte mich immer noch an. Sein Blick war so groß und ernst, daß ich nichts anderes mehr wahrnahm. Alles um mich her versank mit dünnem Rauschen. Ein paar Sekunden lang hatte ich das Gefühl, als sei ich ohne Schwere, als gebe es nur dies schwermütige Ineinander von Auge und Auge. Aber dann fand ich zu mir zurück. Es ging mir durch den Kopf, daß auch in seinem Blick etwas von dieser schmerzlich wissenden Unschuld läge. War es etwa seine eigene Seele gewesen, die ihn aus den Kinderaugen angesehen hatte?

Er holte Atem und hob mir, während sein Blick sich nach innen kehrte, die Hand ein wenig entgegen, wie wenn er meine Erwägungen errraten hätte und andeuten wollte, daß auch diese Möglichkeit gelten könne.

Wieder ließ sich draußen ein Schlitten vernehmen. Er bog jedoch, ehe er heran war, in einen Seitenweg ein. Das Geklingel verlor sich.

»Hören Sie zu«, sagte Buko, »was dann kam. Die Kerzen waren allmählich herabgebrannt. Als die erste erlosch, überlegte ich, ob ich sie durch eine neue ersetzen sollte, fand aber, es sei bei kleinem an der Zeit, daß die Kinder sich auf den Heimweg machten. Die meisten waren übrigens schon fortgegangen. Und nun klapperte wieder eins davon und nun noch zwei, und nun stand nur noch der fremde Junge vor der Scheibe. Sein Gesicht leuchtete noch genauso beglückt wie vorhin. Wie weich die Schatten der

Brauen sich über den Sternenaugen wölbten, wie schmal und fein die Wangen waren, wie anmutig die Nase, wie bildsam der Mund! Je länger ich ihn betrachtete, um so mehr ergriff mich der zarte Adel, der ihm eigen war.

Wissen Sie, er sah so schön aus, daß es mir fast weh tat. Vorsichtig, damit er nicht auf mich aufmerksam wurde, bedeckte ich mein Gesicht mit den Händen. Was mochte es mit ihm für eine Bewandtnis haben? Ich kannte ihn nicht und kannte ihn doch. So wie man jemanden kennt, von dem man früher einmal geträumt hat. Ich besann mich hinter meinen Händen und besann mich. Und wie ich so meinen Gedanken nachhing, hörte ich, daß die Haustür leise geöffnet und wieder geschlossen wurde.

Auf dem Flur erklangen Schritte, jemand tastete an der Zimmertür herum, erfaßte die Klinke und drückte sie nieder. Die Tür ging auf. Ich ließ die Hände sinken. Da stand der fremde Junge vor mir. Ich saß dort, wo Sie jetzt sitzen, und da, in der schummerigen Dunkelheit hinter der Staffelei, stand der Junge. Wenn die Staffelei auch das Kerzenlicht verdeckte, so war es da doch nicht völlig dunkel, sondern nur so schummerig. Ich konnte das blasse Oval des Gesichtes eben noch erkennen. Und in dem hellen Haar fing sich noch so viel Dämmerung, daß sich so etwas wie ein schwacher Schein, ein ganz schwacher Schein über dem Kopf zeigte.

›Guten Abend‹, sagte eine langsame Kinderstimme aus der Dunkelheit heraus.

›Ich möchte das wohl kaufen, das mit den Engeln da.‹

›Nein, Junge‹, entgegnete ich, ›das ist nicht zu verkaufen.‹

›Aber du hast es doch in dein Schaufenster gestellt.‹

Erst jetzt wurde mir bewußt, daß ein kaum hörbares Summen jedes seiner Worte begleitete, ein Summen oder mehr ein Singen, ein melodisches Singen, ein langgezogenes, gläsernes Singen, ganz hoch. Nun schwieg es. Ich wartete eine Weile, aber es blieb still.

Da sagte ich zu dem Jungen, daß ich den Kindern damit eine Freude habe machen wollen.

›Warum wolltest du ihnen denn eine Freude machen?‹

Wieder ertönte, während er sprach, das leise Singen. Es kam von dorther, wo die Engel um die Weihnachtspyramide schwebten. Sie bewegten sich nur noch zögernd, weil die oberen Kerzen schon erloschen waren. Ich fragte mich, ob es denn sein könnte, daß die Engel den geheimnisvollen Gesang vollbrächten.

›Warum wolltest du ihnen denn eine Freude machen?‹ fragte der Junge noch einmal.

›Ich sehe es so gern, wenn Kinder frohe Augen haben.‹

›Warum denn?‹

›Ja, Junge, warum? Das ist gar nicht so leicht zu erklären. Siehst du, ich habe den ganzen Abend hier gesessen und euch beobachtet, wie ihr eure Freude an den Weihnachtssachen hattet. Und da war mir, als gäbe es keinen Jammer und keine Sünde mehr auf der Welt. Unsereins kann sich ja nicht mehr so freuen, wie ein Kind sich freut. Wir haben ja zu viel Schuld auf uns geladen. Und nun gehen wir umher und fühlen eine unbestimmte Sehnsucht nach ... nach ... Wenn wir auch arbeiten und reden und lachen und uns um nichts kümmern, im Grunde haben wir doch Sehnsucht. Oft haben wir Sehnsucht. Immer. Eigentlich immer.‹

›Wonach habt ihr denn Sehnsucht?‹

›Nach der Unschuld, glaube ich. Daß wir unschuldig wären, daß es keine Sünde gäbe.‹

›Was ist denn Sünde?‹

›Wenn man so allein ist.‹

›Alleinsein ist doch keine Sünde.‹

›Wenn man ... Ach, Junge, wenn man ohne Gott ist.‹

›Hast du denn Sehnsucht nach Gott?‹

›Ja, Junge.‹

Da entstand eine Stille. Und dann begannen die Engel wieder zu singen. Und der Junge sagte: ›Du. Er sehnt sich auch nach dir.‹

Ich antwortete, das könne niemand wissen.

›Doch‹, sagte der Junge, ›ich weiß es. Glaube mir.‹

›Wer bist du denn?‹

›Denn alle Sehnsucht des Menschen nach Gott‹, fuhr der Junge fort, während die Engel abermals ihre gläserne Melodie anstimmten, die wie Gold und Ewigkeit um die Worte schimmerte, ›alle Sehnsucht des Menschen nach Gott ist in Wahrheit die Sehnsucht Gottes nach dem Menschen.‹

›Die Sehnsucht Gottes nach dem Menschen?‹ sagte ich. ›Wer bist du denn?‹

Die Engel begannen wieder, aber der Junge schwieg. Sie sangen lauter und lauter. Der Junge schwieg noch immer. Und als der Gesang an Fülle und Brausen gewann und mit dröhnender Gewalt über mich hinflutete, kam das blasse Gesicht langsam aus der Dunkelheit auf mich zu und wurde größer und durchsichtiger, die Augen ganz groß und unendlich traurig, es waren keine Kinderaugen mehr. Ich sah, daß sie alles wußten, auch das Letzte, auch die letzte Verlassenheit von Gott. Aber dahinter war noch etwas, ein Allerletztes, etwas Unbegreifliches, hinter dem Wissen. Warum ich es tat, kann ich nicht sagen, ich mußte es einfach tun, ich neigte mich vor und gab mich willenlos in das Geheimnis der Augen hinein. Es war, als sänke ich vornüber in einen bodenlosen Abgrund. Ich fiel und fiel. Und dann verdichtete das Leere sich um mich, etwas Weiches fing mich auf, ich öffnete die Augen und merkte, daß ich nach wie vor in meinem Sessel saß, die Pfeife in der Hand. Das Zimmer war dunkel, die Kerzen brannten nicht mehr. Nur unter dem Engelreigen flackerte noch ein Flämmchen. Regungslos hingen die Engel an ihren Fäden. Eine Weile sah ich gar nichts mehr. Dann zeichnete sich allmählich das Viereck des Fensters als schwache Dämmerung in der Nacht ab. Ich saß in meinem Sessel und rührte mich nicht. Und so blieb ich sitzen, bis Sie an die Tür klopften. Was halten Sie nun davon. Ich meine ... Dabei bin ich alles andere als ein frommer Mensch. Das dürfen Sie ja nicht glauben. Aber was soll man nun davon halten? Ich meine, was hat es zu bedeuten?«

Am liebsten hätte ich meine Hand auf die seine gelegt, die er bei den letzten Worten mit einer fragenden Bewegung auf den Tisch geschoben hatte. Ich machte auch schon Miene dazu, mochte es dann aber doch nicht tun, sondern begnügte mich damit, ihm lächelnd zuzunicken. Unsere Augen begegneten sich, er blinzelte. »Ach, Buko«, sagte ich schließlich, »warum weichen Sie sich denn aus? Sie brauchen doch keine Angst vor sich selbst zu haben. Wissen Sie denn nicht, daß Sie es waren, der da hereinkam, Sie selbst!«

»Ich?« sagte Buko leise. Und dann noch leiser: »Ich?«

»Das Tiefste in Ihnen, das Ewige.«

Aber er saß da und schüttelte ungläubig den Kopf.

Otto Ernst · Von der Kunst des Schenkens

Es ist schon eine hübsche Zeit her, daß ich in erster Frühe aus dem Schlafe geweckt wurde durch ein eifriges und andauerndes Geplapper aus der Schlafstube der Kinder. Es war noch ganz dunkel. Ich horchte.

»Sechsundsechzigmal.«

»Nein, siebenundsechzigmal! Sieh mal: heut ist der achtzehnte, nicht? Bleiben also noch dreizehn Tage.«

»Zwölf!«

»Ach, Junge! Oktober hat doch einunddreißig.«

»Na ja: dreizehn.«

»Und November hat dreißig, macht dreiundvierzig und dann noch vierundzwanzig vom Dezember, macht siebenundsechzig. Noch siebenundsechzigmal schlafen; dann ist Weihnachten!«

So früh schon vernehmen die Kinder aus dem Winterdunkel das ferne Schimmern und Singen.

Und dann ziehen sie jeden Morgen eins ab: jetzt noch sechsundsechzigmal schlafen – jetzt noch fünfundsechzigmal. Ganz so früh fängt für mich das Weihnachtslied nicht an. Aber doch schon früh. Man entfesselt bei Tisch oder in der Dämmerung ein Weihnachtsgespräch unter den Kindern. Mein Neunjähriger erzählt aus der Schule. Der Lehrer hat gesagt: »Wenn ihr nicht fleißig seid, kriegt ihr nichts vom Weihnachtsmann.« Da haben die Jungen gelacht und gerufen: »Es gibt ja gar keinen Weihnachtsmann!« Da hat der Lehrer gesagt: »Soo? – Wer glaubt, daß es einen Weihnachtsmann gibt?« Da hat ein einziger Junge aufgezeigt, meiner. Und da haben die anderen ihn ausgelacht. Komm, Junge, ich muß dir die frommen Augen küssen; ich habe dich grenzenlos lieb in deiner einsamen Schande! Wir haben immer unsere stille Freude an meinem Experiment, meine Frau und ich. So um den September und Oktober herum sind die älteren unter den Kindern noch fest überzeugt, daß der Weihnachtsmann nirgends anders existiere als im Portemonnaie des liebenswürdigen Vaters. Natürlich genießen sie Glaubensfreiheit. Nur gelegentlich fällt ein Wort, daß man den

Knecht Ruprecht auf der Straße getroffen, sich mit ihm über die diesjährige Tannen- und Puppenernte unterhalten habe, daß gestern abend sein rauhhaariger Kopf hinter den Eisblumen des Fensters aufgetaucht sei.

Im November etwa werden die Überzeugungen schwankend; die Nachrichten vom Weihnachtsmann werden mit einem merkwürdigen Schweigen aufgenommen. Wenn man ganz heimlich um den Lampenschirm herumschaut, dann sieht man große, stille Augen mit nachdenklichem Blick in die Ferne gerichtet. In einem Augenblick der Stille hört man ein tiefes Atmen. Im Dezember erfolgt dann die Kapitulation. Man nimmt den Glauben an den Weihnachtsmann an und entsagt dem heidnischen Glauben an das Portemonnaie. Wer jetzt noch Zweifel äußert, wird von den anderen schon entrüstet zurückgewiesen. Wenn dann der Heilige Abend da ist und man hinter der Tür mit gräßlich verstellter Stimme fragt: »Seid ihr denn auch artig gewesen?« – dann kann es allerdings geschehen, daß gerade das Jüngste mit pietätloser Unschuld antwortet: »Ja, Papa.«

Wie gesagt, man entfesselt ein Weihnachtsgespräch unter den Kleinen. Das ist nicht schwer. »Was wünschst du dir?« fragte ich die Kleinste.

»Ich wünsch' mir 'ne Puppe, die schlafen un schreien un trinken kann – aber richtig trinken! – un dann 'ne kleine Babyflasche mit 'n klein niedlichen Lutscher auf un 'ne ganz, ganz kleine Klingelbüchse. Ist das ungeschämt?«

»Nein, das ist nicht unverschämt. Was schenkst du mir denn?«

»Ja, was wünschst du dir?«

»Ja, wieviel Geld hast du denn in deiner Sparbüchse?«

»Mama, wieviel hab' ich?«

»Fünfundachtzig Pfennige.«

»Na, dann wünsch' ich mir ein großes, schönes Haus mit einem großen, schönen Garten.«

»Mm. Und was noch mehr?«

»Und dann einen schönen Wagen mit zwei wunderschönen Pferden davor.«

»O ja!! Un was noch?«

»Und ein großes Bauerngut mit lebendigen Pferden und Kühen und Schweinen und Ferkeln – aber richtige Ferkel mein' ich, nicht solche wie ihr seid.«

»Nein! Un was dann noch?«

»Ja – wenn du mir dann noch einen Original-Böcklin schenken willst –«

»Was?«

»Na laß nur, dazu reicht's doch nicht.«

Dem Jungen brennt so ein Haupt- und Herzenswunsch auf der Seele, das sieht man. In seinen Augen glüht ein traumfernes Entzücken.

»Was möchtest du denn haben?«

»Vater – sag erst 'mal, ob das Buch von Robinson teuer ist!«

»Furchtbar teuer.«

Sein Kopf sinkt auf die Brust.

»Aber es geht vielleicht.«

Da entbrennen seine Augen.

»Vater, ich will auch gar nichts anderes haben, wenn ich nur das Buch von Robinson kriege!«

Solch ein Verlangen stillen: das nenne ich eine Weihnachtsfreude! Merkwürdig ist es, daß sie sich gar nichts Praktisches oder Nützliches wünschen wie wollene Unterjacken und dergleichen. Mein Nachbar, Herr Schraffelhuber, hat einen Jungen von acht und einen von sechs Jahren: »Ich schenke meinen Jungen grundsätzlich nur nützliche Sachen zu Weihnachten«, sagte er zu mir, »wie Stiefel, Strümpfe, Mützen und dergleichen. All der andere Tand und Kram verleitet sie nur zu Torheit, Faulheit und Unaufmerksamkeit und bringt sie dahin, den Wert des Geldes gering zu achten. Die Großmutter schenkt ihnen ein Stück Spielzeug, und das genügt. In ein paar Tagen ist es doch wieder kaputt.«

»Herr Schraffelhuber«, sagte ich darauf, »wissen Sie, was ich Ihnen gönne? Daß der Herrgott Ihnen, wenn Sie in den Himmel kommen, einen großen und dauerhaften Regenschirm schenkt und sagt: ›Hier, mein lieber Schraffelhuber, hast du einen großen und dauerhaften Regenschirm als Krone des Lebens. Dein Platz ist nämlich draußen in meiner dicksten Regenwolke. Da wirst du diesen nützlichen und zweckmäßigen Regenschirm zu schätzen wissen. Ich wünsch' dir eine nutzbringende Seligkeit«, sagte ich ihm.

Seitdem haßt er mich, aber wenn solche Leute mich hassen, das wärmt mich recht innerlich, als wär's der herrlichste Weihnachtspunsch.

An solchen Festen soll ja der Beschenkte »von dem goldnen Überfluß der Welt« kosten, und man soll ihm spenden, was ihm unter gewöhnlichen Umständen nicht erreichbar wäre! Wenn der arme Teufel barfuß läuft, so schenkt ihm Stiefel und Strümpfe; wenn er aber des Leibes Notdurft hat, so schenkt ihm eine Trüffelwurst oder eine Radierung von Klinger oder –

warum nicht, wenn er sich's wünscht? – eine kleine Drehorgel, gerade weil es Verschwendung ist, weil es Luxus ist, weil es ein Spiel ist! Ach, mein Gott, wir haben ja alle das Spiel so nötig! Dazu sind uns ja Tage des Festes gegeben, daß wir einmal herauskommen aus der Trivialität der Regelmäßigkeit. Darum verzehrt man ja auch am Weihnachtsfeste so viele Hasen, Gänse, Karpfen, Kuchen, Äpfel, Nüsse, Mandeln, Rosinen, Feigen und Apfelsinen mit den dazugehörigen Getränken, weil selbst die geregelte Verdauung unterbrochen werden muß, wenn sie nicht langweilig werden soll.

Ich kann euch sagen, ich hab' die Nützlichkeit geschmeckt. Als ich vierzehn Jahre alt war, da hieß es: »Der große Junge braucht wohl kein Spielzeug; der kriegt diesmal was Praktisches.« Natürlich stimmte ich stolzen Herzens zu; es war ja noch vierzehn Tage vor Weihnacht. Ich, ein junger Mann von vierzehn Jahren, soll mir Spielsachen schenken lassen – lächerlich! Als dann aber die Bescherung kam, da waren wirklich keine da! Die jüngeren Geschwister hatten niedliche Windmühlen, Baukästen und Hühnerhöfe, aber ich hatte nicht ein einziges Stück. Nur Kragen, Strümpfe, Halstücher. Geweint hab' ich sehr, aber nur nach innen. Zwei oder drei bitterheiße Tropfen. Nach außen hab' ich den jungen Mann aufrechterhalten. Ein paarmal hab' ich mich wohl vergessen und heimlich mit den Sachen der anderen gespielt, aber mit vierzehn Jahren ist man auch noch ein recht junger Mann. Als ein jüngerer Bruder mich verspottete, vermochte ich ihm mit Hoheit und einem tiefen Jungenbaß zu erwidern: »Du Dummbart, ich wollte nur mal sehen, wie sie eingerichtet ist.«

Wenn eure Kinder, mit vierzehn, sechzehn, achtzehn Jahren und später noch spielen wollen, so stört sie nicht, denn das sind gewöhnlich die Menschen, die draußen in der ernsten Welt ihr Werk mit froher Kinderkraft angreifen und die mit Lächeln bewältigen, was dem Pedanten unmöglich schien.

Truman Capote · Eine Weihnachtserinnerung

Stellt euch einen Morgen gegen Ende November vor! Das Heraufdämmern eines Wintermorgens vor mehr als zwanzig Jahren. Denkt euch die Küche eines weitläufigen alten Hauses in einem Landstädtchen. Ein großer schwarzer Kochherd bildet ihren wichtigsten Bestandteil, aber auch ein riesiger runder Tisch und ein Kamin sind da, vor dem zwei Schaukelstühle stehen. Und gerade heute begann der Kamin sein zur Jahreszeit passendes Lied anzustimmen.

Eine Frau mit kurzgeschorenem weißem Haar steht am Küchenfenster. Sie trägt Tennisschuhe und einen formlosen grauen Sweater über einem sommerlichen Kattunkleid. Sie ist klein und behende wie eine Bantam-Henne; aber infolge einer langen Krankheit in ihrer Jugend sind ihre Schultern kläglich verkrümmt. Ihr Gesicht ist auffallend: dem Lincolns nicht unähnlich, ebenso zerklüftet und von Sonne und Wind gegerbt; aber es ist auch zart, von feinem Schnitt, und die Augen sind sherryfarben und scheu. »O je«, ruft sie aus, daß die Fensterscheibe von ihrem Hauch beschlägt, »es ist Früchtekuchen-Wetter!«

Der, zu dem sie spricht, bin ich. Ich bin sieben. Sie ist sechzig und noch etwas darüber. Wir sind Vetter und Base, zwar sehr entfernte, und leben zusammen seit – ach, solange ich denken kann. Es wohnen noch andere Leute im Haus, Verwandte; und obwohl sie Macht über uns haben und uns oft zum Weinen bringen, merken wir im großen und ganzen doch nicht allzuviel von ihnen. Wir sind jeder des andern bester Freund. Sie nennt mich Buddy, zum Andenken an einen Jungen, der früher mal ihr bester Freund war. Der andere Buddy starb in den achtziger Jahren, als sie noch ein Kind war. Sie ist noch immer ein Kind. »Ich wußte es, noch eh' ich aus dem Bett stieg«, sagt sie und kehrt dem Fenster den Rücken. Ihre Augen leuchten zielbewußt. »Die Glocke auf dem Gericht hallte so kalt und klar. Und kein Vogel hat gesungen; sind vermutlich in wärmere Länder gezogen. O Buddy, hör' auf, Biskuits zu futtern, und hol' unser Wägelchen! Und hilf mir, meinen Hut suchen! Wir müssen dreißig Kuchen backen.«

So ist es immer: jedes Jahr im November dämmert ein Morgen herauf, und meine Freundin verkündet – wie um die diesjährige Weihnachtszeit feierlich zu eröffnen, die ihre Phantasie befeuert und die Glut ihres Herzens nährt –: »Es ist Früchtekuchen-Wetter! Hol' unser Wägelchen! Hilf mir, meinen Hut suchen!«

Der Hut findet sich: ein Wagenrad aus Stroh, geschmückt mit Samtrosen, die in Luft und Licht verblaßten; er gehörte einmal einer eleganteren Verwandten. Zusammen ziehen wir unser Wägelchen, einen wackeligen Kinderwagen, aus dem Garten und zu einem Gehölz von Hickory-Nuß-bäumen. Das Wägelchen gehört mir, das heißt, es wurde für mich gekauft, als ich auf die Welt kam. Es ist aus Korbgeflecht, schon ziemlich aufge-räufelt, und die Räder schwanken wie die Beine eines Trunkenbolds. Doch ist es ein treuer Diener; im Frühling nehmen wir es mit in die Wälder und füllen es mit Blumen, Kräutern und wildem Farn für unsere Veranda-töpfe; im Sommer häufen wir es voller Picknicksachen und Angelruten aus Zuckerrohr und lassen es zum Ufer eines Flüßchens hinunterrollen; auch im Winter findet es Verwendung: als Lastwagen, um Feuerholz vom Hof zur Küche zu befördern, und als warmes Bett für Queenie, unsern zähen kleinen rotweißen rattenfangenden Terrier, der die Staupe und zwei Klapperschlangenbisse überstanden hat. Queenie trippelt jetzt neben uns einher.

Drei Stunden darauf sind wir wieder in der Küche und entkernen eine gehäufte Wagenladung Hickory-Nüsse, die der Wind heruntergeweht hat. Vom Aufsammeln tut uns der Rücken weh: wie schwer sie unter dem wel-ken Laub und im frostfahlen, irreführenden Gras zu finden waren! (Die Haupternte war schon von den Eigentümern des Wäldchens – und das sind nicht wir – von den Bäumen geschüttelt und verkauft worden.) Krick-kräck! Ein lustiges Krachen, wie lauter Zwergen-Donnerschläge, wenn die Schalen zerbrechen und der goldene Hügel süßen, fetten sahnefarbenen Nußfleisches in der Milchglasschüssel höhersteigt. Queenie bettelt um einen Kosthappen, und hin und wieder gönnt meine Freundin ihr verstohlen ein Krümchen, wenn sie auch beteuert, daß wir's nicht entbehren können. »Wir dürfen's nicht, Buddy! Wenn wir mal damit anfangen, nimmt's kein Ende. Und wir haben fast nicht genug. Für dreißig Früchtekuchen!« In der Küche dunkelt es. Die Dämmerung macht aus dem Fenster einen

Spiegel: unsre Spiegelbilder, wie wir beim Feuerschein vor dem Kamin arbeiten, mischen sich mit dem aufgehenden Mond. Endlich, als der Mond schon sehr hoch steht, werfen wir die letzte Nußschale in die Glut und sehen gemeinschaftlich seufzend zu, wie sie Feuer fängt. Das Wägelchen ist leer, die Schüssel ist bis zum Rande voller Nußkerne.

Wir essen unser Abendbrot (kalte Biskuits, Brombeermus und Speck) und besprechen den nächsten Tag. Morgen beginnt der Teil der Arbeit, der mir am besten gefällt: das Einkaufen. Kandierte Kirschen und Zitronen, Ingwer und Vanille und Büchsen-Ananas aus Hawaii, Orangeat und Zitronat und Rosinen und Walnüsse und Whisky und, oh, was für eine Unmenge Mehl und Butter, und so viele Eier und Gewürze und Aroma – jemine!, wir brauchen wohl gar ein Pony, um das Wägelchen nach Hause zu ziehen!

Doch ehe die Einkäufe gemacht werden können, muß die Geldfrage gelöst werden. Wir haben beide keins, abgesehen von kläglichen Summen, mit denen uns die Leute aus dem Haus gelegentlich versehen (ein Zehner gilt schon als sehr viel Geld), oder von dem, was wir auf mancherlei Art selbst verdienen, indem wir einen Ramsch-Verkauf veranstalten oder Eimer voll handgepflückter Brombeeren und Gläser mit hausgemachter Marmelade, mit Apfelgelee und Pfirsichkompott verkaufen oder für Begräbnisse und Trauungen Blumen pflücken. Mal haben wir auch bei einem nationalen Fußball-Toto den neunundsiebzigsten Preis gewonnen, fünf Dollar! Nicht etwa, daß wir auch nur eine blasse Ahnung vom Fußball hätten! Es ist vielmehr so, daß wir einfach bei jedem Wettbewerb mitmachen, von dem wir hören. Augenblicklich richtet sich alle unsere Hoffnung auf das große Preisausschreiben, bei dem man fünfzigtausend Dollar für den Namen einer neuen Kaffeesorte gewinnen kann (wir schlugen A. M.* vor, und nach einigem Zaudern – denn meine Freundin fand es möglicherweise frevelhaft –, den Slogan A. M. = Amen!). Unser einziges wirklich einträgliches Unternehmen war, um die Wahrheit zu gestehen, das Unterhaltungs- und Monstrositäten-Kabinett, das wir vor zwei Jahren in einem Holzschuppen auf dem Hof eröffnet hatten. Die Unterhaltung lieferte ein Stereoptikon mit Ansichten aus Washington und New York, das uns eine Verwandte geliehen hatte, die dort gewesen war (als sie entdeckte, weshalb wir es ge-

---

* a. m. = ante meridiem = vormittags

borgt hatten, wurde sie wütend); in der Monstrositäten-Abteilung hatten wir ein Küken mit drei Beinen, das eine von unsern eigenen Hennen ausgebrütet hatte. Jeder aus der ganzen Gegend wollte das Küken sehen: wir verlangten von den Erwachsenen einen Nickel und von Kindern zwei Cents und nahmen gute zwanzig Dollar ein, ehe das Kabinett infolge Ablebens seiner Haupt-Attraktion schließen mußte.

Irgendwie jedoch sparen wir jedes Jahr unser Weihnachtsgeld zusammen, in einer Früchtekuchen-Kasse. Wir bewahren das Geld in einem Versteck auf: in einer alten, perlenbestickten Geldbörse unter einer losen Diele unter dem Estrich unter dem Nachttopf unter dem Bett meiner Freundin. Die Geldbörse wird selten aus dem sicheren Gewahrsam hervorgeholt, es sei denn, um eine Einlage zu machen oder, wie es jeden Samstag vorkommt, um etwas abzuheben; denn samstags darf ich zehn Cents haben, um ins Kino zu gehen. Meine Freundin ist noch niemals in einem Kino gewesen und hat auch nicht die Absicht, je hinzugehen. »Lieber laß ich mir die Geschichte von dir erzählen, Buddy! Dann kann ich's mir viel schöner ausmalen. Außerdem muß man in meinem Alter mit seinem Augenlicht schonend umgehen. Wenn der HERR kommt, möcht' ich IHN deutlich erkennen.« Aber nicht nur, daß sie nie in einem Kino war: sie hat auch nie in einem Restaurant gegessen, ist nie weiter als zehn Kilometer von zu Hause fort gewesen, hat nie ein Telegramm erhalten oder abgeschickt, hat nie etwas anderes gelesen als das Witzblatt und die Bibel, hat sich nie geschminkt, hat nie geflucht, nie jemandem etwas Böses gewünscht, nie absichtlich gelogen und nie einen hungrigen Hund von der Türe gescheucht. Und nun ein paar von den Dingen, die sie getan hat und noch tut: mit einer Hacke die größte Klapperschlange totgeschlagen, die man jemals hierzulande gesehen hat (mit sechzehn Klappern), nimmt Schnupftabak (heimlich), zähmt Kolibris (versucht's nur mal!), bis sie ihr auf dem Finger balancieren, erzählt Geistergeschichten (wir glauben beide an Geister), aber so gruselige, daß man im Juli eine Gänsehaut bekommt, hält Selbstgespräche, geht gern im Regen spazieren, zieht die schönsten Japonikas der Stadt und kennt das Rezept für jedes alte indianische Hausmittel, auch den Warzen-Zauber.

Jetzt, nach beendetem Abendbrot, ziehen wir uns in einen abgelegenen Teil des Hauses in das Zimmer zurück, in dem meine Freundin in einem eisernen

Bett schläft, das in ihrer Lieblingsfarbe, rosa, gestrichen und mit einer bunten Flickerlsteppdecke zugedeckt ist. Stumm und in Verschwörerwonnen schwelgend, holen wir die Perlenbörse aus ihrem geheimen Versteck und schütten ihren Inhalt auf die Flickerldecke: Dollarscheine, fest zusammengerollt und grün wie Maiknospen; düstere Fünfzig-Cent-Stücke, schwer genug, um einem Toten die Lider zu schließen; hübsche Zehner, die munterste Münze, eine, die wirklich silbern klingelt; Nickel und Vierteldollars, glattgeschliffen wie Bachkiesel; aber hauptsächlich ein hassenswerter Haufen bitter riechender Pennies. Im vergangenen Sommer verpflichteten sich die andern im Haus, uns für je fünfundzwanzig totgeschlagene Fliegen einen Pennie zu zahlen. Oh, welch Gemetzel im August: wieviel Fliegen flogen in den Himmel! Doch es war keine Beschäftigung, auf die man stolz sein konnte. Und während wir jetzt dasitzen und die Pennies zählen, ist es uns, als ob wir wieder Tote-Fliegen-Tabellen aufstellten. Wir haben beide keinen Zahlensinn: wir zählen langsam, kommen durcheinander und müssen wieder von vorn anfangen. Auf Grund ihrer Berechnungen haben wir zwölf Dollar dreiundsiebzig. Auf Grund meiner genau dreizehn Dollar. »Hoffentlich hast du dich verzählt, Buddy! Mit dreizehn können wir nichts anfangen. Dann gehen uns die Kuchen nicht auf. Oder jemand stirbt daran. Wo es mir doch nicht im Traum einfallen würde, am dreizehnten aufzustehen!« Es ist wahr: den Dreizehnten jeden Monats verbringt sie im Bett. Um also ganz sicher zu gehen, nehmen wir einen Pennie und werfen ihn aus dem Fenster.

Von den Zutaten, die wir für unsere Früchtekuchen brauchen, ist Whisky am teuersten, und er ist auch am schwierigsten zu beschaffen. Das Gesetz verbietet den Verkauf in unserem Staat. Doch jedermann weiß, daß man bei Mr. Haha Jones eine Flasche kaufen kann. Und am folgenden Tag, nachdem wir unsere prosaischeren Einkäufe gemacht haben, begeben wir uns zu Mr. Hahas Geschäftslokal, einem nach Ansicht der Leute »lasterhaften« Fischrestaurant und Tanzcafé unten am Fluß. Wir sind schon früher dortgewesen, und um das gleiche zu besorgen; doch in den voraufgegangenen Jahren hatten wir mit Hahas Frau zu tun, einer jodbraunen Indianerin mit messinggelb gebleichtem Haar, die stets todmüde ist. Ihren Mann haben wir noch nie zu Gesicht bekommen, obwohl wir gehört haben, daß er auch ein Indianer ist. Ein Riese mit tiefen Rasiermessernarben auf beiden Backen. Er wird »Haha« genannt, weil er so düster ist – ein Mann, der nie lacht. Je mehr wir uns seinem Café nähern (einer großen Blockhütte, die innen und außen mit grellbunten Ketten nackter elektrischer Birnen bekränzt ist und am schlammigen Flußufer steht, im Schatten von Uferbäumen, durch deren Zweige die Flechten wie graue Nebel wehen), um so langsamer werden unsere Schritte. Sogar Queenie hört auf zu springen und geht bei Fuß. In Hahas Café sind schon Leute ermordet worden. Aufgeschlitzt. Den Schädel eingeschlagen. Im nächsten Monat wird wieder ein Fall vor Gericht verhandelt. Natürlich ereignen sich solche Vorfälle in der Nacht, wenn die bunten Lämpchen verrückte Muster bilden und das Grammophon winselt. Am Tage ist Hahas Café schäbig und öde. Ich klopfe an die Tür, Queenie bellt, und meine Freundin ruft: »Mrs. Haha, Ma'am? Ist jemand da?«

Schritte. Die Tür geht auf. Das Herz bleibt uns stehen. Es ist Mr. Haha Jones persönlich! Und er ist tatsächlich ein Riese; er hat tatsächlich Narben; er lächelt tatsächlich nicht. Nein, aus schrägstehenden Satansaugen stiert er uns finster an und begehrt zu wissen: »Was wollt ihr von Haha?«

Einen Augenblick sind wir zu betäubt, um zu sprechen. Dann findet meine Freundin ihre Stimme wieder, bringt aber nicht mehr als ein Flüstern zustande: »Bitte schön, Mr. Haha, wir möchten gern ein Liter von Ihrem besten Whisky!«

Seine Augen werden noch schräger. Nicht zu glauben: Haha lächelt! Er lacht sogar! »Wer von euch beiden ist denn fürs Trinken?«

»Wir brauchen den Whisky für Früchtekuchen, Mr. Haha. Zum Backen!« Das ernüchtert ihn. Er zieht die Augenbrauen zusammen. »Ist doch keine Art, guten Whisky zu verschwenden!« Trotzdem verzieht er sich in das schattige Café und erscheint ein paar Sekunden darauf mit einer Flasche butterblumengelben Alkohols ohne Etikett. Er läßt den Whisky im Sonnenlicht funkeln und sagt: »Zwei Dollar!«

Wir zahlen – mit Nickeln und Zehnern und Pennies. Plötzlich wird sein Gesicht weich, und er klimpert mit den Münzen in seiner Hand, als ob's eine Faust voll Würfel wäre. »Ich will euch was sagen«, schlägt er uns vor und läßt das Geld wieder in unsere Perlbörse rutschen, »schickt mir statt dessen einen von euren Früchtekuchen!«

»Nein, wirklich«, sagt meine Freundin auf dem Heimweg, »was für ein reizender Mann! In seinen Früchtekuchen tun wir eine ganze Tasse Rosinen extra!«

Der schwarze Herd, der mit Kleinholz und Kohle gefüttert wird, glüht wie eine ausgehöhlte Kürbislaterne. Schneebesen schwirren, Löffel mahlen in Schüsseln voll Butter und Zucker, Vanille durchduftet die Luft, Ingwer würzt sie; schmelzende, die Nase kitzelnde Gerüche durchtränken die Küche, überschwemmen das ganze Haus und schweben mit den Rauchwölkchen durch den Kamin in die Welt hinaus. In vier Tagen haben wir die Arbeit geschafft. Einunddreißig Kuchen, mit Whisky befeuchtet, lagern warm auf Fensterbrettern und Regalen.

Für wen sind sie?

Für Freunde, nicht unbedingt für Nachbarn. Nein, der größte Teil ist für Leute bestimmt, die wir vielleicht einmal, vielleicht auch nie gesehen haben. Leute, die unsere Phantasie beschäftigen. Wie der Präsident Roosevelt. Wie Ehrwürden und Mrs. J. C. Lucey, Baptisten-Missionare auf Borneo, die im vergangenen Winter hier einen Vortrag hielten. Oder der kleine Scherenschleifer, der zweimal jährlich durchs Städtchen kommt. Oder Abner Packer, der Fahrer vom Sechs-Uhr–Autobus aus Mobile, der uns tagtäglich zuwinkt, wenn er in einer Staubwolke vorüberbraust. Oder die jungen Winstons, ein Ehepaar aus Kalifornien, deren Wagen eines Tages vor unserer Haustür eine Panne hatte und die eine Stunde lang so nett mit uns auf der Veranda verplauderten (Mr. Winston machte eine Aufnahme von uns, die einzige, die es von uns beiden gibt). Kommt es wohl daher, weil meine Freundin vor jedermann mit Ausnahme von Fremden scheu ist, daß uns die Fremden, flüchtige Zufallsbekannte, als unsere wahren Freunde erscheinen? Ich glaube, ja. Und die Sammelbücher, in die wir die Danksagungen auf Regierungsbriefpapier und hin und wieder eine Mitteilung aus Kalifornien oder Borneo und die Pennie-Postkarten vom Scherenschleifer einkleben, geben uns das Gefühl, mit ereignisreicheren Welten verbunden zu sein, als es die Küche mit dem Blick auf einen abgeschnittenen Himmel ist.

Jetzt schabt ein dezemberkahler Feigenbaumzweig gegen das Fenster. Die Küche ist leer; die Kuchen sind fort. Gestern haben wir die letzten im Wägelchen zur Post gefahren, wo der Ankauf von Briefmarken unsre Börse umgestülpt hat. Wir sind pleite. Ich bin deswegen ziemlich niederge-schlagen, aber meine Freundin besteht darauf, zu feiern, und zwar mit einem zwei Finger breiten Rest Whisky in Hahas Flasche. Queenie be-kommt einen Teelöffel voll in ihren Kaffeenapf (sie nimmt ihren Kaffee gern stark und mit Zichorie gewürzt). Das übrige verteilen wir auf zwei leere Gellee-Gläser. Wir sind beide ganz ängstlich, daß wir unverdünnten Whisky trinken wollen; der Geschmack zieht uns das Gesicht zusammen, und wir müssen uns grimmig schütteln. Aber allmählich fangen wir an zu singen, und gleichzeitig singen wir beide zwei verschiedene Lieder. Ich kann die Worte meines Liedes nicht richtig, bloß: Kommt nur all, kommt nur all, in der Niggerstadt ist Stutzerball! Aber ich kann tanzen. Stepp-tänzer im Film, das will ich nämlich werden. Mein tanzender Schatten hüpft über die Wände, von unseren Stimmen zittert das Porzellan, wir kichern, als ob unsichtbare Hände uns kitzelten. Queenie wälzt sich auf dem Rücken, ihre Pfoten trommeln durch die Luft, eine Art Grinsen verzerrt ihre schwarzen Lippen. Innerlich bin ich so warm und feurig wie die zerbröckelnde Glut der Holzscheite und so sorglos wie der Wind im Kamin. Meine Freundin walzt um den Kochherd und hält den Saum ihres billigen Kattunrocks zwischen den Fingerspitzen, als ob er ein Ballkleid wäre. Zeig' mir den Weg, der nach Hause führt, singt sie, und ihre Tennis-schuhe quietschen über den Fußboden. Zeig' mir den Weg, der nach Hause führt!

Es treten auf: zwei Verwandte. Sehr empört. Allgewaltig mit Augen, die schelten, mit Zungen, die ätzen. Hört zu, was sie zu sagen haben, und wie die Worte in zorniger Melodie übereinanderpurzeln: »Ein kleiner sieben-jähriger Junge! Der nach Whisky riecht! Bist du von Gott verlassen? Einem Siebenjährigen so etwas zu geben! Mußt verrückt geworden sein! Der Weg, der ins Verderben führt! Hast wohl Base Kate vergessen? Und Onkel Charlie? Und Onkel Charlies Schwager? Schande! Skandal! Demütigend! Kniet nieder und betet, betet zum HERRN!« Queenie verkriecht sich unter dem Herd. Meine Freundin starrt auf ihre Schuhe, ihr Kinn zittert, sie hebt den Rock, schnaubt sich die Nase und läuft in ihr Zimmer. Lange nachdem die Stadt schlafen gegangen und das Haus verstummt ist und nur noch das Schlagen der Turmuhr und das Wispern der erlöschenden Glut verbleibt, weint sie in ihr Kissen hinein, das schon so naß ist wie ein Witwentaschentuch.

»Weine doch nicht!« sage ich zu ihr. Ich sitze am Fußende ihres Bettes und zittere meinem Flanellnachthemd zum Trotz, das noch nach dem Hustensaft vom vorigen Winter riecht; »weine doch nicht!«, bitte ich sie und kitzle sie an den Zehen und an den Fußsohlen, »du bist zu alt dafür!«

»Das ist's ja«, schluchzt sie, »ich bin zu alt! Alt und komisch.«

»Nicht komisch. Lustig. Mit keinem ist's so lustig wie mit dir. Laß doch! Wenn du nicht aufhörst mit Weinen, bist du morgen so müde, daß wir nicht fortgehen und den Baum abhacken können.«

Sie richtet sich auf. Queenie springt aufs Bett (was sie sonst nicht darf) und leckt ihr die Wangen. »Ich weiß eine Stelle, Buddy, wo es wunderschöne Bäume gibt. Und auch Stechpalmen. Mit Beeren, so groß wie deine Augen. Weit weg im Wald. Weiter, als wir je gewesen sind. Papa hat dort immer unsern Weihnachtsbaum geholt und auf der Schulter nach Hause getragen. Das war vor fünfzig Jahren. Ach, ich kann's gar nicht mehr abwarten, bis es morgen früh ist.«

Am andern Morgen. Das Gras funkelt im Rauhreif. Die Sonne, rund wie eine Orange und orangerot wie Heißwettermonde, tänzelt über den Horizont und überglüht die versilberten Winterwälder. Ein wilder Truthahn ruft. Im Unterholz grunzt ein ausgerissenes Schwein. Bald sind wir am Rand eines knietiefen, schnellfließenden Wassers und müssen das Wägelchen stehenlassen. Queenie watet zuerst durch den Bach, paddelt hinüber und bellt klagend, weil die Strömung rasch ist und das Wasser so kalt, um Lungenentzündung zu bekommen. Wir folgen und halten unsre Schuhe und unsere Ausrüstung (ein Beil und einen Jutesack) über den Kopf. Noch fast zwei Kilometer weiter: strafende Dornen, Kletten und Brombeerranken verhäkeln sich in unsern Kleidern; rostrote Kiefernadeln leuchten mit grellbunten Schwämmen und ausgefallenen Vogelfedern. Hier und dort erinnern uns ein Aufblitzen, ein Flattern und ein schrilles Aufkreischen daran, daß nicht alle Vögel gen Süden gezogen sind. Immer wieder windet sich der Pfad durch zitronengelbe Sonnentümpel und pechdunkle Rankentunnel. Dann ist noch ein Bach zu überqueren: von einer aufgescheuchten Armada gesprenkelter Forellen schäumt das Wasser um uns her, und Frösche von Tellergröße üben sich im Bauchsprung; Biber-Baumeister arbeiten an einem Damm. Am andern Ufer steht Queenie, schüttelt sich und zittert. Auch meine Freundin zittert, aber nicht vor Kälte, sondern vor Begeisterung. Als sie den Kopf hebt, um die kiefernduftschwere Luft einzuatmen, wirft eine von den zerlumpten Rosen auf ihrem Hut ein Blütenblatt ab. »Wir sind gleich dort, Buddy! Riechst du ihn schon?« fragt sie, als ob wir uns einem Ozean näherten.

Und es ist wirklich eine Art Ozean. Duftende Bestände von Festtagsbäumen, stachelblättrige Stechpalmen. Rote Beeren, die wie chinesische Ballonblumen blinken: schwarze Krähen stoßen krächzend auf sie nieder. Nachdem wir unseren Jutesack so mit Grünzeug und roten Beeren vollgestopft haben, daß wir ein Dutzend Fenster bekränzen können, machen wir uns daran, einen Baum zu wählen. »Er soll zweimal so groß wie ein Junge sein«, sagt meine Freundin nachdenklich. »Damit ein Junge nicht den Stern stibitzen kann.« Der Baum, den wir schließlich auswählen, ist zweimal so hoch wie ich. Ein wackerer, schmucker Geselle, hält er dreißig Beilhieben stand, bevor er krachend mit durchdringendem Schrei umkippt. Dann beginnt der lange Treck nach draußen: wir schleppen ihn wie ein Stück Jagdbeute ab. Alle paar Meter geben wir den Kampf auf, setzen uns hin und keuchen. Aber wir haben die Kraft siegreicher Jäger; das und der starke, eisige Duft des Baumes beleben uns und spornen uns an. Auf der Rückkehr zur Stadt, bei Sonnenuntergang die rote Lehmstraße entlang, begleiten uns zahlreiche Komplimente; doch meine Freundin ist listig und verschwiegen, wenn Vorübergehende den in unserem Wägelchen thronenden Schatz loben: was für ein schöner Baum, und woher er käme. »Von da drüben«, murmelt sie unbestimmt. Einmal hält ein Wagen, und die träge Frau des reichen Mühlenbesitzers lehnt sich hinaus und plärrt: »Ich geb euch 'n Vierteldollar für den schäbigen Baum!« Im allgemeinen sagt meine Freundin nicht gern nein; aber diesmal schüttelt sie sofort den Kopf: »Auch nicht für'n Dollar!« Die Frau des Mühlenbesitzers läßt nicht locker: »'n Dollar? Ist ja verrückt! Fünfzig Cents – das ist mein letztes Wort. Meine Güte, Frau, ihr könnt euch ja 'n andern holen!« Anstatt einer Antwort spricht meine Freundin sanft und nachdenklich vor sich hin: »Da hab ich meine Zweifel. Zweimal das gleiche: das gibt's nicht auf der Welt.«

Zu Hause. Queenie sackt vor dem Kamin zusammen und schläft, laut wie ein Mensch schnarchend, bis zum nächsten Morgen.

Ein Koffer in der Bodenkammer enthält: einen Schuhkarton voller Hermelinschwänze (vom Opern-Umhang einer merkwürdigen Dame, die mal im

Haus ein Zimmer gemietet hatte), Ketten zerfransten Lamettas, das vor Alter goldbraun wurde, einen Silberstern und eine kurze Schnur mit altersschwachen, bestimmt gefährlichen, kerzenförmigen elektrischen Birnen. Ausgezeichneter Schmuck, soweit vorhanden, und das ist nicht viel: meine Freundin möchte, daß unser Baum strahlt »wie ein Baptisten-Fenster« und daß er die Zweige unter Schneelasten von Schmuck niederhängen läßt. Doch die made-in-Japan-Herrlichkeiten des Einheitspreis-Ladens können wir uns nicht leisten. Daher machen wir, was wir immer gemacht haben: wir sitzen mit Schere und Bleistift und Stapeln von Buntpapier tagelang am Küchentisch. Ich mache Skizzen, und meine Freundin schneidet sie aus: eine Menge Katzen, auch Fische (weil sie leicht zu zeichnen sind), ein paar Äpfel, ein paar Wassermelonen, ein paar Engel mit Flügeln, die wir aus aufgespartem Silberpapier von Hershey-Riegeln zurechtbasteln. Wir benutzen Sicherheitsnadeln, um unsere Kunstwerke am Baum zu befestigen. Um ihm den letzten Schliff zu geben, bestreuen wir die Zweige mit zerschnittener Baumwolle (die wir zu diesem Zweck im August selber gepflückt haben). Meine Freundin betrachtet die Wirkung prüfend und schlägt die Hände zusammen. »Nun sag' mal ehrlich, Buddy: sieht's nicht zum Fressen schön aus?« Queenie versucht, einen Engel zu fressen.

Nachdem wir Stechpalmengirlanden für sämtliche Vorderfenster geflochten und mit Bändern umwunden haben, besteht unsere nächste Aufgabe im Fabrizieren von Geschenken für die Familie. Halstücher für die Damen aus Schnurbatik, für die Herren ein hausgemachter Sirup aus Zitronen, Lakritzen und Aspirin, einzunehmen »bei den ersten Symptomen einer Erkältung« sowie nach der Jagd. Aber als es an der Zeit ist, unsre gegenseitigen Geschenke vorzubereiten, trennen wir uns, um im geheimen zu arbeiten. Kaufen würde ich ihr gern: ein Messer mit Perlmuttergriff, ein Radio, ein ganzes Pfund Kirsch-Pralinés (wir haben mal ein paar gekostet, und seither beteuert sie: »Davon könnt' ich leben, Buddy, weiß Gott, das könnt' ich – und hab' Seinen Namen damit nicht unnütz in den Mund genommen«). Statt dessen baue ich ihr einen Drachen. Und sie würde mir gern ein Fahrrad kaufen. (Sie hat's mir schon millionenmal gesagt: »Wenn ich's nur könnte, Buddy! 's ist schlimm genug, wenn man im Leben auf etwas verzichten muß, was man selbst gern haben möchte; aber was mich, zum Kuckuck, richtig verrückt macht, ist, wenn man einem andern nicht

das schenken kann, was man ihm so sehr wünscht! Doch eines Tages tu'
ich's Buddy! Ich verschaffe dir ein Rad! Frag' mich nicht, wie. Vielleicht
stehl' ich's.«) Statt dessen, davon bin ich ziemlich überzeugt, baut sie mir
wahrscheinlich auch einen Drachen – ebenso wie voriges Jahr und das Jahr
davor; und ein Jahr noch weiter davor haben wir uns gegenseitig Schleu-
dern gebastelt. Was mir alles sehr recht ist. Denn wir sind Champions im
Drachensteigenlassen und studieren den Wind wie die Matrosen; meine
Freundin, die mehr Talent hat als ich, kann einen Drachen in die Lüfte
schicken, wenn nicht mal so viel Brise da ist, um die Wolken zu tragen.

Am Heiligabend kratzen wir nachmittags einen Nickel zusammen und
gehen zum Metzger, um Queenies herkömmliches Geschenk, einen guten,
abnagbaren Rindsknochen zu kaufen. Der Knochen wird in lustiges Papier
gewickelt und hoch in den Baum gehängt, in die Nähe des Sibersterns.
Queenie weiß, daß er da ist. Sie hockt am Fuß des Baumes und starrt, vor
Gier gebannt, nach oben: als es Schlafenszeit ist, weigert sie sich, von der
Stelle zu gehen. Ihre Aufregung ist ebenso groß wie meine eigene. Ich zer-
wühle meine Bettdecken und drehe das Kopfkissen herum, als hätten wir
eine sengendheiße Sommernacht. Irgendwo kräht ein Hahn: irrtümlicher-
weise, denn die Sonne ist noch auf der andern Seite der Erde.

»Buddy, bist du wach?« Es ist meine Freundin, die von ihrem Zimmer aus
ruft, das neben meinem liegt; und einen Augenblick drauf sitzt sie auf
meinem Bettrand und hält eine Kerze in der Hand. »Ach, ich kann kein
Auge zumachen«, erklärt sie. »Meine Gedanken hüpfen wie Kaninchen
herum. Buddy, glaubst du, daß Mrs. Roosevelt unsern Kuchen zum
Weihnachtsessen auftragen läßt?« Wir kuscheln uns im Bett zusammen,
und sie drückt mir die Hand »Hab-dich-lieb«. »Mir scheint, deine Hand
war früher viel kleiner. Ach, mir ist's schrecklich, wenn du älter wirst!
Wenn du groß bist – ob wir dann noch Freunde sind?« Ich antworte, immer! »Aber ich bin so traurig, Buddy! Ich wollte dir so gern ein Fahrrad
schenken. Ich hab' versucht, die Kameenbrosche zu verkaufen, die Papa
mir geschenkt hatte. Buddy . . .« Sie stockt, als sei sie zu verlegen. »Ich hab'
dir wieder einen Drachen gemacht!« Dann gestehe ich, daß ich ihr auch
einen gemacht habe, und wir lachen. Die Kerze brennt so weit herunter,
daß man sie nicht mehr halten kann. Sie geht aus, und der Sternenschimmer
ist wieder da, und die Sterne kreisen vor dem Fenster wie ein sichtbares

Jubilieren, das der Anbruch des Tages langsam, ach, so langsam zum Verstummen bringt. Vielleicht schlummern wir ein bißchen; aber die Morgendämmerung spritzt uns wie kaltes Wasser ins Gesicht: wir sind auf, mit großen Augen, und wandern umher und warten, daß die andern aufwachen. Mit voller Absicht läßt meine Freundin einen Kessel auf den Küchenfußboden fallen. Ich stepptanze vor verschlossenen Türen. Eins ums andere tauchen die Familienmitglieder auf und sehen aus, als ob sie uns am liebsten umbringen würden; aber es ist Weihnachten, daher können sie's nicht. Zuerst gibt's ein großartiges Frühstück; es ist einfach alles da, was man sich vorstellen kann: von Pfannkuchen und Eichhörnchenbraten bis zu Maisgrütze und Wabenhonig. Was alle in gute Laune versetzt, mich und meine Freundin ausgenommen. Offengestanden können wir vor Ungeduld, daß es endlich mit den Geschenken losgehen soll, keinen Bissen essen.

Leider bin ich enttäuscht. Das wäre wohl jeder. Socken, ein Sonntagsschulhemd, ein paar Taschentücher, ein fertiggekaufter Sweater und ein Jahresabonnement auf eine fromme Zeitschrift für Kinder: Der kleine Hirte. Ich platze vor Ärger. Wahrhaftig!

Meine Freundin macht einen besseren Fang. Ein Beutel mit Satsuma-Mandarinen – das ist ihr bestes Geschenk. Sie selbst ist jedoch stolzer auf einen weißwollenen Schal, den ihre verheiratete Schwester ihr gestrickt hat. Aber sagen tut sie, ihr schönstes Geschenk sei der Drachen, den ich ihr gebaut habe. Und er ist auch sehr schön, wenn auch nicht ganz so schön wie der, den sie mir gemacht hat, denn der ist blau und übersät mit goldenen und grünen Leitsternen, und außerdem ist noch mein Name, Buddy, draufgemalt.

»Buddy, der Wind weht!«

Der Wind weht, und alles andere ist uns einerlei, bis wir zum Weideland hinter dem Haus gerannt sind, wo Queenie hingerast ist, um ihren Knochen zu vergraben (und wo sie selbst einen Winter drauf begraben wird). Dort tauchen wir in das gesunde, gürtelhohe Gras, wickeln an unsern Drachen die Schnur auf und fühlen, wie sie gleich Himmelsfischen an der Schnur zerren und in den Wind hineinschwimmen. Zufrieden und sonnenwarm lagern wir uns im Gras, schälen Mandarinen und sehen den Kunststückchen unsrer Drachen zu. Bald habe ich die Socken und den fertiggekauften

Sweater vergessen. Ich bin so glücklich, als hätten wir beim Großen Preis-ausschreiben die fünfzigtausend Dollar für den Kaffeenamen gewonnen.

»Ach, wie dumm ich auch bin«, ruft meine Freundin und ist plötzlich so munter wie eine Frau, der es zu spät einfällt, daß sie einen Kuchen im Ofen hat. »Weißt du, was ich immer geglaubt habe?« fragt sie mit Entdecker-stimme und lächelt nicht mich an, sondern über mich hinaus. »Ich hab' immer gedacht, der Mensch müßte erst krank werden und im Sterben lie-gen, ehe er den HERRN zu Gesicht bekommt. Und ich hab' mir vorgestellt, wenn ER dann käme, wär's so, wie wenn man auf das Baptisten-Fenster schaut: schön wie farbiges Glas, durch das die Sonne scheint, und solch ein Glanz, daß man nicht merkt, wenn's dunkel wird. Und es ist mir ein Trost gewesen, an den Glanz zu denken, der alles Spukgefühl fortjagt. Aber ich wette, daß es gar nicht so kommt. Ich wette, zuallerletzt begreift der Mensch, daß der HERR sich bereits gezeigt hat. Daß einfach alles, wie es ist (ihre Hand beschreibt einen Kreis, der Wolken und Drachen und Gras und Queenie einschließt, die eifrig Erde über ihren Knochen scharrt), und eben das, was der Mensch schon immer gesehen hat – daß das ›IHN-Sehen‹ war. Und ich – ich könnte mit dem Heute in den Augen die Welt verlassen.«

Es ist unser letztes, gemeinsames Weihnachten. Das Leben trennt uns. Die Alles-am-besten-Wisser bestimmen, daß ich auf eine Militärschule gehöre. Und so folgt eine elende Reihe von Gefängnissen mit Signalhörnern oder grimmigen, von Reveille-Klängen verpesteten Sommerlagern. Ich habe auch ein neues Zuhause. Aber das zählt nicht. Zu Hause ist dort, wo meine Freundin ist, und ich komme nie dorthin.

Und sie bleibt dort und kramt in der Küche herum. Allein mit Queenie. Dann ganz allein. (»Liebster Buddy«, schreibt sie in ihrer wilden, schwer-leserlichen Schrift, »gestern hat Jim Macys Pferd ausgeschlagen und Queenie einen schlimmen Tritt versetzt. Sei dankbar, daß sie nicht viel gespürt hat. Ich hab' sie in ein feines Leinentuch eingewickelt und im Wägelchen zu Simpsons Weideland hinuntergefahren, wo sie nun bei all ihren vergrabenen Knochen ist.«) Ein paar Novembermonate hindurch fährt sie noch fort, allein Früchtekuchen zu backen; nicht so viele wie früher, aber einige, und natürlich schickt sie mir immer das Pracht-Exem-plar. Sie fügt auch in jedem Brief einen dick in Toilettenpapier eingewickel-

78

ten Zehner bei: »Geh in einen Film und erzähl' mir im nächsten Brief die Geschichte«. Aber allmählich verwechselt sie mich in ihren Briefen mit ihrem andern Freund, mit dem Buddy, der in den achtziger Jahren starb. Immer häufiger ist der Dreizehnte nicht der einzige Tag des Monats, an dem sie im Bett bleibt. Und es kommt ein Morgen im November, der Anbruch eines blätterkahlen, vogelstummen Wintermorgens, an dem sie sich nicht aufraffen kann, um auszurufen: »O je, 's ist Früchtekuchen-Wetter!« Und als das geschieht, weiß ich Bescheid. Der Brief, der es mir mitteilt, bestätigt nur die Meldung, die eine geheime Ader schon erhalten hat und durch die ein unersetzbares Teil meiner selbst von mir getrennt und freigelassen wird wie ein Drachen an einer gerissenen Schnur. Deshalb muß ich jetzt an diesem bestimmten Dezembermorgen, während ich über den Schul-Campus wandere, immer wieder den Himmel absuchen. Als ob ich erwarte, ein verirrtes Drachenpaar zu sehen, das, fast zwei Herzen gleichend, gen Himmel eilt.

Otto Wittke · Das Klavier auf dem Fensterbrett

Vor dem Weihnachtsfest saßen wir Geschwister immer in der Dämmerung beisammen und schrieben Wunschzettel. Wir glaubten zwar nicht mehr an den Weihnachtsmann mit Gabenrucksack und Rute, aber fixierte Wünsche sind Vorschußglück. Die bekritzelten Zettel wurden dem Vater unter den Suppenteller geschoben, um vielleicht eine reale Erfüllungsquelle zu erschließen. Meist versickerte diese freilich im grauen Alltagsende, weil ja alle mit Geld verbundenen Wünsche in einer Familie mit acht Kindern nur Traumbegriffe blieben.

Seit fünf Jahren stand regelmäßig als erster Wunsch auf meinem Zettel: ein Klavier! – Nun, wenn ich auch manchmal ein Träumer war, so war ich doch nicht so verblendet, mir ein »richtiges« Tasteninstrument zu wünschen. Mir schwebte nur so ein kleines bescheidenes Spielzeugklavier mit acht bis zwölf Tasten vor Augen. In den Buden auf dem Weihnachtsmarkt hatte ich diese kleinen Instrumente immer wieder versonnen betrachtet. Meine Finger klopften im Geiste darauf nicht nur die Tonleiter, sondern alle gehörten Melodien.

Doch so ein kleines Klavier kostete immerhin zwölf Groschen, also eine Mark und zwanzig Pfennig. Da arme Leute stets das Brot als Valuta nehmen mußten, so waren das zweieinhalb Brote! Also ein vermessener Wunsch im wahren Sinne des Wortes.

Und doch lief ich an den letzten Tagen hoffnungsvoll herum und klimperte mit den Fingern ständig über Tisch und Schrank. Mein Vater hatte nach der Betrachtung meines Wunschzettels lächelnd gesagt: »Immer wieder ein Klavier. Wie lange wünschst du dir das eigentlich schon?«

»Seit fünf Jahren, Vater!« sagte ich herzklopfend.

Da schaute mein Vater mich länger als sonst an, strich mir über den Borstenkopf und meinte: »Nun, dann müssen wir dem Klavier doch einmal näher treten.«

Das war ein Alarmschuß in mein Gemüt! Jeden Abend lief ich jetzt zum Weihnachtsmarkt. Ich wurde erst ruhiger, wenn ich im flackernden Schein der Karbidlampen »mein Klavier« neben Mundharmonika und Trompeten stehen sah. Es hatte zwölf weiße und sieben schwarze Tasten.

Auf so einem Klavier ließ sich bestimmt alles spielen!

Der Weihnachtsabend kam heran, nachdem ich an den Vortagen fast ununterbrochen im Geiste »geübt« hatte. Überall sah ich nur weiße und schwarze Tasten. Als das Klingelzeichen des Vaters ertönte, war ich der erste von meinen sieben Geschwistern in unserer kleinen Stube, wo der Lichterbaum strahlte. Allerlei nützliche Dinge lagen zwischen Pfefferkuchen und Nüssen auf dem bescheidenen Gabentische. Ich kniff meine kurzsichtigen Augen zusammen, tastete Tische und Stühle mit suchenden Blicken ab, aber mein Klavier konnte ich nicht entdecken . . .

Trotz des Trubels hatte mein Vater mich wohl beobachtet.

»Nun«, sagte er, »findest dein Klavier wohl nicht?« Meine Augen wurden heiß und, trotz aller Bemühungen es zu verhindern, feucht. »Nein«, stammelte ich enttäuscht.

»Schau mal auf das Fensterbrett, Kronensohn!« sagte der Vater verdächtig schmunzelnd.

Jetzt wurden drei Schritte für mich zu einem – aber das Fensterbrett war leer. Da stockten mir plötzlich Atem und Herz. Meine noch immer suchenden Augen sahen plötzlich, was sie wochenlang im Traume vor sich sahen: weiße und schwarze Tasten! Aber nicht in Miniaturform, nein, groß und normal! Das war ja ein – ein richtiges Klavier!

Ich war auch keineswegs enttäuscht, als die Tasten auf meinen Fingerdruck nicht nachgaben. Die Klaviatur war ja nur mit Ölfarbe auf das Fensterbrett gemalt. Aber schnell hatte ich einen Stuhl herangezogen, mich in Positur gesetzt und – spielte. Ich hatte noch nie einen sogenannten Musik-Imitator gehört oder gesehen, aber die aufgemalten Tasten klangen hell in mir auf, wenn ich sie berührte. Tonleiter, Triller und Läufe ließ ich begeistert aufwirbeln. Alle melodischen Erinnerungen vom sonntäglichen Platzkonzert rauschten empor – und mein Mund formte die Töne. »Sogar die halben auf den schwarzen Tasten beachtet er«, hörte ich meinen Vater sagen. Zu einem Weihnachtslied ließ ich mich aber erst bewegen, nachdem die »Diebische Elster« von Rossini aufgeflattert war.

Nur mit Mühe war ich an diesem beglückenden Weihnachtsabend von meinem Klavier wegzubringen. Ich konnte auch an den folgenden Tagen oft bemerken, daß meine Mutter zu neugierigen Nachbarn sagte: »Der Junge übt wieder.«

Altes, liebes Fensterbrett! Eine Welt von Tönen hast du in mir ausgelöst. Deine aufgemalten Tasten ließen Melodien aufsprudeln, ordneten musikalische Erinnerung und Phantasie. Frei bearbeitete Opernauszüge klangen in der Dämmerung auf, und mein Herz klopfte wie die gemalten Tasten. Und als meine Mutter wieder einmal leise die Tür öffnete und sagte: »Junge, war das jetzt nicht die ›Zauberflöte‹?«, da brannte mein Gesicht vor Stolz.

Erst viele Jahre später habe ich mir ein »richtiges« Klavier gekauft. Aber ein richtiger Meister wurde ich hierauf nicht. Und wenn ich in der Dämmerung jetzt leise Töne aufklingen lasse, sitze ich in der Erinnerung wieder vor meinem Fensterbrett-Klavier. Denn von hier aus blickte ich zum ersten Mal in das Wunderreich der Töne.

Hugh Walpole · Ein reizender Gast

Vor einiger Zeit, einerlei, wann es war, wollte Tubby Winsloe rasch Piccadilly überqueren. Bis Weihnachten waren es nur noch drei Tage. Die Straßen waren heimtückisch glatt, der Verkehr war hastig und rücksichtslos, und vor den gleichgültig grauen Klippengesichtern der Häuserfronten fiel aus primelfarbenem Himmel ein leiser, feiner Schnee. Bald würde es dämmern, und die Lichter würden aufflammen. Dann würde alles heiterer aussehen. Um Tubby heiter zu stimmen, brauchte es allerdings mehr als nur das bunte Lichterspiel. Gerade jetzt war seine Laune nicht besser als ein nasser Lappen, denn vor genau einer Woche hatte Diana Lane-Fox sich geweigert, ihn zu heiraten. »Ich hab' dich gern, Tubby«, hatte sie gesagt. »Ich glaube, du hast ein gutes Herz. Aber dich heiraten? Du taugst zu nichts und bist ungebildet und gefräßig. Du bist schandbar dick, und deine Mutter vergöttert dich!«

Ehe Diana ihm den Korb gegeben hatte, ahnte er nicht, wie verlassen er sich fühlen würde. Er hatte Geld, Freunde und ein stattliches Dach überm Kopf. Wohin er auch ging, überall schien er sehr beliebt zu sein. Jetzt kam er sich wie ein Aussätziger vor.

Er blieb auf der Verkehrsinsel in der Mitte der Straße stehen und bemerkte, daß eine Dame mit einem kleinen Mädchen und einem grimmig dreinblickenden Chow-Hund ihn ansahen, als wollten sie sagen: »Wir stecken in der Weihnachtszeit – für jedermann eine schwere Zeit!« Noch jemand anders hatte sich auf die Verkehrsinsel gerettet. Ein seltsamer Mann. Er sah so ungewöhnlich aus, daß Tubby vor Neugier vorübergehend seinen Kummer vergaß. Er trug einen sehr starken Bart, und seine Kleider waren auch ganz altmodisch. Er hatte einen hohen Stehkragen mit spitzen Ecken an, ein schwarzes Halstuch mit einem Edelstein als Krawattennadel und eine höchst auffallende Weste, denn sie war violett und mit kleinen roten Blümchen übersät. Er trug einen großen braunen Beutel, der gewiß schwer war. Doch das Auffallendste an ihm war der Eindruck rastloser Energie. Ein heimliches Feuer schien in der kräftigen, sehnigen Gestalt zu brennen.

Der Verkehr brauste wie toll an ihnen vorbei, und sobald eine kleine Lücke entstand, zappelte der alte Graubart schon vor Ungeduld.

Dann kam der Augenblick, da er sehr törichterweise vorwärts stürmte. Fast hätte ihn ein majestätischer, verächtlicher Rolls Royce erwischt. Die Dame schrie auf, und Tubby packte ihn beim Arm und riß ihn zurück. »Das wäre beinah ins Auge gegangen«, sagte Tubby. Der Fremde lächelte – ein reizendes Lächeln war's, das nicht nur seine Augen, sondern auch sein Bart und sogar seine Hände ausstrahlten. »Um Weihnachten ist der Verkehr sehr stark«, sagte Tubby. »Jeder macht eben seine Einkäufe.«

Der Fremde nickte. »Weihnachten ist eine herrliche Zeit«, sagte er.

»So, finden Sie?« erwiderte Tubby. »Ich glaube kaum, daß Sie in London Menschen auftreiben können, die Ihrer Ansicht sind. Heutzutage ist es nicht mehr Mode, Weihnachten schön zu finden.« – »Nicht mehr Mode?« rief der Fremde betroffen. »Aber was ist denn passiert?« Das war nun eine tolle Frage, weil ja so viel passiert war: angefangen mit der Arbeitslosigkeit bis hinauf zu Diana. Tubby blieb die Antwort erspart. »Halt, jetzt kommt eine Lücke«, sagte er. »Jetzt können wir gehen!« Sie überquerten die Straße, und dann erkundigte sich Tubby: »Wohin wollen Sie?« Später wunderte er sich noch oft darüber, daß er die Frage gestellt hatte. Es war nicht seine Art, sich Fremden zu nähern.

»Wenn ich's offen sagen soll – ich weiß es nicht genau«, erwiderte der Fremde.

»Bin gerade erst angekommen.« – »Wo kommen Sie denn her?« fragte Tubby. Der Fremde lachte. »Ich bin schon seit längerer Zeit unterwegs. Meine Freunde halten mich für einen sehr unruhigen Menschen, aber erzählen Sie mir doch, weshalb die Weihnachtszeit nicht mehr schön ist! Was ist geschehen?« Tubby murmelte: »Ach, so viel ist geschehen! Die Arbeitslosigkeit – kein Geschäft mehr – Sie wissen schon!«

»Nein, ich weiß es nicht. Ich war nicht hier. Ich finde, jeder sieht recht fröhlich drein?« Inzwischen hatten sie Berkeley Street erreicht. Da tat Tubby wieder etwas Ungewöhnliches. Er sagte: »Kommen Sie mit und trinken Sie eine Tasse Tee! Wir wohnen nur ein paar Meter die Straße aufwärts!«

»Gern«, sagte der Fremde. Während sie die Straße entlanggingen, erzählte er in zutraulichem Ton: »Ich bin nämlich sehr lange nicht mehr in London gewesen. So viele Fahrzeuge – es ist verblüffend! Aber ich genieße es – ungeheuer! Es ist so lebendig! Und doch ist die ganze Stadt sehr ruhig geworden – im Vergleich zu früher.« – »Ruhig?« staunte Tubby. – »Natürlich. Damals gab es Pflastersteine, und die Droschken und Rollwagen rasselten und quietschten wie die Verdammten.« – »Aber das ist ja eine Ewigkeit her!« – »Ja. Ich bin älter, als ich aussehe.« – »Ist Ihr Beutel nicht furchtbar schwer?« fragte Tubby.

»Habe schon Schlimmeres in meinem Leben geschleppt«, erwiderte der Fremde.

Jetzt standen sie vor Tubbys Elternhaus, und er wurde plötzlich verlegen; zu Fremden konnte seine Mutter sehr hochmütig sein. Aber da waren sie nun, es schneite stark, und der arme Herr hatte keinen Mantel an. Also gingen sie hinein. Die reiche Villa Winsloe gehörte einer vergangenen Epoche an. Eine Marmortreppe war da, die der Fremde so leichtfüßig hinaufeilte, als wäre sein Beutel nur eine Flaumfeder. Tubby schnaufte hinter ihm drein, aber doch nicht schnell genug, um zu verhindern, daß der Fremde vor ihm durch die offene Tür in den Salon trat. Dort saß, prächtig herausstaffiert, Lady Winsloe: neben ihr prasselte ein riesiges Feuer im Marmorkamin, vor ihr stand ein köstlicher Teetisch, und an der Wand hingen erlesene Wiedergaben von Werken der größten Meister. Lady Winsloe war eine stattliche Erscheinung mit schneeweißem Haar, ihr Kleid aus schwarzweißer Seide lag dem Körper so eng an, daß man mit Vergnügen auf den Moment wartete, wo sie sich erheben würde. Sie bewegte sich so wenig wie möglich, sie sagte so wenig wie möglich, sie dachte so wenig wie möglich. Sie hatte ein sehr gütiges Herz – und sie war überzeugt, daß die Welt vor die Hunde ging. Der Fremde stellte seinen Beutel auf den Fußboden und ging mit ausgestreckter Hand auf sie zu. »Guten Abend!« sagte er. Glücklicherweise trat im gleichen Moment Tubby ins Zimmer. »Mutter«, sagte er, »der Herr . . .«

»Ach, richtig«, sagte der Fremde, »Sie kennen ja meinen Namen gar nicht! Ich heiße Huffam!« Und er erhaschte die kleine weiße, fleischige Hand und schüttelte sie. Zwei Pekinesen kamen heftig bellend angerannt. Lady Winsloe fand die ganze Situation so erstaunlich, daß sie nur noch flüstern konnte. »Still, Bobo! Still, Coco!« – »Mr. Huffam wäre nämlich beinahe von einem Auto überfahren worden, Mutter, ich hab' ihn davor bewahrt –

und dann fing es so stark an zu schneien . . .« – »Ja, Liebling«, sagte Lady Winsloe mit ihrer seltsam heiseren Stimme, die auf jedermann stets überraschend wirkte, weil sie aus einem Riesenbusen kam. Dann riß sie sich zusammen. Tubby hatte aus irgendeinem Grunde so erstaunlich gehandelt, und einerlei, was er tat, Tubby hatte immer recht. »Hoffentlich nehmen Sie etwas Tee, Mr. . . .« Sie stockte. – ». . . Huffam, Madame. Ja, besten Dank. Ich nehme sehr gern Tee.« – »Milch und Zucker auch?« – »Ja, alles beides!« Mr. Huffam lachte und schlug sich aufs Knie. »Sehr liebenswürdig von Ihnen, Madame, da ich Ihnen doch ganz fremd bin. – Sie haben es hübsch hier, Madame – zum Beneiden!«

»Oh, glauben Sie?« flüsterte Lady Winsloe heiser. »Nein, nein, nicht heutzutage! Bedenken Sie allein die Steuern! Sie haben keine Ahnung, Mr. . . .« – ». . . Huffam.«

»Ach ja. Wie dumm von mir! Still, Bobo! Still, Coco!« Eine kleine Pause entstand, und Lady Winsloe betrachtete ihren neuen Gast. Ihre Manieren waren tadellos. Sonst dachte sie gar nicht daran, einen Besucher zu mustern. Aber Mr. Huffam hatte etwas an sich, das einen förmlich zwang, ihn anzustarren. Es war seine Vitalität. Es war seine offensichtliche Zufriedenheit. Es war seine ungewöhnliche Weste. »Was für ein Glück ich doch habe«, sagte Mr. Huffam, »gerade um Weihnachten in London zu sein! Und obendrein schneit es noch! Alles, wie es sein muß! Schneebälle, Misteln, Stechpalmen . . .«

Im gleichen Augenblick betrat ein großer und verblüffend magerer Herr das Zimmer. Sir Roderick Winsloe war früher mal Unterstaatssekretär gewesen, er war mal wegen seiner eleganten und ziemlich boshaften Erwiderungen berühmt gewesen. Doch all das war längst vorbei. Jetzt war er nichts weiter als Lady Winsloes Ehegatte, der Vater von Tubby und das Opfer einer oft verheerenden Verdauung. Es war ganz natürlich, daß er melancholisch war, wenn auch vielleicht nicht ganz so melancholisch, wie er es für notwendig befand. Er betrachtete Mr. Huffam, seinen Beutel und seine Weste mit unverhohlenem Erstaunen. – »Das ist mein Vater«, sagte Tubby. Mr. Huffam stand sofort auf und ergriff seine Hand. »Freut mich, Sie kennenzulernen«, sagte er. Sir Roderick brachte nichts als »Ah-hem!« heraus und setzte sich. Vor Verlegenheit stand Tubby jetzt Qualen aus. Der seltsame Gast hatte seinen Tee getrunken, doch schien es, als beabsichtige er gar nicht, sich zu verabschieden. Mit von sich gestreckten Beinen, zurückgelehntem Kopf und freundlichen Augen blickte er der Reihe nach auf alle, als ob sie seine besten Freunde wären. Dann bat er um eine zweite Tasse Tee.

Tubby beobachtete seine Mutter. Sie verstand es meisterhaft, einen Gast zu veranlassen, daß er sich verabschiedete. Wie sie es machte, wußte man nicht so recht. Aber dieser Gast war viel schwieriger als andere Gäste. Er hatte etwas Altmodisches an sich. Er glaubte den Leuten, was sie sagten. Da er zum Tee gebeten worden war, glaubte er es.

Doch nun geschah etwas Wunderbares! Tubby merkte, daß seine Mutter an Mr. Huffam Gefallen fand, daß sie lächelte und sogar kicherte, daß ihre kleinen Augen strahlten, während sie ihrem Gast lauschte.

Mr. Huffam erzählte eine Geschichte. Von einem Jungen handelte sie, den er in seiner Jugend gekannt hatte, einem fröhlichen, abenteuerlustigen Jungen, der als Page zu einer reichen Familie gekommen war. Mr. Huffam beschrieb seine Erlebnisse ganz reizend: den Zusammenstoß mit dem zweiten Diener, und wie er seiner kleinen Schwester an der Durchreiche Backwerk zusteckte, und wie er sich mit der Köchin anfreundete. Als Mr. Huffam so erzählte, standen einem all die Menschen leibhaftig vor Augen, das ganze Haus, die Möbel und Betten und sogar das knallrote Halstuch, das der Diener im Bett trug, weil er so leicht einen steifen Hals bekam. Da begann Lady Winsloe zu lachen, und sogar Sir Roderick lachte, und der Butler, der das Teegeschirr wegräumen wollte, konnte seinen Augen nicht trauen, stand da und sah alle der Reihe nach an, und dann hustete er streng und machte sich an seine Pflichten.

Aber am schönsten war wohl der rührende Schluß. Heute ist es gefährlich, etwas Rührendes zu beschreiben. Doch Mr. Huffam war darin ein Meister. Wie sie alle den Atem anhielten! Als die Geschichte aus war, erhob sich Mr. Huffam. »Madame«, sagte er, »ich habe Ihnen für eine sehr reizende Teestunde zu danken!« Und nun geschah das Allerseltsamste, denn Lady Winsloe fragte: »Wenn Sie nichts anderes vorhaben – wollen Sie nicht ein oder zwei Nächte bei uns bleiben – bis Sie etwas Passendes haben, meine ich?«

Wenn Tubby sich später an alle Einzelheiten des tollen Erlebnisses erinnern wollte, konnte er sie nie in die richtige Reihenfolge bringen. Das

Ganze war wie ein buntes Märchenspiel, wie ein Traum vielleicht, der wahrer ist als unser waches Erleben.

Zuerst merkte Tubby, daß sich das *Haus* veränderte. Es war nie zufriedenstellend gewesen: alles darin schien so tot und abgestorben. Es war zu groß, die Möbel waren zu schwer, die Zimmerdecken viel zu hoch. Selbst die meistbewohnten Zimmer weigerten sich verdrossen, munter mitzumachen. Doch nun, am ersten Abend, geruhten die Möbel sich zu bewegen. Nach dem Essen war nur die Familie anwesend. Sie saßen im Wohnzimmer, und Mr. Huffam hatte ein paar Sessel von der Wand fortgerückt und das Sofa etwas behaglicher ans Kaminfeuer gezogen. Er war nicht etwa anmaßend: im Gegenteil, am ersten Abend war er sehr still und stellte merkwürdige Fragen über das London von heute, vor allem über Gefängnisse, Irrenhäuser und Kinderfürsorge. Auch für die gegenwärtige Dichtung interessierte er sich und schrieb allerlei Namen in sein Notizbuch; Tubby riet ihm, mal in den Büchern von Virginia Woolf und D. H. Lawrence und Aldous Huxley zu blättern. Ein stiller Abend – und doch fand Tubby, als er in sein Zimmer hinaufging, daß etwas Erregendes in der Luft lag.

Ehe Tubby gewußt hatte, daß Mr. Huffam als Hausgast bei ihnen sein würde, hatte er ein paar seiner hochgebildeten jungen Freunde zum Mittagessen eingeladen: Diana, Gordon Wolley, Ferris Band, Mary Polkinghorne. Als sie am folgenden Tag um den Mittagstisch saßen, betrachtete Tubby sie mit neuen Augen. War es Mr. Huffams Anwesenheit? Er prunkte in seiner tollen Weste und war in der glänzendsten Laune. Am Vormittag hatte er nämlich alle Stätten seiner Kindheit aufgesucht, und nun war er überwältigt. Während die andern zimperlich an ihrem Essen pickten, schilderte er ihnen London–Ost, wie es ehemals gewesen war: den Schmutz, die Verkommenheit, die Scharen von verwilderten, abgezehrten Kindern... Mary Polkinghorne, die schlank wie ein Schirmgriff war und strengen Herrenschnitt und ein Monokel trug, sah ihn nachdenklich überrascht an: »Es heißt doch, daß unsre Slums grauenhaft sind? Ich bin zwar nie selbst drüben gewesen, aber Bunny leitet dort einen Pfadfinder–Trupp, und er sagt... « – Mr. Huffam gab zu, auch er habe heute vormittag ein paar Slums bemerkt; doch seien sie rein gar nichts, verglichen mit dem Elend, das er in seiner Jugend gesehen habe. Und dann wurde über Weihnachten gesprochen!

»Meine Güte«, stöhnte der junge Wolley, »schon wieder Weihnachten! Es ist einfach scheußlich! Ich lege mich ins Bett! Da kann ich schlafen, bis die greulichen Tage vorbei sind.«

Mr. Huffam blickte ihn erstaunt an. »Sie sollten Ihren Strumpf an den Bettpfosten hängen. Vielleicht würden Sie doch eine Überraschung erleben!« Alle bogen sich vor Lachen bei der Vorstellung, der junge Wolley könnte einen Strumpf am Bettpfosten aufhängen. Nach dem Essen saßen sie im Salon und unterhielten sich über Bücher.

Auf einem Seitentisch lag eine Erstausgabe von *Martin Chuzzlewit,* in rotes Saffianleder gebunden. »Der arme Dickens!« sagte Wolley. »Hunter hat eine Idee. Er will einen Roman von Dickens neu schreiben.« Mr. Huffam interessierte sich dafür. »Neu schreiben?« fragte er.

»Ja. Um die Hälfte kürzen. Er sagt, es steckt mancherlei Gutes drin. Vergraben unter dem andern Kram. Er will alle gefühlvollen Stellen streichen, den Humor modernisieren und dann noch Eigenes hinzufügen. Er sagt, man schulde es Dickens, den Leuten zu beweisen, daß er gar nicht so ohne ist.«
– Mr. Huffam war begeistert. »Das würde ich gern lesen«, sagte er. »Es wird was Neues daraus!« Die Gäste blieben sehr lange. Ehe Diana ging, flüsterte sie Tubby zu: »Was für ein reizender Mensch! Wo hast du ihn nur aufgetrieben!« Sie war netter denn je zu ihm. »Was ist mit dir, Tubby?« fragte sie. »Du bist auf einmal so wach!«

Im Laufe des Nachmittags erschien der Hausbesuch. Miß Agatha Allington, eine unglückliche alte Jungfer mit Dauer–Erkältung. Sie brachte einen Haufen Koffer und eine besonders schlimme Neuralgie mit. »Wie geht's, Tubby? Was für ekelhaftes Wetter! Und wie ekelhaft, daß schon wieder Weihnachten ist! Du erwartest doch hoffentlich kein Geschenk von mir?«

Gegen Abend ging Mr. Huffam aus und kehrte in einem mit Stechpalmenzweigen und Mistelbüschen beladenen Taxi zurück. »Lieber Himmel«, flüsterte Lady Winsloe, »schon seit Jahren schmücken wir das Haus nicht mehr zu Weihnachten. Ich weiß gar nicht, was Roderick dazu sagen wird! Er findet, es gibt nur Unordnung.«

»Ich spreche mit ihm«, sagte Mr. Huffam, tat's und kam mit Sir Roderick an, der ihm helfen wollte. Dabei war Mr. Huffam niemals diktatorisch: im Gegenteil, es fiel Tubby auf, daß er sogar eine gewisse Scheu aufwies, wenn auch nicht in seinen Ansichten (da war er sehr bestimmt und wußte genau, was er sagte). Er schien, wie durch überirdischen Beistand, der Schwächen seiner Mitmenschen inne zu sein. Wie konnte er sonst wissen, daß Sir Roderick sich fürchtete, auf eine Leiter zu steigen. Als er, Tubby, Mallow und Sir Roderick die große Halle mit Stechpalmenzweigen schmückten, sah er Sir Roderick mit zitternden Gliedern zaghaft den Fuß auf die untersten Leitersprossen setzen. Er trat auf ihn zu, reichte ihm die Hand und brachte ihn wieder sicher nach unten. »Ich weiß, daß Sie Leitern nicht ausstehen können«, sagte er. »So geht's auch noch andern Menschen. Ich kannte einen alten Herrn, der vor Leitern eine Todesangst hatte – und da muß sein ältester Sohn, ein prächtiger Bursche, ausgerechnet Kirchturm-Dachdecker werden! Der einzige Beruf, der ihm Spaß machte!« – »Allmächtiger Gott!« rief Sir Roderick und wurde bleich. »Was für ein grauenhafter Beruf! Was unternahm sein Vater dagegen?« – »Hat ihn überredet, Taucher zu werden«, erwiderte Mr. Huffam.

»Der Junge tat's – ganz großartig. Rauf oder runter, ihm sei's einerlei, sagte er.« Auch sonst kümmerte sich Mr. Huffam rührend um Sir Roderick, und ehe der Tag vergangen war, hatte der edle Baron sich über alle Fragen Rat bei ihm geholt: über Nelkenzucht, über den Gold-Standard, über die Aufzucht von Dackeln und über die Intelligenz Lord Beaverbrooks. Lord Beaverbrook und der Gold-Standard waren Mr. Huffam unbekannt, trotzdem konnte er sich darüber äußern. Tubby wunderte sich, wo Mr. Huffam all die Jahre gesteckt haben mochte. So vieles war ihm unbekannt, aber seine Güte und Vitalität wurde mit allem fertig. Er hatte viel Kindliches an sich, aber auch viel von der Lebenserfahrung des Weisen, und hinter allem schlug ein einsames, trauriges Herz, das ahnte Tubby. »Vermutlich hat er weder Angehörige noch ein eigenes Heim«, dachte Tubby. Er sah ihn schon als ständigen Familienfreund und -berater im Hause, denn er hatte ihn mittlerweile sehr liebgewonnen. Es war, als ob er ihn schon seit Jahren gekannt hätte.

Als nächstes kam die Eroberung Miß Agatha Allingtons. Agatha hatte sofort eine Abneigung gegen Mr. Huffam gefaßt. »Aber meine Beste«, sagte sie zu Lady Winsloe, »was für ein ungehobelter Vagabund! Er wird euch die silbernen Löffel stehlen!« – »Das glaube ich durchaus nicht«, erklärte Lady Winsloe würdevoll. »Wir haben ihn alle sehr gern.«

Er schien es zu spüren, daß Agatha ihn nicht mochte. Beim Essen saß er neben ihr – er trug einen Frack von sehr altmodischem Schnitt und eine große goldene Uhrkette. Zu Agatha war er, wie Tubby beobachtete, ganz anders: fast wie eine ältliche Jungfer, oder vielmehr wie ein überzeugter alter Junggeselle. Er beschrieb ihr das alte London mit seinem Nebel und der »Brötchenklingel« und den altmodischen Droschken. Alle hörten ihm zu, sogar Mallow stand mit einem Teller in der Hand da und vergaß seine Pflichten.

Nach dem Abendessen meinte er, man müsse tanzen. Im Salon wurde Platz geschaffen und das Grammophon geholt. Dann ging's los. Wie Mr. Huffam lachte, als Tubby ihm einen One-Step vormachte! »Das nennen Sie tanzen?« rief er. Dann summte er eine Polka, faßte Agatha um die Taille, und schon stürmten sie herum. Lady Winsloe kam auch an die Reihe, denn in ihrer Jugend hatte sie leidenschaftlich gern Polka getanzt. »Ich hab's!« rief Mr. Huffam plötzlich. »Wir müssen ein Fest feiern!« – »Ein Fest?« Lady Winsloe schrie beinahe auf. »Was denn für ein Fest?« – »Natürlich ein Kinderfest! Am Heiligabend!«

»Aber wir kennen gar keine Kinder! Und Kinder verabscheuen Feste! Und bestimmt sind sie längst eingeladen!« – »Nicht die Kinder, die ich auffordere!« rief Mr. Huffam. »Es wird ein Fest – so herrlich, wie man's seit Jahren nicht mehr in London gefeiert hat!«

Es war, als ob der Berkeley Square von Kristallbäumen umsäumt würde, und als ob Kerzen aus jedem Fenster strahlten, und als ob die kleinen Jungen nicht wie sonst mit schriller Stimme, sondern wie Engel ihre Weihnachtslieder vor den Häusern sangen, und als ob die Weihnachtsmänner aus den Warenhäusern marschierten, Bäumchen in der Hand und neben sich die von Rentieren gezogenen Schlitten mit Paketen, und als ob mit Silberband umwickelte Geschenke durch den Schornstein in die Häuser purzelten, und als ob Scharen riesengroßer Weihnachtspuddings auf ihren dicken Bäuchen Piccadilly entlangrollten, während die Kirchenglocken immer wieder das Glockenspiel von den Heiligen Drei Königen bimmelten... Als ob. Natürlich war es nicht so. Doch immerhin – in Tubbys Elternhaus *war* wirklich alles anders. Von der üblichen Schenkerei war keine Rede. Es war abgemacht worden, daß kein Geschenk mehr als einen halben Schilling kosten dürfe. Mr. Huffam hatte ganz lustige, längst vergessene Sachen aufgestöbert: ein kleines silbernes Glockenspiel, winzige

Schafherden und Dörfchen aus Holz, eine Glaskugel, in der es auf eine Kirche niederschneite. Beim Mittagessen aß Sir Roderick Truthahn und Weihnachtspudding, die er schon seit vielen Jahren nicht mehr angerührt hatte. Am Abend fand das Fest statt. Tubby hatte Diana einladen dürfen: alle andern waren Mr. Huffams Gäste. Als es Viertel nach sieben zum ersten Male läutete, standen auf der Steintreppe vor dem Portal zwei kleine Mädchen und ein Knabe. »Verzeihung, Sir«, flüsterte das Mädchen schüchtern dem Butler zu, »der Herr hat uns die Hausnummer hier genannt!« Dann kamen sie haufenweise: große und kleine Kinder, dreiste Jungen, Kleine, die kaum laufen konnten und von ihren älteren Schwestern bemuttert wurden, manche armselig, manche herausgeputzt, manche ängstlich, andere plappernd wie Äffchen, und alle stiegen sie die Treppe hinauf und traten in die große Halle. Dann durften Sir Roderick, Lady Winsloe, Tubby und Diana kommen. Sie staunten. In der Mitte war alles ausgeräumt, und in einer Ecke des Zimmers hatten sich die Kinder versammelt. Am andern Ende stand der größte, gewaltigste, kühnste Weihnachtsbaum, den sie je erblickt hatten, und der Baum glitzerte vor Kerzen und Lametta und blauen und goldenen und roten Kugeln und war schwer mit Geschenken behangen. Das ganze Zimmer schimmerte im goldenen Licht: das Feuer im Kamin knisterte, und die Kinder flüsterten aufgeregt.

Dann erschien der Weihnachtsmann. Er stand da, blickte auf seine Gäste und sagte »Guten Abend, Kinder!« Es war Mr. Huffams Stimme.

»Guten Abend, Weihnachtsmann!!« riefen die Kinder im Chor.

»Er hat alles aus eigener Tasche bezahlt«, tuschelte Lady Winsloe Agatha zu.

Er bat die Erwachsenen, ihm bei der Verteilung der Geschenke zu helfen. Die Kinder mußten der Größe nach antreten, zuerst die Allerkleinsten. Sie gingen über den spiegelnden Fußboden, ohne sich zu stoßen und zu drängen. Endlich hatten alle ihre Geschenke erhalten. Der Baum war nun von seiner Last befreit, und die roten und gelben und silbernen Kugeln zitterten vor Freude.

Danach kamen Spiele an die Reihe. Der Saal war voll wirbelnder Gestalten und Freudenrufe und Triumphgeschrei, voller Lieder und Pfänderspiel. Tubby konnte sich nicht mehr an Einzelheiten erinnern. Er wußte nur noch, daß seine Mutter plötzlich eine Papiermütze trug und sein Vater eine falsche Nase hatte. Agatha trommelte auf einer Spielzeugtrommel, und die Kinder lachten und tanzten und jubelten. Diana aber zog Tubby auf die Seite und sagte: »Ach, Tubby, du bist doch ein Schatz! Könntest du nicht immer so sein?«

Plötzlich wurde es still, und Mr. Huffam steckte mitten in der Kinderschar und erzählte ihnen zum Abschied eine Geschichte von einem kleinen Kind und seinem alten Großvater, die mit einem Zirkus durchs Land zogen, und von dem Clown mit dem gebrochenen Herzen. »Doch dann wurde sein Herz wieder heil gemacht, und sie lebten glücklich und zufrieden bis an ihr seliges Ende!« Alle sagten gute Nacht.

»Oh je, wie bin ich müde!« rief Mr. Huffam. »Aber es war ein herrlicher Abend!« Am nächsten Morgen, als das Hausmädchen Rose zu Lady Winsloe ging und ihr die erste Tasse Tee ans Bett brachte, hatte sie eine aufregende Neuigkeit. »Oh, Mylady, der Herr ist fort.« – »Welcher Herr?« – »Mr. Huffam, Mylady! Er hat nicht in seinem Bett geschlafen und sein Beutel ist auch weg. Es ist keine Spur mehr von ihm da!«

Ach, es war leider so: nirgends war eine Spur von ihm. Bis auf eine! Der Salon war so, wie er immer gewesen war, jeder Stuhl stand an der richtigen Stelle, die Kopien der Alten Meister schauten würdevoll aus ihren Rahmen nieder. Auf dem Kamin aber lehnte die Erstausgabe von *Martin Chuzzlewit* gegen die Marmoruhr. »Wie seltsam!« flüsterte Lady Winsloe. Doch als sie den Band aufschlug, las sie auf dem Titelblatt in frischer Tintenschrift die Widmung: *Lady Winsloe in Dankbarkeit von ihrem Freund, dem Autor.* Und darunter die Unterschrift: *Charles Dickens.*

W. Somerset Maugham · Die Weihnachtsreise

Der Frachter »Friedrich Weber«, auf dem Kapitän Erdmann fuhr, verkehrte regelmäßig zwischen Hamburg und Cartagena an der Küste Kolumbiens. Unterwegs legte er an verschiedenen westindischen Inseln an.

Miß Reid war in Portsmouth an Bord gekommen. Sie besaß in einem bekannten Seebad im Westen Englands eine Teestube, die sie nach der Saison den Winter über schloß. Ihre Freundin Miß Price, die Tochter des verstorbenen Vikars von Campden, hatte sie ans Schiff begleitet.

»Ich hoffe, es macht Ihnen nichts aus, allein mit so vielen Männern zu reisen, Miß Reid«, sagte Kapitän Erdmann freundlich. – »Ich glaube, Captain, wenn eine Dame sich wie eine Dame benimmt, benehmen sich auch die Herren wie Herren.« – »Wir sind nur eine Horde rauher Seeleute. Sie dürfen nicht zuviel erwarten.«

Es war wirklich ein großes Erlebnis für Miß Reid, so allein mit all den Männern zu sein. Diese armen Kerle, die so weit weg von daheim und ihren Familien waren, während Weihnachten vor der Tür stand! Sie war fest entschlossen, ein wenig Feierlichkeit in ihr eintöniges Leben zu bringen. Miß Reid war überzeugt, daß die anderen sie ebenso gern hatten wie umgekehrt.

Es war Pflicht des Kapitäns, höflich gegen einen Passagier zu sein, und so gern er ihr auch gesagt hätte, sie solle doch endlich ihren törichten Mund halten – denn sie war entsetzlich geschwätzig –, so durfte er das doch nicht. Selbst wenn es ihm freigestanden hätte, würde er es doch nicht über sich gebracht haben, ihre Gefühle zu verletzen. Nichts vermochte den Strom ihres Redeschwalls zu hemmen.

Einmal begannen die Männer in ihrer Verzweiflung, deutsch zu sprechen, aber Miß Reid fuhr sofort dazwischen: »Ich möchte nicht, daß Sie Dinge sagen, die ich nicht verstehe. Nützen Sie den glücklichen Umstand, daß Sie mich an Bord haben, und frischen Sie Ihre englischen Sprachkenntnisse auf.«

»Wir sprachen von technischen Dingen, die Sie nur langweilen würden, Miß Reid«, erklärte Kapitän Erdmann.

»Ich langweile mich nie. Darum bin ich auch – halten Sie mich nicht für eingebildet, wenn ich das sage – nie langweilig. Mich interessiert alles.«

Der Schiffsarzt lächelte trocken: »Der Kapitän hat das nur gesagt, weil er verlegen war. In Wirklichkeit erzählte er eine Geschichte, die nicht für die Ohren einer Dame bestimmt war.«

»Wenn ich auch ein altes Mädchen bin, so erwarte ich doch nicht von Seeleuten, daß sie Heilige sind. Sie brauchen keine Angst zu haben, was Sie vor mir sprechen, Captain. Ich nehme keinen Anstoß.«

Am Nachmittag kam der Arzt in die Messe. Er fand den Kapitän und Hans Krause, den Maat, bei einem Glas Bier. »Nehmen Sie Platz, Doktor«, sagte der Kapitän. »Wir halten gerade Kriegsrat. Heute beim Mittagessen war Miß Reid geschwätziger denn je. Hans und ich haben beschlossen, daß etwas geschehen muß. Wir wollen unsern Weihnachtsabend in Ruhe genießen.«

»Und wie wollen Sie sie loswerden, ohne sie über Bord zu werfen?« lächelte der Doktor. »Sie ist eine gute alte Seele. Alles, was sie braucht, ist ein Liebhaber.«

»In ihrem Alter?« schrie Hans Krause.

»Gerade in ihrem Alter. Ihre Geschwätzigkeit, dieses ewige Fragenstellen, die Art, wie sie ständig schnattert . . .«

Es war immer ein wenig schwierig, zu wissen, was der Doktor ernst meinte und wann er scherzte. Die blauen Augen des Kapitäns zwinkerten verschmitzt: »Ich habe großes Vertrauen in Ihre diagnostische Gabe. Das Mittel, das Sie vorschlagen, ist einen Versuch wert. Nun, Sie sind doch Junggeselle!«

»Verzeihung, Herr Kapitän, es ist nur meine Pflicht, meinen Patienten Arzneien zu verschreiben.«

»Ich bin ein verheirateter Mann mit erwachsenen Kindern«, sagte Kapitän Erdmann. »Von mir kann man nicht erwarten, daß ich eine solche Aufgabe übernehme.«

»Jugend ist in diesem Fall eine Grundbedingung und ein hübsches Äußeres der Sache förderlich«, meinte der Doktor.

Der Kapitän schlug mit der Faust auf den Tisch: »Sie denken an Hans. Sie haben ganz recht!«

Der Maat sprang auf: »Ich? Niemals!«

»Hans, du bist ein hübscher Bursche, tapfer und jung. Wir haben noch dreiundzwanzig Tage auf See. Du möchtest doch nicht deinen alten Kapitän, der sich auf dich in einer Notlage verläßt, oder deinen guten Freund, den Doktor, im Stich lassen?«

»Nein, Herr Kapitän, das ist zuviel verlangt. Ich bin kaum ein Jahr verheiratet und liebe meine Frau.«

»Muß ich also dreiundzwanzig Tage lang das Gewäsch und die ewige Fragerei ertragen – muß ich, ein alter Mann, mir den Weihnachtsabend durch die unerwünschte Gesellschaft einer alten Jungfer verderben lassen, nur weil sich keiner findet, der einer einsamen Frau ein wenig Ritterlichkeit, ein wenig menschliche Güte erweisen will?« fragte Kapitän Erdmann.

»Da ist doch noch der Bordfunker«, versetzte Hans.

Der Kapitän stieß einen Pfiff aus. »Der Bordfunker soll sofort zu mir kommen.«

Der Bordfunker kam in die Messe und schlug schneidig die Hacken zusammen. Die drei Männer blickten sich schweigend an. Er fragte sich unsicher, was er wohl angestellt haben mochte. Er war über den Durchschnitt groß, hatte breite Schultern und schmale Hüften, ein hübsches volles Gesicht und einen dichten blonden Haarschopf.

»Wie alt bist du, mein Junge?« fragte der Kapitän. – »Einundzwanzig.« – »Verheiratet?« – »Nein, Herr Kapitän.« – »Verlobt?« Der Bordfunker kicherte. Es lag eine gewinnende Jungenhaftigkeit in seinem Lachen. »Nein, Herr Kapitän.«

Erdmann setzte seine amtlichste Miene auf. »Obwohl dieses Schiff ein Frachter ist, befördern wir auch Passagiere. Meine Instruktionen lauten, mein Möglichstes zu tun, damit die Passagiere zufrieden und glücklich sind. Miß Reid braucht einen Liebhaber. Der Doktor und ich sind zu dem Schluß gekommen, daß du der geeignete Mann dafür bist.«

»Ich, Herr Kapitän?« Der Bordfunker wurde feuerrot und begann dann zu kichern, nahm sich aber rasch zusammen. »Aber sie ist so alt, daß sie meine Mutter sein könnte.«

»Das hat in deinem Alter nichts zu sagen.«

»Wenn ich mir eine Frage erlauben darf, Herr Kapitän, warum will Miß Reid einen Liebhaber haben?«

»Es scheint ein alter englischer Brauch zu sein für unverheiratete Frauen, sich um die Weihnachtszeit einen Liebhaber zu wählen, und die Schifffahrtsgesellschaft wünscht, daß Miß Reid hier genauso behandelt wird wie auf einem englischen Schiff.«

»Herr Kapitän, ich muß bitten, mich zu entschuldigen.«

»Ich richte keine Bitte an dich, sondern einen dienstlichen Befehl. Du findest dich heute abend um elf Uhr bei Miß Reid in ihrer Kajüte ein.«

»Was soll ich dort tun?«

»Tun?« donnerte der Kapitän. »Tun? Natürlich handeln!«

Mit einer Handbewegung entließ er ihn. Der Bordfunker schlug die Hacken zusammen, grüßte und ging hinaus.

Am nächsten Tag, man saß bereits bei Tisch, als Miß Reid zum Lunch hereinkam. »Ich hatte vergangene Nacht ein so komisches Erlebnis. Ich kann es überhaupt nicht verstehen.« Zum erstenmal lauschten sie in atemlosem Schweigen ihren Worten. »Ich wollte gerade ins Bett gehen, als es an die Tür klopfte. ›Wer ist da?‹ fragte ich. ›Der Bordfunker‹, war die Antwort. ›Was gibt's?‹ – ›Kann ich Sie einen Augenblick sprechen?‹ fragte er.«

Alle hingen gespannt an Miß Reids Lippen. »›Ich schlüpfe nur eben in meinen Schlafrock‹, sagte ich und öffnete die Tür. Der Funker sagte: ›Verzeihen Sie, aber möchten Sie vielleicht ein Kabel absenden?‹ Er sah so komisch aus. ›Nein, danke‹, sagte ich. Und dann: ›Gute Nacht, angenehme Ruhe‹, und ich schloß die Tür.«

»Der verdammte Narr!« murmelte der Kapitän. Nach dem Essen ließ er den Funker kommen. »Du Idiot, was hat dich veranlaßt, Miß Reid zu fragen, ob sie ein Kabel senden wolle?«

»Herr Kapitän, Sie haben mir gesagt, ich solle natürlich handeln. Ich bin Bordfunker. Ich hielt es für natürlich, sie zu fragen, ob sie ein Kabel senden wolle. Ich wußte nicht, was ich sonst hätte sagen sollen.«

»Du bist jung, hübsch, stattlich«, schnaufte der Kapitän. »Die Ehre unseres Schiffs ruht in deinen Händen.«

»Sehr wohl, Herr Kapitän. Ich werde mein Möglichstes tun.«

An diesem Abend klopfte es erneut an Miß Reids Tür. »Wer ist da?« – »Der Bordfunker. Ich habe ein Kabel für Sie.« – »Schieben Sie's nur unter der Tür durch.«

Das Kuvert wurde unter der Tür durchgeschoben. Miß Reid riß es auf und las: »Fröhliche Weihnachten. Sie sind reizend. Ich liebe Sie. Ich muß Sie sprechen. Der Bordfunker.«

Miß Reid las das zweimal. Dann nahm sie ihre Brille ab und versteckte sie unter dem Kopfkissen. Sie öffnete die Tür. »Kommen Sie herein.«

Am nächsten Tag hatten die Stewards die Messe mit tropischen Schlingpflanzen als Ersatz für Tannen- und Mistelzweige dekoriert. Miß Reid erschien erst zur Abendfeier. Sie trug ein dezentes schwarzes Kleid und eine lange Jadekette um den Hals. Alle sahen sie erwartungsvoll an. Sie aß herzhaft, aber ohne ein Wort zu sprechen. Ihr Schweigen war unheimlich. Endlich hielt es Kapitän Erdmann nicht länger aus. Er stieß den Doktor unter dem Tisch mit dem Fuß an und flüsterte: »Etwas ist passiert! Sie ist ganz verwandelt.«

Im Lauf des Abends wurden alle ein wenig beschwipst, auch Miß Reid, aber sie verlor ihre Würde nicht. Schließlich wünschte sie allen gute Nacht: »Es war ein reizender Abend. Nie werde ich meinen Weihnachtsabend auf einem deutschen Schiff vergessen. Ein richtiges Erlebnis.« Damit ging sie festen Schrittes zur Tür.

Als am nächsten Tag der Kapitän, der Maat, der Doktor und der Chefingenieur etwas benommen zum Essen kamen, saß Miß Reid bereits am Tisch. An jedem Platz lag ein Päckchen mit der Aufschrift »Fröhliche Weihnachten«. Sie warfen Miß Reid einen fragenden Blick zu. »Sie waren alle so nett zu mir, daß ich jedem von Ihnen ein kleines Geschenk machen wollte. Es gab nicht viel Auswahl in Port-au-Prince. Sie dürfen sich nicht zuviel erwarten.«

Für den Rest der Reise verwöhnten sie Miß Reid in unerhörter Weise. Obschon ihr Appetit vorzüglich war, suchten sie sie mit neuen Gerichten zu verlocken. Der Doktor bestellte Wein und bestand darauf, daß sie die Flasche mit ihm teilte. Sie spielten Domino, Schach und Bridge mit ihr, und sie versuchten sogar, sie in lange Gespräche zu verwickeln. Schließlich ging die Reise ihrem Ende zu. Miß Reid packte ihren Koffer. Um zwei Uhr legten sie in Plymouth an. Der Kapitän, der Maat und der Doktor kamen, um sich von ihr zu verabschieden.

»Sie waren sehr lieb zu mir, ich weiß nicht, wie ich das verdient habe. Ich war sehr glücklich mit Ihnen und werde Sie nie vergessen.«

Sie sprach mit zitternder Stimme, sie versuchte zu lächeln, aber ihre

Lippen bebten und Tränen rannen ihr die Wangen herab. Der Kapitän wurde sehr rot. »Darf ich Ihnen einen Kuß geben, Miß Reid?« Sie war um einen halben Kopf größer als er, beugte sich herunter, und er küßte sie herzhaft auf die nasse Wange. Dann wandte sie sich dem Maat und dem Doktor zu. Beide küßten sie.

»Was für eine alte Närrin bin ich doch. Alle sind so gut.« Sie trocknete ihre Augen und ging langsam über den Laufsteg. Als sie den Kai erreichte, drehte sie sich um und winkte. »Wem winkt sie?« fragte der Kapitän. – »Dem Bordfunker.«

Miß Price stand wartend am Kai, um sie zu begrüßen. »Ich bin sehr gespannt, was du alles von deiner Reise zu erzählen weißt«, sagte Miß Price.

»Da gibt es nicht sehr viel zu erzählen.«

»Das kann ich nicht glauben. Deine Reise war doch geglückt?«

»Ausgesprochen geglückt sogar. Sie war sehr schön.«

»Und hat es dir nichts ausgemacht, mit all diesen Deutschen zusammen zu sein?«

»Man muß sich an ihre Art gewöhnen. Sie tun manchmal Dinge – die Engländer nicht tun würden, weißt du. Aber ich finde, man muß die Dinge nehmen, wie sie kommen.«

»Was für Dinge meinst du?«

Miß Reid sah ihre Freundin ruhig an. Ihr langes, törichtes Gesicht hatte einen friedlichen Ausdruck, und Miß Price merkte nicht, daß in den Augen ein mutwilliges Fünkchen tanzte. »Nicht wirklich wichtige Dinge. Nur eben komische, unerwartete, eigentlich recht nette Dinge. Es gibt keinen Zweifel: Reisen ist eine wunderbare Schule.«

O. Henry · Die Weihnachtsansprache

Es gibt keine Weihnachtsgeschichten mehr. Die Phantasie ist erschöpft; und Zeitungsnotizen, die zweitbeste Quelle, werden von klugen, jungen Journalisten geschrieben, die frühzeitig geheiratet haben und mit einer pessimistischen Lebensauffassung kokettieren. Deshalb bleiben uns für die Zerstreuung an Festtagen zwei sehr fragwürdige Quellen – Tatsachen und Philosophie. Wir werden beginnen mit – nun: der Name tut nichts zur Sache.

Kinder sind verteufelte kleine Geschöpfe, und wir müssen mit ihnen in verwirrend vielen Situationen fertigwerden. Besonders wenn sie von kindlichem Schmerz überwältigt werden, stehen wir am Ende unserer Kunst. Wir erschöpfen unseren armseligen Vorrat an Trost und beschwindeln dann die schluchzenden Geschöpfe, bis sie einschlafen. Danach wühlen wir im Staub von Millionen Jahren und fragen Gott, warum. So versuchen wir das Pferd von hinten aufzuzäumen. Was die Kinder betrifft, so werden sie nur von alten Kindermädchen, Buckligen und Schäferhunden verstanden.

Jetzt komme ich zu den Tatsachen des Falles der Stoffpuppe, des Landstreichers und des fünfundzwanzigsten Dezember.

Am Zehnten dieses Monats verlor das Kind des Millionärs seine Stoffpuppe. Zahlreiche Diener lebten in dem Millionärspalast am Hudson, und sie alle durchsuchten das Haus und das Grundstück, ohne aber den verlorenen Schatz zu finden. Das Kind, ein fünfjähriges Mädchen, war eines dieser verdrehten kleinen Biester, die oft die Gefühle ihrer reichen Eltern verletzen, weil sie ihre Zuneigung einem gewöhnlichen, billigen Spielzeug schenken, anstatt brillantenbesetzten Autos und Ponywagen.

Das Kind trauerte tief und echt, was dem Millionär völlig unverständlich war, da ihn die Stoffpuppenindustrie ebensowenig wie eine Benzinmarke aus Massachusetts interessierte; und was die Dame des Hauses, die Mutter des Kindes, betraf, so bestand sie nur aus guten Manieren – das heißt, beinahe nur aus guten Manieren, wie Sie sehen werden.

Das Kind weinte untröstlich, bekam tiefliegende Augen und X-Beine, wurde dürr und auch sonst sehr schwierig. Der Millionär lächelte und tastete vertrauensvoll seinen Geldschrank ab. Die Spitzenerzeugnisse der französischen und deutschen Spielwarenindustrie wurden von Spezialboten an den Millionär geliefert; aber Rachel war weit entfernt davon, sich beruhigen zu lassen. Sie weinte ihrer Stoffpuppe nach und umgab sich gegen allen ausländischen Unsinn mit einer hohen Schutzmauer. Dann wurden Ärzte mit feinsten Krankenbesuchsmanieren und Stoppuhren zu Rate gezogen. Einer nach dem anderen hielt nutzlose Vorträge über eisenhaltiges Peptomanganat, über Seereisen und Hypophosphite, bis ihnen ihre Stoppuhr zeigte, daß die zu stellende Rechnung ihr Mindestsoll erreicht hatte. Da sie Männer waren, empfahlen sie das Auffinden der Stoffpuppe und möglichst schnelle Rückgabe an die trauernde Mutter. Das Kind rümpfte die Nase über die Medizinen, lutschte am Daumen und jammerte nach seiner Betsy. Dauernd kamen Telegramme vom Weihnachtsmann, in denen stand, daß er bald eintreffen werde und allen empfehle, eine wahre Weihnachtsstimmung aufkommen zu lassen und sich wenigstens eine Zeitlang nicht mit Spielsälen, Versicherungspolicen und Aufrüstung zu befassen, damit man ihn gebührend empfangen könne. Überall begann sich Weihnachtsstimmung auszubreiten. Die Banken gaben keine Kredite, die Pfandleiher hatten ihre Angestelltenzahl verdoppelt, auf den Straßen zerstießen sich die Leute gegenseitig mit roten Schlitten die Schienbeine, auf den Schanktischen brodelten die heißen Getränke, während man, in die Menge eingekeilt auf einem Fuß stehend wartete, in den Schaufenstern hingen die Stechpalmenkränze der Gastfreundschaft, und die Leute holten ihre Pelze hervor, wenn sie welche besaßen. Man wußte gar nicht, was für Kugeln man nehmen sollte: Christbaum-, Motten- oder Marzipankugeln. Es war nicht der richtige Zeitpunkt, die heißgeliebte Stoffpuppe zu verlieren.

Wenn man Sherlock Holmes hinzugezogen hätte, um das geheimnisvolle Verschwinden aufzuklären, dann wäre ihm sehr bald im Zimmer des Millionärs ein Bild »Der Vampir« aufgefallen. Daraus hätte er sehr schnell einen seiner berühmten Schlüsse gezogen. »Ein Stück Stoff, Knochen und eine Haarsträhne.« Flip, der Scotchterrier, nach der Stoffpuppe der liebste Spielgefährte des Kindes, sprang durch die Zimmer. Die Haarsträhne! Aha! Gesucht ist X, X ist die Stoffpuppe. Aber der Knochen? Na ja, wenn Hunde Knochen finden, tragen sie – da ist die Lösung! Es war ein einfacher und erfolgreicher Einfall, Flips Vorderpfoten zu untersuchen. Sehen Sie, Watson! Erde – getrocknete Erde zwischen den Krallen. Natürlich, der Hund – aber Sherlock war nicht hier. Deshalb kam niemand auf diesen Gedanken. Ortskenntnis und Architektur müssen jetzt zu Hilfe kommen.

Der Palast des Millionärs hatte fürstliche Ausmaße. Vor dem Haus lag ein Rasenteppich, so kurz geschnitten wie der zwei Tage alte Bart eines Südirländers. An einer Seite des Hauses stand eine beschnittene Heckenlaube, außerdem lagen dort die Garagen und die Ställe. Der kleine Scotch hatte die Stoffpuppe aus dem Kinderzimmer entführt, sie zu einer Ecke des Rasens geschleift und sie wie ein unordentlicher Leichengräber in ein Loch verscharrt. Jetzt haben Sie das Geheimnis gelöst und brauchen keine Schecks für medizinischen Zauber auszuschreiben oder lange, unnütze Gespräche mit Polizeiwachtmeistern zu führen. Aber laßt uns jetzt zu dem Kernpunkt der Sache kommen, ungeduldiger Leser – dem weihnachtlichen Kernpunkt.

Fuzzy war betrunken – nicht lärmend, hilflos oder geschwätzig, wie es Ihnen oder mir vielleicht in so einem Falle geht, sondern still, gemessen und harmlos, wie ein Gentleman, den das Glück verlassen hat.

Fuzzy war vom Unglück verfolgt. Die Landstraße, der Heuschober, die Bank im Park, die Küchentüre, der Rundgang nach einem Bett mit Duschzwang im Obdachlosenasyl, kleine Diebereien, die mangelnde Freigebigkeit in den großen Städten – das alles waren die Stationen seines Lebens.

Fuzzy ging die Straße zum Fluß hinunter, die an dem Haus und dem Grundstück des Millionärs entlangführte. Er sah ein Bein von Betsy, der verlorenen Stoffpuppe, das aus ihrem unwürdigen Grab an der Ecke des Zaunes wie der Zeuge eines geheimnisvollen Liliputanermordfalles hervorragte. Er zog die mißhandelte Puppe hervor, klemmte sie unter den Arm und setzte seinen Weg fort, wobei er ein Landstreicherlied brummte, das nicht für die Ohren einer Puppe bestimmt war, die aus einem wohlbehüteten Haus stammte. Wie gut für Betsy, daß sie keine Ohren hatte! Und gut, daß sie auch keine Augen hatte, außer runden schwarzen Flecken; denn Fuzzy und der Scotchterrier glichen sich wie

Brüder, und kein Herz einer Stoffpuppe hätte es zum zweiten Male ertragen, die Beute solcher furchterregender Ungeheuer zu werden. Wahrscheinlich werden Sie nie in diese Gegend kommen, aber am Flußufer in der Nähe der Straße, die Fuzzy hinunterging, lag Grogans Kneipe. Bei Grogan herrschte bereits eine ausgelassene Weihnachtsstimmung.

Fuzzy trat mit seiner Puppe ein. Er fragte sich, ob er nicht als Possenreißer bei einem Trinkgelage ein paar Tropfen aus dem Humpen erben könne.

Er setzte Betsy auf den Bartisch, unterhielt sich laut und witzig mit ihr und schmückte seine Rede mit übertriebenen Komplimenten und Zärtlichkeiten, wie einer, der seine Freundin unterhält. Den herumstehenden Landstreichern und Säufern gefiel die Posse, und sie brüllten vor Lachen. Der Barkellner gab Fuzzy etwas zu trinken. Oh, viele von uns tragen eine Stoffpuppe mit sich.

»Einen für die Dame?« schlug Fuzzy etwas frech vor und schüttete sich einen weiteren Lohn für seine Darbietung hinter die Binde.

Er erkannte Betsys Möglichkeiten. Der erste Abend war ein voller Erfolg. Visionen einer Gastspieltournee stiegen in ihm auf.

In einer Gruppe am Ofen saßen »Pigeon« McCarthy, Blacky Riley und »Einohr« Mike, berühmt und berüchtigt in dem rauhen Armenviertel, das wie ein schwarzer Fleck das linke Flußufer verunzierte. Sie tauschten eine Zeitung untereinander aus. Die Anzeige, auf die jeder mit seinem kräftigen und plumpen Zeigefinger deutete, trug die Überschrift: »Hundert Dollar Belohnung.« Um sie zu erlangen, mußte man eine verlorene Stoffpuppe zurückbringen, die in dem Haus des Millionärs verlorengegangen oder gestohlen worden war. Es schien, als tobte der Schmerz noch immer unvermindert in der Brust des allzu anhänglichen Kindes. Flip, der Scotchterrier, machte Kapriolen und schüttelte seinen komischen Schnurrbart vor ihr, aber er konnte sie nicht zerstreuen. Sie suchte weinend in den Gesichtern der laufenden, sprechenden, mamaschreienden und augenschließenden französischen Puppen nach ihrer Betsy. Das Inserat war die letzte Rettung. Black Riley kam hinter dem Ofen hervor und schlenderte geradewegs auf Fuzzy zu.

Der weihnachtliche Possenreiter, vom Erfolg geschwellt, hatte Betsy wieder unter den Arm geklemmt und wollte gerade weggehen, um seine Stegreifvorstellungen woanders zu geben.

»Hör mal, Strolch«, sagte Black Riley zu ihm, »wo hast du diese Puppe geklemmt?«

»Die Puppe?« fragte Fuzzy und berührte Betsy mit dem Zeigefinger, als wolle er sicher gehen, daß sich die Frage auf Betsy bezog. »Wieso?« Diese Puppe hat mir der Kaiser von Belutschistan geschenkt. In meiner Heimat in Newport habe ich siebenhundert Puppen. Diese Puppe —«

»Laß diesen Quatsch«, sagte Riley. »Die hast du organisiert oder gefunden, da oben in dem Haus, wo — aber das is egal. Ich biete dir fünfzig Cents für den Lumpen, aber nimm's schnell. Das Kind meines Bruders zu Hause möchte vielleicht damit spielen. Also — was is?«

Er zog die Münze hervor.

Fuzzy lachte ihm eine gurgelnde, unverschämte Schnapsfahne ins Gesicht. Gehen Sie in das Büro von Sarah Bernhardts Manager und bitten Sie ihn, daß sie an einem Abend anstatt im Theater, in der Volkshochschule und dem literarischen Zirkel einer Kleinstadt auftreten möchte. Sie würden genau so ein Lachen zu hören bekommen.

Black Riley schätzte Fuzzy schnell mit seinen Heidelbeeraugen ab, wie es Ringkämpfer zu tun pflegen. In seiner Hand zuckte es, ihm einen Doppelnelson anzusetzen und die Stoffpuppe Sabine dem improvisierenden Hanswurst zu entwinden, der, ohne es zu wissen, einen Engel mit sich führte. Aber er hielt sich zurück. Fuzzy war wohlgenährt, kräftig und groß. Ein acht Zentimeter dicker, wohlgenährter Schmerbauch, nur mit schmutzigem Leinen gegen die winterliche Luft geschützt, füllte seine Weste und die Hose. Zahlreiche kleine Querfalten an seinen Jackenärmeln und an den Knien bürgten für die Qualität seiner Knochen und Muskeln. Seine kleinen blauen Augen, voller Selbstlosigkeit und Schnapsseligkeit blickten freundlich und ohne Verlegenheit. Er hatte einen Schnurrbart, trank gern Whisky und war gut im Fleisch. Deshalb zögerte Black Riley.

»Was willste denn dafür?« fragte er.

»Für Geld«, sagte Fuzzy mit heiserer Entschlossenheit, »is sie gar nich zu hab'n.«

Er war bereits von den ersten süßen Triumphgefühlen eines Künstlers berauscht. Eine blaßblaue, erdverschmierte Stoffpuppe vor sich auf der

Theke, mit der man eine Unterhaltung vorführte, wobei das Herz mit dem ersten lauten Beifall höher schlug und seine Kehle von den ihr zur Ehre gestifteten Getränken brannte – konnte man ihm seine Leistungen mit einer solchen lächerlichen Münze bezahlen? Wie Sie bemerkt haben werden, hatte Fuzzy Temperament.

Fuzzy ging mit der Haltung eines dressierten Seelöwen hinaus, um sich auf die Suche nach weiteren Cafés zu begeben.

Obwohl die Dämmerung noch kaum zu spüren war, flammten überall in der Stadt Lichter auf, wie Maiskörner, die in einem tiefen Tiegel aufplatzten. Der ungeduldig erwartete Heilige Abend blinzelte bereits durch das Schlüsselloch. Millionen hatten sich für die Feier vorbereitet. Die Städte standen vor Freude kopf. Auch Sie persönlich werden bereits Weihnachtschoräle gehört und sich einen Magenbitter bereitgestellt haben.

»Pigeon« McCarthy, Black Riley und »Einohr« Mike hielten vor Grogans Kneipe einen kurzen Kriegsrat. Sie waren schmalbrüstige, blasse Bürschchen, die den offenen Kampf scheuten, aber in ihrer Kriegsführung gefährlicher als die blutrünstigen Türken. In einer offenen Schlacht hätte Fuzzy alle drei aufgefressen. In einem heimtückischen Kampf war er von vornherein zum Untergang verdammt.

Gerade als er Costigans Kasino betreten wollte, überholten sie ihn. Sie hielten ihn zurück und schoben ihm die Zeitung unter die Nase. Fuzzy konnte lesen – und mehr als das.

»Jungens«, sagte er, »ihr seid wirklich verdammt gute Freunde. Gebt mir eine Woche zum Überlegen.«

Die Seele eines wahren Künstlers wird nur mit Mühe zum Schweigen gebracht.

Die Kerle wiesen darauf hin, daß Anzeigen ruchlos seien und die Versprechungen des heutigen Tages morgen ungültig sein könnten. »Ein glatter Hunderter«, sagte Fuzzy gedankenverloren.

»Jungens«, sagte er, »ihr seid wahre Freunde. Ich werde hingehen und die Belohnung einkassieren. Der Schauspieler ist nicht mehr so gefragt wie früher.«

Allmählich wurde es Nacht. Die drei blieben an seiner Seite bis zum Fuße des Hügels, auf dem das Haus des Millionärs stand. Hier wandte sich Fuzzy brüsk den dreien zu.

»Ihr seid nichts weiter als eine Meute blaßgesichtiger Spürhunde!« brüllte er. »Haut ab!«

Sie hauten ab, aber nur ein kurzes Stück.

In »Pigeon« McCarthys Tasche befand sich ein zweieinhalb Zentimeter dicker und zwanzig Zentimeter langer Gummischlauch. Im unteren Ende und in der Mitte steckte je eine Bleikugel, und die Hälfte des Schlauches war mit Zink angefüllt. Als geborener Rohling besaß Black Riley einen Schlagring. »Einohr« Mike verließ sich ebenfalls auf ein paar Schlagringe – ein altes Erbstück der Familie.

»Warum selber hingehen und sich abschleppen«, sagte Black Riley, »wenn ein anderer es für einen tut? Er soll's uns bringen. He – was?«

»Wir könnten ihn in'n Fluß schmeißen«, sagte »Pigeon« McCarthy, »mit einem Stein an seinen Füßen.«

»Ihr langweilt mich«, sagte »Einohr« Mike traurig. »Werdet ihr denn nie mit der Zeit gehen? Wir werden ihn mit etwas Benzin bespritzen und mitten auf die Straße legen – nicht wahr?«

Fuzzy betrat das Millionärsgrundstück und zickzackte auf die schwach erleuchtete Eingangstüre des Hauses zu. Die drei Wichte kamen auf das Tor zu und postierten sich je einer rechts und links des Tores und der dritte auf der anderen Straßenseite. Voller Vertrauen hielten sie das kalte Metall und den Gummi umklammert.

Fuzzy läutete mit einem törichten und verträumten Lächeln. In Erinnerung an seine Vorväter griff er instinktiv nach dem Knopf seines rechten Handschuhs. Aber er trug keine Handschuhe; deshalb ließ er erstaunt die linke Hand wieder fallen.

Der Diener, der speziell dafür da war, daß er die Türe für Seide und Spitzen öffnete, fuhr bei Fuzzys Anblick zuerst zurück. Aber dann gewahrte er Fuzzys Paß, seine Zulassungskarte, die Gewißheit, willkommen zu sein – durch die verlorene Stoffpuppe der Tochter des Hauses, die unter seinem Arm hervorbaumelte.

Fuzzy durfte in die große Diele eintreten, die von indirektem Licht schwach beleuchtet war. Der Diener entfernte sich und kam mit einem Mädchen und dem Kind zurück. Die Puppe wurde der Trauernden zurückgegeben: Sie drückte ihren verlorenen Liebling an die Brust; und dann, in dem unberechenbaren Egoismus und der Ehrlichkeit eines Kindes stampfte sie mit dem Fuß auf und überschüttete das abstoßende Wesen, das sie aus der Tiefe ihres Kummers und ihrer Verzweiflung errettet hatte, mit weinerlichem Haß und mit Furcht. Fuzzy versuchte mit einem blöden Lächeln und dummem Kleinkindergeschwätz, das angeblich den erwachenden Verstand des Kindes erfreuen soll, die Gunst der Kleinen zu gewinnen. Das Kind plärrte, drückte ihre Betsy fest an sich und wurde entfernt.

Dann kam der Sekretär, ein blasser, vornehmer, geschniegelter Herr in Pumps, angeschwebt, der Pomp und Zeremonie liebte. Er zählte Fuzzy zehn Zehndollarscheine in die Hand; dann fiel sein Blick auf die Türe, von da auf James, den Türhüter, und schließlich auf den verachtungswürdigen Empfänger der Belohnung, worauf er seinen Pumps gestattete, ihn wieder in die Regionen seines Sekretariats zu tragen.

Jetzt übernahm James das Kommando mit seinen Augen und wischte Fuzzy sozusagen bis zur Türe.

Als das Geld Fuzzys schmutzige Handfläche berührt hatte, war sein erster Impuls gewesen, augenblicklich abzuhauen; aber eine weitere Überlegung hatte ihn von diesem Verstoß gegen die Etikette abgehalten. Es gehörte ihm; man hatte es ihm überreicht. Es – oh, was für ein Paradies zauberte das Geld vor seinen Augen hervor! Er war bis an das Ende der Leiter getaumelt; er war hungrig, ohne ein Zuhause, ohne Freunde, zerlumpt, ihn fror, und er wurde hin und her gestoßen; und jetzt hielt er in seiner Hand den Schlüssel zu dem Paradies, in dem Milch und Honig fließt und nach dem er sich so gesehnt hatte. Die Zauberpuppe hatte in ihrer Lumpenhand einen Zauberstab geschwungen; und jetzt, wo immer er auch hingehen mochte, standen die fröhlichen Paläste mit den glitzernden Fußleisten und den anziehenden Flüssigkeiten in funkelnden Gläsern für ihn offen.

Er folgte James zur Türe.

Hier blieb er stehen, während der Livrierte das schwere Mahagoniportal öffnete, um ihn in die Vorhalle hinauszulassen.

Hinter dem schmiedeeisernen Gitter auf der dunklen Straße schlenderten Black Riley und seine beiden Kumpane beiläufig auf und ab, während sie in ihren Taschen mit den unvermeidlich tödlichen Waffen spielten, mit deren Hilfe sie sich die Lumpenpuppenbelohnung verschaffen wollten.

Fuzzy hielt an der Eingangstür des Millionärs an und dachte nach. Wie junge Triebe an einem abgestorbenen Mistelzweig begannen bestimmte lebendige törichte Gedanken und Erinnerungen in seinem verwirrten Verstand zu sprießen. Wissen Sie, er war ziemlich betrunken, und die Gegenwart begann sich zu verflüchtigen. Diese Kränze und Girlanden aus Stechpalmen mit den roten Beeren, die die große Diele so fröhlich machten – wo hatte er diese Dinge nur schon einmal gesehen? Irgendwo hatte er auch polierte Fußböden und den Duft frischer Blumen mitten im Winter gekannt, und – irgend jemand im Haus sang ein Lied, das er seiner Meinung nach schon einmal früher gehört hatte. Jemand sang und spielte Harfe. Natürlich, es war Weihnachten – Fuzzy sagte sich, daß er sehr betrunken gewesen sein mußte, um das zu überhören.

Dann verließ er die Gegenwart, und aus einer unmöglichen, entschwundenen und unwiederbringlichen Vergangenheit tauchte ein kleiner, schneeweißer, durchscheinender, vergessener Geist auf – der Geist des »noblesse oblige«. Jeder Gentleman hat gewisse Verpflichtungen.

James öffnete die Außentüre. Ein Lichtschein flutete über den Kiesweg bis zum Eisentor. Das sahen Black Riley, McCarthy und »Einohr« Mike und schlossen ihre finstere Absperrkette dichter um das Tor.

Mit einer gebieterischen Gebärde, wie sie James' Herr anwandte, gebot Fuzzy dem Diener, die Türe zu schließen. Jeder Gentleman hat Verpflichtungen. Besonders zu Weihnachten.

»Es ist ein alter Br – Brauch«, sagte er zu dem verwirrten James, »daß ein Gentleman, der am Heiligen Abend einen Besuch macht, mit der Hausfrau die Glückwünsche zum Fest auswechselt. V'stehn Sie? Ich rühre mich nicht von der Stelle, bevor ich nicht der Hausfrau die Wünsche zum Fest überbracht habe. V'stehn Sie?«

Sie fingen zu streiten an. James verlor. Fuzzy erhob seine Stimme, und es schallte unfreundlich durch das Haus. Ich sagte nicht, daß er ein Gentleman war. Er war nur ein Landstreicher, über den ein Geist gekommen war.

Eine echte Silberglocke ertönte. James verschwand, um dem Ruf der Glocke zu folgen, und ließ Fuzzy allein in der Halle zurück. Irgendwo erklärte James irgend jemandem etwas.

Dann kam er wieder und geleitete Fuzzy in die Bibliothek.

Einen Augenblick später trat die Dame des Hauses ein. Sie war schöner und verklärter als jedes Bild, das Fuzzy jemals gesehen hatte. Sie lächelte und sagte etwas von einer Puppe. Fuzzy verstand nichts; er konnte sich an keine Puppe erinnern. Ein Diener brachte auf einem gehämmerten, echten Silbertablett zwei Gläser mit funkelndem Wein. Die Dame nahm eins der Gläser. Das andere wurde Fuzzy gereicht.

Als sich seine Finger um den schlanken Stiel schlossen, verschwand seine Verwirrung einen Augenblick. Er richtete sich auf; und die Zeit, zu den meisten von uns unfreundlich, drehte sich zurück, um Fuzzy einen Gefallen zu erweisen.

Vergessene Geister aus der Weihnachtszeit, weißer als der falsche Bart des meist fülligen Knechts Ruprecht, neigen sich in die Alkoholdünste von Grogans Whisky herein. Was hatte der Herrensitz des Millionärs mit einer getäfelten Halle in Virginia zu tun, wo sich die Reiter um eine silberne Punschschale versammelten, um den uralten Trinkspruch des Hauses zu sagen? Und wieso sollte das Hufgeklapper eines Droschkengauls auf der gefrorenen Straße mit dem Gestampfe der gesattelten Renner unter dem Schutzdach einer westlichen Veranda in irgendeiner Verbindung stehen? Und was hatte überhaupt Fuzzy mit diesen Sachen zu tun?

Als ihn die Dame über das Glas hinweg anschaute, verschwand ihr herablassendes Lächeln wie ein künstlicher Sonnenuntergang. Ihre Augen wurden ernst. Sie sah etwas unter den Lumpen und dem Scotchterrierbart, was sie nicht verstand. Aber das machte nichts.

Fuzzy erhob sein Glas und lächelte leer.

»Ver- Verzeihung, meine Dame«, sagte er, »aber konnte nich weggehn, bevor ich nich Glückwünsche zum Fest der Dame d's Hauses überbracht hab. Is gegn Prinzipien eines Gentl'man, so su handln.«

Und dann begann er mit der uralten Grußformel, die zu der Tradition eines Hauses gehört hatte, als die Herren noch Spitzenkrausen und Puderperücken trugen.

»Der Segen des neuen Jahres —«

Das Gedächtnis ließ Fuzzy im Stich. Die Dame sprang ein:

»— komme über dieses Herz.«

»— der Gast —«, stammelte Fuzzy.

»— und über sie, die —«, fuhr die Dame fort und lächelte aufmunternd.

»Oh, hören sie auf«, sagte Fuzzy ungezogen. »Ich kann mich nicht mehr erinnern. Sehr zum Wohle.«

Fuzzy hatte seinen Pfeil verschossen. Sie tranken. Die Dame hatte wieder das Lächeln ihrer Gesellschaft aufgesetzt. James nahm Fuzzy wieder in seine Obhut und begleitete ihn zur Eingangstüre zurück. Noch immer tönte die Harfenmusik leise durch das Haus.

Draußen blies Black Riley in seine kalten Hände und umarmte das Gittertor.

»Ich möchte gern wissen«, sagte die Dame nachdenklich, »wer – aber es ist schon so vielen so gegangen. Ob die Erinnerung für sie ein Fluch oder ein Segen ist, wenn sie so tief gefallen sind?«

Fuzzy war mit seiner Eskorte fast an der Tür. Die Dame rief: »James!«

James marschierte unterwürfig zurück und ließ Fuzzy unsicher wartend zurück, unsicher, da ihn der kurze Funken einer göttlichen Eingebung wieder verlassen hatte.

Draußen vertrat sich Black Riley seine kalten Füße und umklammerte den Gummischlauch mit festerem Griff.

»Sie werden diesen Gentleman hinunterbegleiten«, sagte die Dame. »Dann sagen Sie Louis, er soll den Mercedes vorfahren und diesen Herrn hinbringen, wohin immer er wünscht.«

Wilhelm Raabe
Ein Gang über den Weihnachtsmarkt

Weihnachten! – Welch ein prächtiges Wort! – Immer höher türmt sich der Schnee in den Straßen; immer länger werden die Eiszapfen an den Dachtraufen; immer schwerer tauen am Morgen die gefrorenen Fensterscheiben auf! Ach in vielen armen Wohnungen tun sie es gar nicht mehr. – Hinter den meisten Fenstern lugen erwartungsvolle Kindergesichter hervor; da und dort liegt auf der weißen Decke des Pflasters ein verlorener Tannenzweig. Es wird viel Goldschaum verkauft, und bedeckte Platten von Eisenblech, die vorbeigetragen werden, verbreiten einen wundervollen Duft.

»Was ist ein echter Hamburger Seelöwe?« fragte Strobel, der bei mir eintrat und beim Abnehmen des Hutes ein Miniaturschneegestöber hervorbrachte.

»Ein Hamburger Seelöwe?« fragte ich verwundert. »Doch nicht etwa ein Mitglied des Rats der Oberalten?«

»Beinahe!« lachte der Zeichner. »Ein Hamburger Seelöwe ist eine Hasenpfote, auf welche oben ein menschenähnliches Gesicht geleimt ist. Ein solches Individuum versteht an einem Tischrande gar anmutige Bewegungen zu machen. Sehen Sie hier!«

Dabei zog er den Gegenstand unseres Gesprächs hervor, hing ihn an meinen Schreibtisch und brachte ihn durch eine Art Pendel in Bewegung. »Ist das nicht eine wundervolle Erfindung?«

»Prächtig«, sagte ich, »in meiner Jugend brachte man aber denselben Effekt durch den abgenagten Brustknochen eines Gänsebratens, in welchen man eine Gabel steckte, hervor; aber die Kultur muß ja fortschreiten.«

»Ja, die Kultur schreitet fort!« seufzte der Zeichner. »Sogar die einfachen Tannen machen allmählich diesen Pyramiden von bunten Papierschnitzeln Platz. Papier, Papier überall! Aber was ich sagen wollte: Wäre es nicht eigentlich die Pflicht zweier Mitarbeiter der »Welken Blätter«, jetzt auf die Weihnachtswanderung zu gehen?«

»Auch ich wollte Sie eben dazu auffordern«, sagte ich.

»Vorwärts!« rief Strobel und stülpte seinen Filz wieder auf, während ich meinen Mantel und roten baumwollenen Regenschirm hervorsuchte. Wir gingen. Den Hamburger Seelöwen ließen wir ruhig am Tische fortbaumeln, nachdem ihm Strobel noch einen letzten Stoß gegeben hatte. Zur Weihnachtszeit habe ich gern ein solches Spielzeug in der Nähe; erfreute sich doch auch der alt und grau gewordene Jean Paul zu solcher Zeit gern an dem Farbenduft einer hölzernen Kindertrompete.

Welch ein Gang war das, den ich mit dem tollen Karikaturenzeichner in der Dämmerung des Abends machte! In wieviel Keller- und andere Fenster mußte der Mensch gucken; in wieviel kleine frostgerötete Hände, die sich an den Ecken und aus den Torwegen uns entgegenstreckten, ließ er seine Viergroschenstücke gleiten? Welch ein Gang war das! Die Geister, die den alten Scrooge des Meisters Boz über die Weihnachtswelt führten, hätten mich nicht besser leiten können, als Herr Ulrich Strobel. Jetzt betrachteten wir die phantastische Ausstellung eines Ladens, jetzt die staunenden, verlangenden Gesichter davor; jetzt entdeckte Strobel eine neue Idee in der Anfertigung eines Spielzeugs, jetzt ich; es war wundervoll!

An der Ecke des Weihnachtsmarktes blieben wir stehen, in das fröhliche Getümmel, welches sich dort umhertrieb, hineinblickend. In ununterbrochenem Zuge strömte das Volk an uns vorbei: Väter, auf jedem Arme und an jedem Rockschoß ein Kind; Handwerksgesellen mit dem Schatz, den sie aus der Küche der »Gnädigen« weggestohlen hatten; ehrliche, unbeschreiblich gutmütig und dumm lächelnde Infanteristen, feine, schmucke Gardeschützen, schwere Dragoner und »klobige« Artillerie. – Hier und da wanden sich junge Mädchen zierlich durch das Getümmel; jedes Alter, jeder Stand war vertreten, ja sogar die vornehmste Welt überschritt einmal ihre närrischen Grenzen und zeigte ihren Kindern die – Freude des Volks.

Der Zeichner war auf einmal sehr ernst geworden. »Sehen Sie«, sagte er, »da strömt die Quelle, aus welcher die Kinderwelt ihr erstes Christentum schöpft. Nicht dadurch, daß man ihnen von Gott und so weiter Unverständliches vorräsoniert, sie Bibel- und Gesangbuchverse auswendig lernen läßt; nicht dadurch, daß man sie – womöglich in den Windeln – in die Kirche schleppt, legt man den Keim der wunderbaren Religion in ihre Herzen. An das Gewühl vor den Buden, an den grünen funkelnden Tannenbaum knüpft das junge Gemüt seine ersten, wahren – und was mehr sagen will, wahrhaft kindlichen Begriffe davon!«

Ich wollte eben darauf etwas erwidern, als plötzlich eine Gestalt, in einen dunklen Mantel gehüllt, ein Kind auf dem Arme tragend, an uns vorbeischlüpfen wollte.

Ein Strahl der nächsten Gaslaterne fiel auf ihr Gesicht, es war die kleine Tänzerin aus der Sperlingsgasse. Ich freute mich über die Begegnung und rief sie an:

»Das ist prächtig, Fräulein Rosalie, daß wir sie treffen. Vielleicht werden Sie uns erlauben, daß wir Sie begleiten; denn um die Mysterien eines Weihnachtsmarktes zu durchdringen, ist es jedenfalls nötig, ein Kind bei sich zu haben.«

Die Tänzerin knixte und sagte: »Oh, Sie sind zu gütig, meine Herren; Alfred hat mir den ganzen Tag keine Ruhe gelassen, und da kein Theater ist, so mußte ich ihm doch die Herrlichkeit zeigen.«

»Ja Mann« – sagte Alfred, unter einer dicken Pudelmütze gar verwegen hervorschauend – »mitgehen!«

Ich stellte der Tänzerin den Nachbar Zeichner vor, und das vierblättrige Kleeblatt war bald in der Stimmung, die ein Weihnachtsmarkt erfordert. Was für ein Talent, Kinder vor Entzücken außer sich zu bringen, entwickelte jetzt der Karikaturenzeichner. Er hatte der Mutter den dicken Bengel sogleich abgenommen, ließ ihn nun gar nicht aus dem Aufkreischen herauskommen und schleppte ihn hoch auf der Schulter durch das Gewühl voran. »Oh, ich bin Ihnen so dankbar, so dankbar, Herr Wacholder«, flüsterte die kleine Tänzerin, zu deren Beschützer ich mich sehr gravitätisch aufwarf.

»Liebes Kind«, sagte ich, »ein paar solcher Junggesellen wie ich und mein Freund würden solche Abende wie diesen sehr übel zubringen, wenn nicht dann ausdrücklich eine Vorsehung über sie wachte. Sie sollen einmal sehen, wie prächtig wir heute abend noch Weihnachten feiern werden; – hören Sie nur, wie Alfred jubelt; sehen Sie, wie stolz und glücklich er unter der Pickelhaube vorguckt, die ihm eben der Herr Strobel übergestülpt hat!«

Der Karikaturenzeichner hätte sich in diesem Augenblick sehr gut selbst abkonterfeien können – er tat es auch, aber später. Wundervoll sah er aus. Im Knopfloche baumelte ein gewaltiger Hampelmann, in der rechten Hand hatte er eine große Knarre, die er energisch schwenkte; während auf seinem linken Arm Alfred mit aller Macht auf eine Trommel paukte.

»Kleine Dame«, sagte der Zeichner jetzt zu unserer Begleiterin, »stecken Sie mir doch einmal jene Tüte in die Rocktasche, ich komme nicht dazu! Heda, alter Wacholder«, schrie er dann mich an, »gleiche ich nicht aufs Haar einer Kammerverhandlung? Rechts Geknarre, links Getrommel, und für das Fassen und Einsacken der begehrten Süßigkeiten weder Kraft noch Platz!«

»Mama, *der* Onkel aber mal rechter Onkel!« rief der Kleine entzückt von seiner Höhe herab, als Rosalie der Anforderung Strobels nachkam, und ich ebenfalls die Tasche mit allerlei füllte.

So ging es weiter, bis uns endlich die Kälte zu heftig wurde. Der Zeichner löste sich auf – wie er's nannte – und überlieferte mir die spielzeugbehangene Linke, behielt jedoch die Knarre in der Rechten, und nun ging's durch die menschen- und lichtererfüllten Straßen nach Hause. Wie glänzte heute abend die alte dunkle Sperlingsgasse! Von den Kellern bis zum sechsten Stock, bis in die kleinste Dachstube war die Weihnachtszeit eingekehrt; freilich nicht allenthalben auf gleich »fröhliche, selige, gnadenbringende« Weise. Welch einen Abend feierten wir nun! Wir ließen unsere kleine Begleiterin natürlich nicht zu ihrem kaltgewordenen Stübchen hinauf-steigen. War ich nicht schon auf der Universität meines famosen Punsch-machens wegen berühmt gewesen? (Eine Kunst, die mir mein Vater mit auf den Lebensweg gegeben hatte.) Der Karikaturenzeichner holte einen Tannenzweig, den er auf der Straße gefunden hatte, hervor und hielt ihn ins Licht. »Das ist der wahre Weihnachtsduft«, sagte er, »und in Ermange-lung eines bessern muß man sich zu helfen wissen.«

Horch! Was trappelt da draußen auf einmal auf der Treppe? Ein leises Kichern erschallt aus dem Vorsaal und scheint noch eine Treppe höher-steigen zu wollen. »Zu mir?« sagt Rosalie und springt verwundert nach der Tür.

»Ach, da ist sie?« schallt es draußen, und auch ich stecke meinen Kopf heraus.

»Guten Abend, alter Herr! Guten Abend, Rosalie! Guten Abend, Rös-chen!« erschallt ein Chor heller lustiger Stimmen.

»Wo ist Alfred, wir bringen ihm einen Weihnachtsbaum!«

»Hurra, das ist's, was wir eben brauchen!« schreit der Zeichner, seine Knarre schwingend. »Schönen guten Abend, meine Damen, und fröhliche Weihnachten!«

Aus dunklen Mänteln und Schals und Pelzkragen entwickelt sich jetzt ein halbes Dutzend kleiner Theaterfeen, die alle jubelnd und lachend meine Stube füllen, und – auf einmal alle ein verschiedenes Musikinstrument hervorholen, welches sie auf dem Weihnachtsmarkt erstanden haben. Ein Heidenlärm bricht los; das knarrt und quiekt und plärrt und klappert, daß die Wände widerhallen und Rosalie, welche beschwörend von einer der kleinen Ratten zur andern läuft, zuletzt die Ohren zuhaltend in dem fernsten Winkel sich verkriecht.

Endlich legt sich der Skandal mit dem ausgehenden Atem und der ausgehenden Kraft des Karikaturenzeichners, der vor Wonne über das Pandämonium kaum noch seine Knarre schwingen kann.

Welch ein Punsch war das! Welche Gesundheiten wurden ausgebracht! Welche Geschichten wurden erzählt! Vom Souffleur Flüstervogel bis zum Ballettmeister Spolpato, ja bis zu seiner Exzellenz dem Herrn Intendanten hinauf.

Heute abend malte Strobel keine Karikaturen, aber *sich* selbst machte er oft genug zu einer. Beim Versuch, sich auf einer mit dem Halse auf der Erde stehenden Flasche sitzend zu drehen, beim Zuckerreiben, beim Versuch, den glimmenden Docht eines ausgeputzten Wachslichtes wieder anzublasen und bei anderen Kunststücken.

Alfred, der durch Unterlegung von Pufendorfs und Bayles schweinslederner Gelehrsamkeit und durch Auftürmung verschiedener dickbändiger Erziehungstheorien dazu gebracht war, neben seiner kleinen Mutter sitzend, über den Tisch blicken zu können, jubelte mit, bis ihm die Augen zufielen, und er auf meinem Sofa ein- und weiterschlief bis elf Uhr, wo das Fest endete, die kleinen Gäste wieder in ihre Mäntel krochen, mich für einen »gottvollen alten Herrn« erklärten, Röschen küßten und nach einem vielstimmigen »gute Nacht« die Treppe hinabtrippelten. Darauf trug Strobel den schlafenden Alfred eine Treppe höher (wozu ich leuchtete) und – auch dieser Weihnachtsabend der Sperlingsgasse war vorbei.

Wolfdietrich Schnurre · Die Leihgabe

Am meisten hat Vater sich jedesmal zu Weihnachten Mühe gegeben. Da fiel es uns allerdings auch besonders schwer, drüber wegzukommen, daß wir arbeitslos waren. Andere Feiertage, die beging man oder man beging sie nicht; aber auf Weihnachten lebte man zu, und war es erst da, dann hielt man es fest; und die Schaufenster, die brachten es ja oft noch nicht mal im Januar fertig, sich von ihren Schokoladenweihnachtsmännern zu trennen.

Mir hatten es vor allem immer die Zwerge und Kasperles angetan. War Vater dabei, sah ich weg; aber das fiel meist mehr auf, als wenn man hingesehen hätte; und so fing ich dann allmählich doch wieder an, in die Läden zu gucken.

Vater war auch nicht gerade unempfindlich gegen die Schaufensterauslagen, er konnte sich nur besser beherrschen. Weihnachten, sagte er, wäre das Fest der Freude; das Entscheidende wäre jetzt nämlich: nicht traurig zu sein, auch dann nicht, wenn man kein Geld hätte.

»Die meisten Leute«, sagte Vater, »sind bloß am ersten und zweiten Feiertag fröhlich und vielleicht nachher zu Silvester noch mal. Das genügt aber nicht; man muß mindestens schon einen Monat vorher mit Fröhlichsein anfangen. Zu Silvester«, sagte Vater, »da kannst du dann getrost wieder traurig sein; denn es ist nie schön, wenn ein Jahr einfach so weggeht. Nur jetzt, so vor Weihnachten, da ist es unangebracht, traurig zu sein.«

Vater selber gab sich auch immer große Mühe, nicht traurig zu sein um diese Zeit; doch er hatte es aus irgendeinem Grund da schwerer als ich; wahrscheinlich deshalb, weil er keinen Vater mehr hatte, der ihm dasselbe sagen konnte, was er mir immer sagte.

Es wäre bestimmt auch alles leichter gewesen, hätte Vater noch seine Stelle gehabt. Er hätte jetzt sogar wieder als Hilfspräparator gearbeitet; aber sie brauchten keine Hilfspräparatoren im Augenblick. Der Direktor hatte gesagt, aufhalten im Museum könnte Vater sich gern, aber mit Arbeit müßte er warten, bis bessere Zeiten kämen.

»Und wann, meinen Sie, ist das?« hatte Vater gefragt.

»Ich möchte Ihnen nicht wehtun«, hatte der Direktor gesagt.

Frieda hatte mehr Glück gehabt; sie war in einer Großdestille am Alexanderplatz als Küchenhilfe eingestellt worden und war dort auch gleich in Logis. Uns war es ganz angenehm, nicht dauernd mit ihr zusammenzusein; sie war jetzt, wo wir uns nur mittags und abends mal sahen, viel netter.

Aber im Grunde lebten auch wir nicht schlecht. Denn Frieda versorgte uns reichlich mit Essen, und war es zu Hause zu kalt, dann gingen wir ins Museum rüber; und wenn wir uns alles angesehen hatten, lehnten wir uns unter dem Dinosauriergerippe an die Heizung, sahen aus dem Fenster oder fingen mit dem Museumswärter ein Gespräch über Kaninchenzucht an.

An sich war das Jahr also durchaus dazu angetan, in Ruhe und Beschaulichkeit zu Ende gebracht zu werden. Wenn Vater sich nur nicht solche Sorge um einen Weihnachtsbaum gemacht hätte.

Es kam ganz plötzlich.

Wir hatten eben Frieda aus der Destille abgeholt und sie nach Hause gebracht und uns hingelegt, da klappte Vater den Band *Brehms Tierleben* zu, in dem er abends immer noch las, und fragte zu mir rüber: »Schläfst du schon?«

»Nein«, sagte ich, denn es war zu kalt zum Schlafen.

»Mir fällt eben ein«, sagte Vater, »wir brauchen ja einen Weihnachtsbaum.« Er machte eine Pause und wartete meine Antwort ab.

»Findest du?« sagte ich.

»Ja«, sagte Vater, »und zwar so einen richtigen, schönen; nicht so einen murkligen, der schon umkippt, wenn man bloß mal eine Walnuß dranhängt.«

Bei dem Wort Walnuß richtete ich mich auf. Ob man nicht vielleicht auch ein paar Lebkuchen kriegen könnte zum Dranhängen?

Vater räusperte sich. »Gott —« sagte er, »warum nicht; mal mit Frieda reden.«

»Vielleicht«, sagte ich, »kennt Frieda auch gleich jemand, der uns einen Baum schenkt.«

Vater bezweifelte das. Außerdem: So einen Baum, wie er ihn sich vorstellte, den verschenkte niemand, der wäre ein Reichtum, ein Schatz wäre der.

Ob er vielleicht eine Mark wert wäre, fragte ich.

»Eine Mark –?!« Vater blies verächtlich die Luft durch die Nase: »Mindestens zwei.«

»Und wo gibt's ihn?«

»Siehst du«, sagte der Vater, »das überleg' ich auch gerade.«

»Aber wir können ihn doch gar nicht kaufen«, sagte ich; »zwei Mark: wo willst du die denn jetzt hernehmen?«

Vater hob die Petroleumlampe auf und sah sich im Zimmer um. Ich wußte, er überlegte, ob sich vielleicht noch was ins Leihhaus bringen ließe; es war aber schon alles drin, sogar das Grammophon, bei dem ich so geheult hatte, als der Kerl hinter dem Gitter mit ihm weggeschlurft war.

Vater stellte die Lampe wieder zurück und räusperte sich. »Schlaf mal erst; ich werde mir den Fall durch den Kopf gehen lassen.«

In der nächsten Zeit drückten wir uns bloß immer an den Weihnachtsbaumverkaufsständen herum. Baum auf Baum bekam Beine und lief weg; aber wir hatten noch immer keinen.

»Ob man nicht doch –?« fragte ich am fünften Tag, als wir gerade wieder im Museum unter dem Dinosauriergerippe an der Heizung lehnten.

»Ob man was?« fragte Vater scharf.

»Ich meine, ob man nicht doch versuchen sollte, einen gewöhnlichen Baum zu kriegen?«

»Bist du verrückt?!« Vater war empört. »Vielleicht so einen Kohlstrunk, bei dem man nachher nicht weiß, soll es ein Handfeger oder eine Zahnbürste sein? Kommt gar nicht in Frage.«

Doch was half es; Weihnachten kam näher und näher. Anfangs waren die Christbaumwälder in den Straßen noch aufgefüllt worden; aber allmählich lichteten sie sich, und eines Nachmittags waren wir Zeuge, wie der fetteste Christbaumverkäufer vom Alex, der Kraftriemen-Jimmy, sein letztes Bäumchen, ein wahres Streichholz von einem Baum, für drei Mark fünfzig verkaufte, aufs Geld spuckte, sich aufs Rad schwang und wegfuhr.

Nun fingen wir doch an, traurig zu werden. Nicht schlimm; aber immerhin, es genügte, daß Frieda die Brauen noch mehr zusammenzog, als sie es sonst zu tun pflegte, und daß sie uns fragte, was wir denn hätten.

Wir hatten uns zwar daran gewöhnt, unseren Kummer für uns zu behalten, doch diesmal machten wir eine Ausnahme, und Vater erzählte es ihr.

Frieda hörte aufmerksam zu. »Das ist alles?«

Wir nickten.

»Ihr seid aber komisch«, sagte Frieda; »wieso geht ihr denn nicht einfach in den Grunewald einen klauen?«

Ich habe Vater schon häufig empört gesehen, aber so empört wie an diesem Abend noch nie.

Er war kreidebleich geworden. »Ist das dein Ernst?« fragte er heiser.

Frieda war sehr erstaunt. »Logisch«, sagte sie; »das machen doch alle.«

»Alle –!« echote Vater dumpf, »alle –!« Er erhob sich steif und nahm mich bei der Hand. »Du gestattest wohl«, sagte er darauf zu Frieda, »daß ich erst den Jungen nach Hause bringe, ehe ich dir hierauf die gebührende Antwort erteile.«

Er hat sie ihr niemals erteilt. Frieda war vernünftig; sie tat so, als ginge sie auf Vaters Zimperlichkeit ein, und am nächsten Tag entschuldigte sie sich.

Doch was nützte das alles; einen Baum, gar einen Staatsbaum, wie Vater ihn sich vorstellte, hatten wir deshalb noch lange nicht.

Aber dann – es war der dreiundzwanzigste Dezember, und wir hatten eben wieder unseren Stammplatz unter dem Dinosauriergeripppe bezogen – hatte Vater die große Erleuchtung.

»Haben Sie einen Spaten?« fragte er den Museumswärter, der neben uns auf seinem Klappstuhl eingenickt war.

»Was?!« rief der und fuhr auf, »was habe ich?!«

»Einen Spaten, Mann«, sagte Vater ungeduldig; »ob Sie einen Spaten haben.«

Ja, den hätte er schon.

Ich sah unsicher an Vater empor. Er sah jedoch leidlich normal aus; nur sein Blick schien mir eine Spur unsteter zu sein als sonst.

»Gut«, sagte er jetzt; »wir kommen heute mit Ihnen nach Hause und Sie borgen ihn uns.«

Was er vorhatte, erfuhr ich erst in der Nacht.

»Los«, sagte Vater und schüttelte mich, »steh auf!«

Ich kroch schlaftrunken über das Bettgitter. »Was ist denn bloß los!«

»Paß auf«, sagte Vater und blieb vor mir stehen: »Einen Baum stehlen, das ist gemein; aber sich einen borgen, das geht.«

»Borgen –?« fragte ich blinzelnd.

»Ja«, sagte Vater. »Wir gehen jetzt in den Friedrichshain und graben eine Blautanne aus. Zu Hause stellen wir sie in die Wanne mit Wasser, feiern morgen dann Weihnachten mit ihr, und nachher pflanzen wir sie wieder am selben Platz ein. Na –?« Er sah mich durchdringend an.

»Eine wunderbare Idee«, sagte ich.

Summend und pfeifend gingen wir los; Vater den Spaten auf dem Rücken, ich einen Sack unter dem Arm. Hin und wieder hörte Vater auf zu pfeifen, und wir sangen zweistimmig »Morgen, Kinder, wird's was geben« und »Vom Himmel hoch, da komm' ich her«. Wie immer bei solchen Liedern, hatte Vater Tränen in den Augen, und auch mir war schon ganz feierlich zumute.

Dann tauchte vor uns der Friedrichshain auf, und wir schwiegen.

Die Blautanne, auf die Vater es abgesehen hatte, stand inmitten eines strohgedeckten Rosenrondells. Sie war gut anderthalb Meter hoch und ein Muster an ebenmäßigem Wuchs.

Da der Boden nur dicht unter der Oberfläche gefroren war, dauerte es auch gar nicht lange, und Vater hatte die Wurzeln freigelegt. Behutsam kippten wir den Baum darauf um, schoben ihn mit den Wurzeln in den Sack, Vater hing seine Joppe über das Ende, das raussah, wir schippten das Loch zu, Stroh wurde darüber gestreut, Vater lud sich den Baum auf die Schulter, und wir gingen nach Hause.

Hier füllten wir die große Zinkwanne mit Wasser und stellten den Baum rein.

Als ich am nächsten Morgen aufwachte, waren Vater und Frieda schon dabei, ihn zu schmücken. Er war jetzt mit Hilfe einer Schnur an der Decke befestigt, und Frieda hatte aus Stanniolpapier allerlei Sterne geschnitten, die sie an seinen Zweigen aufhängte; sie sahen sehr hübsch aus. Auch einige Lebkuchenmänner sah ich hängen.

Ich wollte den beiden den Spaß nicht verderben; daher tat ich so, als schliefe ich noch. Dabei überlegte ich mir, wie ich mich für ihre Nettigkeit revanchieren könnte.

Schließlich fiel es mir ein: Vater hatte sich einen Weihnachtsbaum geborgt, warum sollte ich es nicht fertigbringen, mir über die Feiertage unser verpfändetes Grammophon auszuleihen? Ich tat also, als wachte ich eben erst auf, bejubelte vorschriftsmäßig den Baum, und dann zog ich mich an und ging los.

Der Pfandleiher war ein furchtbarer Mensch; schon als wir zum erstenmal bei ihm gewesen waren und Vater ihm seinen Mantel gegeben hatte, hätte ich dem Kerl sonst was zufügen mögen; aber jetzt mußte man freundlich zu ihm sein.

Ich gab mir auch große Mühe. Ich erzählte ihm was von zwei Großmüttern und »gerade zu Weihnachten« und »letzter Freude auf alte Tage« und so, und plötzlich holte der Pfandleiher aus und haute mir eine herunter und sagte ganz ruhig:

»Wie oft du sonst schwindelst, ist mir egal; aber zu Weihnachten wird die Wahrheit gesagt, verstanden?«

Darauf schlurfte er in den Nebenraum und brachte das Grammophon an.

»Aber wehe, ihr macht was an ihm kaputt! Und nur für drei Tage! Und auch bloß, weil du's bist!«

Ich machte einen Diener, daß ich mir fast die Stirn an der Kniescheibe stieß; dann nahm ich den Kasten unter den einen, den Trichter unter den anderen Arm und rannte nach Hause.

Ich versteckte beides erst mal in der Waschküche. Frieda allerdings mußte ich einweihen, denn die hatte die Platten; aber Frieda hielt dicht.

Mittags hatte uns Friedas Chef, der Destillenwirt, eingeladen. Es gab eine tadellose Nudelsuppe, anschließend Kartoffelbrei mit Gänseklein. Wir aßen, bis wir uns kaum noch erkannten; darauf gingen wir, um Kohlen zu sparen, noch ein bißchen ins Museum zum Dinosauriergeripppe; und am Nachmittag kam Frieda und holte uns ab.

Zu Hause wurde geheizt. Dann packte Frieda eine Riesenschüssel voll übriggebliebenem Gänseklein, drei Flaschen Rotwein und einen Quadratmeter Bienenstich aus, Vater legte für mich seinen Band *Brehms Tierleben* auf den Tisch, und im nächsten unbewachten Augenblick lief ich in die Waschküche runter, holte das Grammophon rauf und sagte Vater, er sollte sich umdrehen.

Er gehorchte auch; Frieda legte die Platten raus und steckte die Lichter an, und ich machte den Trichter fest und zog das Grammophon auf.

»Kann ich mich umdrehen?« fragte Vater, der es nicht mehr aushielt, als Frieda das Licht ausgeknipst hatte.

»Moment«, sagte ich; »dieser verdammte Trichter – denkst du, ich krieg' das Ding fest?«

Frieda hüstelte.

»Was denn für ein Trichter?« fragte Vater.

Aber da ging es schon los. Es war »Ihr Kinderlein kommet«; es knarrte zwar etwas, und die Platte hatte wohl auch einen Sprung, aber das machte nichts. Frieda und ich sangen mit, und da drehte Vater sich um. Er schluckte erst und zupfte sich an der Nase, aber dann räusperte er sich und sang auch mit.

Als die Platte zu Ende war, schüttelten wir uns die Hände, und ich erzählte Vater, wie ich das mit dem Grammophon gemacht hätte.

Er war begeistert. »Na –?« sagte er nur immer wieder zu Frieda und nickte dabei zu mir rüber: »Na –?«

Es wurde ein schöner Weihnachtsabend. Erst sangen und spielten wir die Platten durch; dann spielten wir sie noch mal ohne Gesang; dann sang Frieda noch mal alle Platten allein; dann sang sie mit Vater noch mal, und dann aßen wir und tranken den Wein aus, und darauf machten wir noch ein bißchen Musik; und dann brachten wir Frieda nach Hause und legten uns auch hin.

Am nächsten Morgen blieb der Baum noch aufgeputzt stehen. Ich durfte liegenbleiben, und Vater machte den ganzen Tag Grammophonmusik und pfiff Zweite Stimme dazu.

Dann, in der folgenden Nacht, nahmen wir den Baum aus der Wanne, steckten ihn, noch mit den Stanniolpapiersternen geschmückt, in den Sack und brachten ihn zurück in den Friedrichshain.

Hier pflanzten wir ihn wieder in sein Rosenrondell. Darauf traten wir die Erde fest und gingen nach Hause. Am Morgen brachte ich dann auch das Grammophon weg.

Den Baum haben wir noch häufig besucht; er ist wieder angewachsen. Die Stanniolpapiersterne hingen noch eine ganze Weile in seinen Zweigen, einige sogar bis in den Frühling.

Vor ein paar Monaten habe ich mir den Baum wieder mal angesehen. Er ist gute zwei Stock hoch und hat den Umfang eines mittleren Fabrikschornsteins. Es mutet merkwürdig an, sich vorzustellen, daß wir ihn mal zu Gast in unserer Wohnküche hatten.

Selma Lagerlöf · Trollmusik

Damit jedermann begreifen kann, daß es ein wirkliches Wunder war, ein wahrhaft großes übernatürliches Zeichen, das dem alten Orgelspieler widerfuhr, muß ich erst ein wenig von der Orgel reden, die er zu spielen hatte.
Denn die Orgel war ein ganz greuliches und boshaftes altes Instrument. Sie war eine wahre Fabrik für Dissonanzen. Ja, das ist nicht zuviel von ihr behauptet: sie hatte sich zu einer Art Zufluchtsort gemacht für alles Entsetzen, das nach Stimme lechzte, um sich hören zu lassen, für alles, was lärmt und rast und brüllt und posaunt.
Die Orgel war ein ganz geheimnisvolles Wesen. Zuweilen war sie recht beherrscht in ihrem Auftreten, so wie auch der Wind nicht immer Sturm ist und die Wärme nicht immer Hitze. Aber wenn sie einen Liedervers oder zwei mit so zarten Tönen begleitet hatte, daß man glauben konnte, ein Engelsflügel und nicht diese alten Pfeifen hätte sie hervorgepreßt, dann konnte sie nicht weiter. Dann war es, als müsse sie sagen: »Lieber Gottvater, ich will Dich nicht betrügen. Ja, so wollten wir, daß es auf der Erde klingen solle, aber so ist es nicht. Wenn die Menschen vor Dich hintreten, sind ihre Worte glatt und ihre Stimmen mild, aber das ist bloß Heuchelei. Hör mir nun zu! So klingt es in ihren Herzen und so hallt es wider überm Land.« Und dann erbrauste die Orgel in allen Tonarten des Gräßlichen, wie kein Instrument der Welt ihresgleichen hat. Denn sie war ein ganzer Sumpf von Jammer, ein ganzer Abgrund von Geheul. In ihrem Dienst standen der Schrei der Finsternis und die Löwenstimme der Begierde und der orkanwütige Donner des Zornes. Und wenn sie dann hinausgestürmt war mit Schrecken und Verzweiflung, mit Fledermausschrei und Rabenschrei, mit Hohnlachen und Pfeifen, mit dem Ziehen der Schlangen und dem Schluchzen der Menschen und mit Lawinen und Kriegsdonner und rollenden Wettern, so brach ein kupferner Donner wie von den Posaunen des Gerichts alles miteinander ab, gerade als wenn unser Herr nun endlich die Geduld verloren hätte und für den großen Tag der letzten Abrechnung das Zeichen gäbe.

Dann wurde die Orgel wieder ruhig und begleitete den letzten Liedervers mit einem dumpfen unentwegten Gemurmel, einem brummelnden Protest wie von einem, der vor Schrecken verstummt ist, es aber doch nicht lassen kann zu murren.

Aber die, die an die Orgel gewöhnt waren, fragten nicht weiter danach. Es lag auch etwas Beruhigendes darin, daß man so genau wußte, daß es die Orgel selbst war, die den ganzen Lärm und Spektakel anstellte. Und unter solchen Umständen hatte man ja keinen, auf den man schimpfen konnte.

Denn wenn man den guten alten Küster und Orgelspieler betrachtete, der das sanfteste Geschöpf der Welt war, wurde es einem klar, daß er nichts mit dem Lärm und den Greueln zu schaffen hatte. Und wenn man daran dachte, daß er niemals irgendwelchen Unterricht im Orgelspiel erhalten hatte, sondern daß es nur Talent und Draufgängertum waren, die ihn vor etwa fünfzig Jahren zum Musiker gemacht hatten, dann traute man ihm ja niemals zu, irgendeine Orgel der Welt regieren zu können, geschweige denn die, mit der er für sein Teil umzugehen hatte. – Und nun werde ich so allmählich dahin kommen, vom dem Wunder zu berichten. – Es war eine Weihnacht, so wie unser alter Küster sie erlebte, und ich darf sagen, gerade um Weihnachten pflege ich oft und viel an ihn zu denken. Denn es ist, als ob die Freude am Weihnachtsabend fliehen will. Da gehe ich unwirsch herum und wundere mich über die Lichter und die fröhlichen Gesichter und über die Weihnachtsgeschenke. Und ich suche vergebens nach dem großen herzerhebenden Weihnachtsfrieden. So war es auch mit ihm. Es war unmöglich für ihn, am Weihnachtsabend froh zu sein.

Was für ein guter und freundlicher Mann war er doch, dieser Alte! Das ganze Jahr war sein Herz gutgelaunt und sein Gesicht voller Sonnenschein. Nur Weihnachten und an Weihnachten nur der Heilige Abend hatte es auf seinen Frieden abgesehen. Nicht etwa, weil er das Weihnachtsfest nicht geliebt hätte. Ach, es ist viel gefährlicher, es zu sehr zu lieben. Er stellte zu große Ansprüche daran. Heiligabend wollte er groß und herrlich haben wie keinen anderen Tag, und die Menschen wollte er ebenso groß und herrlich haben wie den Tag.

Aber wenn man ihn selbst gefragt hätte, würde er gesagt haben, die Trolle seien schuld, daß er am Weihnachtsabend nicht froh sein könne, ja, nicht gerade sie seien schuld, aber eine große und gerechte Rache, die sie ausübten. In des Küsters Geschlecht war einer gewesen, der an diesem Tage eine Missetat begangen hatte.

Glaubt nun aber nicht von ihm, daß er von Altweiberschnack und Aberglauben voll war. Denkt daran, daß er ein alter Schullehrer war! Denkt daran, daß all die Jahre, in denen er das künftige Geschlecht Sinn und Verstand gelehrt hatte, kaum noch zu zählen waren! Man konnte sich kreuz und quer durch sein Gehirn schinden, in ihm hinauf und hinunter klettern, bevor man zwischen Rechentabellen und Psalmmelodien und Personallisten bis zu diesem einen grünen Fleckchen Aberglauben durchdringen konnte.

Einer von des Küsters Vorfahren war im Dom zu Karlstad Organist gewesen. Das war lange her, ach, so unendlich lange her, doch entsann man sich noch, welch süße Melodien und gewaltige Tonmassen er hervorlocken konnte, so daß die Menschen von weit her gefahren kamen, um ihn zu hören. Eines Sonntags, es war gerade ein Heiligabend, stand da ein Bauer, als der Organist aus der Kirche kam, und lehnte sich an das Geländer der Chortreppe. Der Organist klopfte dem Bauer auf die Schulter und redete ihn an. »Na, Alter, hast du schon mal so ein Spiel gehört?«

»Ich will dir bloß sagen, ich habe noch etwas Schöneres gehört«, antwortete der Bauer darauf, »und das ist, wenn daheim im Berg in der Weihnacht die Trolle spielen.«

Da bekam der Orgelspieler mächtige Lust, solch wunderbare Musik zu hören, und sagte: »Kann nicht auch ich das hören?« Der Entschluß war schnell gefaßt, der Orgelspieler fuhr mit dem Bauern fünf Meilen hinaus aufs Land, um die Trolle in der Weihnacht spielen zu hören.

Ach, wie gut kenne ich den Weg, den sie fuhren, wie schmal und unscheinbar schlängelt er sich zwischen den hohen schwarzen Bäumen. Die Hügel sind abschüssig, so daß das Pferd die Beine nebeneinandersetzt und hinunterschlittert, die Eisrinde macht den Weg schief und glatt, so daß der Schlitten hinausschlingert bis an den jähen Abgrund der Tiefe, das Pferd ist ein ungebärdiges Fohlen, es springt und tanzt und jagt wie der Wind, und der Kutscher lacht noch am Rande des Abgrunds und spielt mit dem Zügel.

Sie hielten vor des Bauern Hütte, gerade als die Grütze aufgetragen wurde. Es war schon spät am Abend.

Aber gegen Mitternacht gingen sie alle, Männer und Frauen, mit feierlichen

Gesichtern hinaus aus der Hütte und sie erklommen einen kahlen Hügel, der nahe beim Hof emporragte. Und ganz still, von großer Andacht erfüllt, standen sie dort und warteten darauf, die Trolle den Herrn der Weihnacht feiern zu hören.

Dann klang ein Ton durch die Nacht und ein zweiter. Drunten im Berg stimmten die Trolle ihr Weihnachtslied an. Die grauen Trolle, die lichtscheuen, klumpfüßigen, buckligen Scheusale, die sonst in Kälte und Finsternis in ihren Berghöhlen saßen, sie sangen und spielten. Und es mag schon wahr sein, daß sie in dieser Nacht unter roten Goldpfeilern saßen und alles rings um sie her flammende Pracht war, denn nun erklangen ihre kleinen Fiedeln, und ihre rauhen Stimmen tönten überaus lieblich. Wenn der Küster, unser Küster, das erzählte, pflegten ihm die Tränen in die Augen zu treten. »Ihr könnt sicher verstehen, wie rührend es war, das zu hören«, pflegte er zu sagen. »Denkt daran, daß es in der großen stummen Nacht so schön sein sollte! Denkt nur an das Sehnen und die Hoffnung, die die Armen in ihren Lobgesang legten. Ich weiß so genau, daß der große Mann, mein Erzvater, glaubte, niemals etwas Schöneres gehört zu haben.«

»Aber weshalb tat er dann, was er tat?« – »Ja«, antwortete der Küster, »das kam so mit einemmal über ihn. Das war ein Donnerschlag, wie wenn eine große Tanne im Wald über ihn gestürzt sei. Er dachte etwa so: Kennen die, die da spielen, Christus? Können diese Ungetauften Weihnachten feiern? Hier lauschen wir denen, die keine Seele haben, aber wen anders feiern sie in dieser Nacht als ihren Herrn, den Teufel? Und er warf sich zur Erde, so jach, als hätte eine starke Hand ihn gefällt und rief: ›Im Namen des Bösen halt ein!‹«

»Damit tat er eine große Sünde, Vater Küster.«

»Ja, natürlich, große Sünde, große Sünde. Es ging ein solcher Schrecken durch die ganze Natur. Berg und Hügel standen und warteten auf der Engel Friedensgruß und es kamen statt seiner solche Worte. Der Berg zitterte und die Sterne flackerten wie ausgebrannte Lichte. Tief unten in der Erde hörte man die Harfenstränge reißen und die Pfeiler stürzen und die Stimmen ersterben in Getöse und Gebrumm. Aber der Orgelspieler, er hatte am meisten gegen sich selbst gesündigt, der Lebenssaft in ihm versteinte. Er versuchte aufzustehen, konnte aber nicht. Er kam auf die Knie, mehr vermochte er nicht. Dann breitete er die Arme aus, stürzte hintenüber, schlug den Kopf hart auf den Boden und war tot. – Und das begreife ich so gut, daß er sterben mußte«, fuhr der Küster fort, »und ich begreife, daß die Trolle noch heute unten im Berg sitzen und Rache brüten. Denn das ist doch wirklich merkwürdig, daß ich, der aus demselben Geschlecht stammt wie jener angesehene Mann, wenn wir jetzt auch nur Bauern sind, hierher gekommen und Küster geworden bin und hier im Hof unterm Trollberg wohne. Und sonst tun mir die Trolle nichts Böses, aber Heiligabend sind sie hinter mir her mit allen möglichen Denkzetteln.« Und da gab es keinen Pardon für ihn. Das ganze Jahr war der Küster rosiger Laune, aber jeden Heiligabend raubten ihm die Trolle seine erprobte, gute, spiegelglatte Gemütsruhe.

Ach, er hätte es verstanden, Weihnachten zu feiern. Lange vorher legte er sich kleine Späße und Verse und Überraschungen zurecht, mit denen er aufwarten wollte. Aber wenn es dann soweit war, war er böse und mürrisch, und meistens rückte er mit seinen Geschenken nicht vor dem Weihnachtstag heraus, denn da war er wieder Mensch.

Es verhielt sich ja so, daß die Trolle seit der Nacht, in der sie gestört worden waren, niemals wieder gespielt hatten, und deshalb pflegte er manchmal zu sagen: »Mit mir wird es nicht wieder gut, bis ich die Trolle wieder spielen gelehrt habe.« »Aber wie sollte das zugehen, Vater Küster?«

»Das weiß ich nicht, darüber habe ich mir den Kopf zerbrochen, seit ich Küster in Svartsjö bin, und das bin ich nun bald fünfzig Jahre.«

Das war nun sein siebzigster Heiligabend, und er nahm sich wirklich fest vor, diesmal sollte es ein Weihnachtsabend werden.

Als er aufwachte, war er guter Laune, und dann bekam er einen herrlichen Einfall. Er mußte es nur sein lassen, sich zu ärgern. Das war das einzige, was nötig war: nur sein lassen, sich zu ärgern, dann mußte ja seine Laune den Tag über durchhalten!

So ging er herum und war auf seiner Hut. Er war zu allen Menschen sanft und liebevoll, um nur die Weihnachtsfreude nicht einzubüßen. Den ganzen Vormittag war die Küche von bettelnden Frauen belagert, und als er die vollen Tüten sah, mit denen sie abzogen, konnte er nur staunen, wovon sie selbst leben sollten, denn sie waren weiß Gott nicht reich, aber er ärgerte sich nicht. Es war gut, ein barmherziges und mildtätiges Weib zu haben, und er freute sich darüber.

Den ganzen Vormittag blieb er ziemlich sich selbst überlassen, denn alle waren mit ihren Dingen beschäftigt. Nachdem sie an die zwei Stunden vergessen hatten, ihm Frühstück zu geben, kam er zur Küchentür und bat darum, aber die ganze Zeit war er sanft und liebevoll. Sanft und liebevoll bezeigte er sich auch gegen Unseren Herrn, obgleich der ein Matschwetter losließ, das alle Schlittenbahnen verdarb, nun wußte keiner, wie die Leute am nächsten Morgen zur Kirche kommen sollten. Nein, er war mit allem zufrieden, er wollte sich nicht ärgern.

Gegen Mittag wurde das Wetter besser, und der Küster ging aus. Gerade in der Gartentür stieß er auf den alten Trommelschläger Agrippa Prestberg.

Es gibt nicht viele, die sich vorstellen können, was es mit dieser Begegnung auf sich hatte. Aber wenn es einen greulichen Anblick gab, dann war es der alte Agrippa. Sein großer knochiger Körper war mit Lumpen bedeckt, und sein gelbliches Gesicht mit zottigem Haar und zottigem und struppigem Bart war mager und knochig. Mit dem einen tückischen Auge konnte er sehen, das andere, in dem sich das Weiße entzündet hatte und am Rande eiterte, war blind. Und er hatte eine Nase, die krumm und groß und schief und komisch war, wie bei keinem anderen Tier in der Natur – alles mögliche an Habgier und Hochmut und Kampfhahntemperament und Trinksucht und Leiden war in ihr ausgedrückt.

»Bumm, bumm, bummm«, sagte der alte Prestberg wie gewöhnlich, »packt euch, ihr Bauern, und kriecht in die Klappe, denn hier kommt Jonas Utter Agrippa Prestberg, die Trommelstöcke in der Hand, um euch kurz und klein zu schlagen. Bumm für dich und bumm für dich, bumm, bumm, bumm.«

»Bist du so streng heute, Agrippa«, sagte der Küster, »es ist doch Weihnachten heute.«

Worauf Agrippa, der Heide, eine Tirade gegen Gott und Priesterschaft losließ, daß einem das Herz im Leibe erbeben konnte. Aber der Küster hielt sich tapfer. Er wollte seine gute Laune nicht verlieren.

»Wohin wirst du an solch einem Tage gehen?« sagte dann der Küster.

»Nach Haus zur Alten natürlich. Weihnachten soll sie doch die Freude haben, ihren Mann nach Hause zu bekommen. Und Gebete brabbeln gibt's nicht, aber saufen woll'n wir. Einen vergnügten Abend soll sie

sich machen, die Prestberg-Alte«, und er zeigte dem Küster die Brannt-
weinflasche, die aus seiner Rocktasche hervorsah.

Agrippas Hütte lag auf dem Trollberg, gerade über dem Küsterhof. Dort
oben wohnten mehrere arme Familien, recht lockeres und übles Pack.
Bekamen die nun Branntwein hinauf, würde es ein Hallo geben.

Und als sich der Küster von Prestberg verabschiedete, ermahnte er ihn,
den Abhang vorsichtig hinaufzugehen, der Weg war glatt dort. Worauf
der alte Agrippa achtlos seiner Wege marschierte, und den Stock schwenkte
er in der Luft. Denn ein solcher Narr war er, und der Küster wußte das
und hatte ihn gerade deshalb gewarnt, und als er sah, daß er fiel und
seine Flasche zerbrach, wußte er auch, daß er daran schuld war. So, nun
würde es diesen Heiligabend oben auf dem Trollberg keine Sauferei geben.
Das wollte er gern verantworten. – Aber jetzt sah er auf der Landstraße
einen großen Trupp Bettler, die in seine Straße hinauf abschwenkten. Da
zögerte er nicht länger, sondern kletterte selbst den Trollberg hinauf und
rief eine kleine schwarze Frau an, die in ihrer Tür stand. »Du, Brita«,
sagte er, »willst du etwa deine Tochter und ihren Mann und die acht
Jungen über Weihnachten hier behalten? Hast du vielleicht was für sie zu
essen? Kommt da was anderes raus, als daß sie sich alles, was sie brauchen,
bei uns zusammenbetteln? Laß sie laufen, rat' ich dir, wenn sie kommen.
Hat sich deine Tochter mit einem Spitzbuben eingelassen, mag sie sich
nach der Decke strecken. Aber du darfst anderen Christenmenschen nicht
das Weihnachtsfest verleiden, indem du uns das Diebsgesindel auf den
Hals schickst«.

Als er den Berg wieder heruntergehen wollte, trat ein kleiner feierlicher
Mann aus einer Hütte. Er war ganz kahlköpfig und glattrasiert, von Zu-
friedenheit leuchtend, ein Lächeln war in seiner Stimme und irgend etwas
Haltloses in seinem Blick.

Das war der Kaiser. Er war ein armer guter Mann, der seinen gesamten
Besitz eingebüßt hatte und sich nun auf einem anderen Gebiet schadlos
hielt.

Denn als die Menschen sahen, daß er als Ersatz für seinen Hof Träume
und als Lösegeld für sein Vieh Fabeln gelten ließ, da wurden sie freigebig
gegen ihn. Er hatte eine alte Frau, aus der konnten sie nichts machen,
aber er hatte eine junge Tochter, die außerhalb in Stellung war, die machten

sie zur Kaiserin. Und sie versprachen ihm, diese Tochter würde kommen und ihm ein Kaiserreich schenken. Keiner war knauserig gegen den Kaiser, was man Großes und Prächtiges wußte, das gab man ihm, und besonders die Heimkehr der Tochter feierte man mit großen Ehrenpforten, mit Festessen und Hallo, mit jungen Damen in Seide und wahnsinnigem Geschieße. Und er erwartete sie alle Tage, aber besonders an den großen Feiertagen.

Dann ging er auf den Küster zu und flüsterte, in dieser Nacht würde die Kaiserin kommen. Jetzt war es ganz sicher. In der Kirche würde man Lichter für sie anzünden, und das Volk sollte ihr mit Fackeln entgegengehen und sie empfangen. »Ola Jansson«, sagte der Küster streng, »weißt du nicht, wer in dieser Nacht kommt?«

Das wußte der Kaiser wohl. Er war eigentlich nicht verrückt. Er konnte es nur nicht lassen, zu träumen. Er war auch ein gottesfürchtiger Mann.

»Aber sie kommt auch«, sagte er schmeichelnd.

»Sie kommt nicht, du«, sagte der Küster. »Laß dich von den jungen Leuten nicht verrückt machen. Sie kommt nicht, und sie ist keine Kaiserin. Du spielst dich auf wie Gott, Ola Jansson, das wirst du büßen müssen.«

Des Kaisers Körper schrumpfte zusammen. Er löschte sich aus. Bevor der Küster wußte, wie ihm geschah, war er in seine Hütte hineingekrochen oder von der Erde verschluckt worden – verschwunden.

Und der Küster dachte nach. Manche verleugnen Gott und manche machen sich selbst zu Göttern, aber Weihnachten wollen sie alle feiern. Nun sieh einer bloß dieses Teufelspack an! Kommen wahrhaftig lachend und springend und tanzen mit ihren Tüten. Natürlich. Weihnachten wollen sie feiern trotz der Karre voller Diebsgut und des sündigen Gewissens. Aber ich glaube, dieses Jahr wird's auf dem Trollberg nicht so viel mit Weihnachten feiern.

Aber jetzt hatte er sich am Ende doch geärgert. Ja, es war egal, wie er sich anstellte. Er würde niemals seinen Heiligabend haben. Jetzt war es aus mit seinem Frieden. Lebensüberdruß, Schwermut und Hoffnungslosigkeit brachen über ihn herein. Er fühlte sich so furchtbar alt. Und er war von aller Welt verlassen. Zu nichts war er gut, und Geld hatte er keins. Morgen konnten er und die ganze Familie betteln gehen.

An solchen Gedanken krebste er den ganzen Abend. Er saß finster und düster in seinem Winkel und konnte kein Wort herausbringen. Die anderen kümmerten sich nicht um ihn, sie waren an diese Weihnachtsabendlaune gewöhnt. Da er bald mit sich im reinen war, daß dies sein letzter Heiligabend sei, packte ihn eine große Verzweiflung, auch deshalb, weil er die Trolle nicht hatte versöhnen können. So alt er war, war es ihm noch nicht gelungen, sie wieder in der Weihnachtsnacht zum Spielen zu bringen. Und dann schien ihm, jetzt oder niemals müsse das geschehen. Er war so zermürbt von Schmerz, daß er nicht ganz so kalt und ruhig handelte wie sonst.

Er erwischte eine Ziehharmonika, das einzige Instrument, das er auftreiben konnte, und ging fort. Gebrechlich und schwerfällig, wie er war, begann er im abendlichen Dunkel den Trollberg hinaufzuklettern, aber das war nicht gerade die leichteste Sache.

Als er bei Kaisers vorbeiging, fiel ihm ein, er könne auf einen Sprung da hineingehen und sich eine Laterne verschaffen. Als er die Tür öffnete, sah er den Alten und seine Frau schweigend am Kamin sitzen. Kein Licht brannte, kein Essen kochte. Rauch und ein saurer Brandgeruch schwelten über der Herdplatte.

»Wie steht's hier drin bei euch?« fragte der Küster. »Ach«, antwortete die Frau, »Ola weint den ganzen Abend, da machen wir weiter nichts her.«

»Weint Ola«, platzte der Küster heraus, »aber weiß er denn nicht, daß sie kommt, sie, seine Tochter. Sie kommt zu Neujahr, trotzdem sie heute nacht nicht konnte. Und sieh mal, was sie schickt, Ola.« Und er griff in seine Taschen, die mit Bonbons und Weihnachtsflitter voll waren, obwohl er es nicht übers Herz gebracht hatte, das Zeug auszukramen, und angelte einen großen goldenen Papierstern ans Licht. »Rappel dich, Alter, und putz dir 'nen Baum«, sagte er. »Steck den hier morgen an deine Jacke, dann werden die Mädels auf dem Kirchplatz vor dir knicksen.«

So redete der Küster in seiner Verzweiflung. Es war ihm gleich, was daraus wurde. Er wollte die Menschen nicht quälen. Sie wurden nicht besser davon.

Als der Küster von Kaisers fortging überlegte er eine Weile, und dann ging er zu Prestberg hinein. Dort war dasselbe Dunkel und dieselbe Misere, aber hier war es die Frau, die weinte. »Du, Prestberg«, sagte der Küster und fühlte, daß er nicht länger mit ihnen rechten konnte, »hast du nicht gehört, daß ich dir sagte, du kannst den Branntwein bei mir holen, weil dir die Flasche kaputtging. Es ist noch nicht zu spät, du. Und mach Licht und mach deiner Alten einen vergnügten Abend, Prestberg.«

Er schleppte sich weiter zwischen den kleinen Häusern hin und kam zu Mutter Britas Hütte. Dort drin war Licht. Auf Fußboden und Bänken lagen und saßen Männer, Frauen und Kinder und ließen die Schnapsflasche reihum gehen. Sie tranken schweigend und waren tief verstimmt. Mutter Brita hatte alles Spielen und Toben und Singen verboten. Sie hatte sie am Vormittag hinausgeworfen und am Abend ganz heimlich wieder hereingelassen. Aber Lärm und Spektakel durften nicht gemacht werden, das hätte man auf dem Küsterhofe hören können.

Der Küster sagte guten Tag, sah sofort, wie es hier drin stand, lachte mürrisch bei sich selbst und fing an, Ziehharmonika zu spielen. Die Leute stürzten ihm entgegen, wollten sehen, wer gekommen war, und ihn zum Schweigen bringen, und nun war es der Küster selbst, der dastand und lachte. Das war beileibe keine Freude, nur Galgenhumor. Danach kam Leben in die Bude auf dem Trollberg, denn dort hielt man des Küsters Freundlichkeit für echt.

Und nun erinnert euch bitte, was ich von der Orgel sagte, die der Küster spielen sollte: daß sie ein ganzer Sumpf von Jammer war, ein ganzer Abgrund von Geheul, und außerdem denkt bitte daran, daß sie sich immer selbst zu regieren pflegte.

Am Weihnachtsmorgen kam der Küster zu ihr hinauf und sollte anfangen zu spielen. Er war müde und erledigt. Die ganze Welt war erbärmlich, er selbst am allermeisten. Spitzbuben hatte er zur Freude verholfen und Gottesleugnern zum Rausch. Und jetzt sollte er vor seinem Gott spielen und singen. Der Alte hatte die ganze Nacht nicht schlafen können. Er fand, er sei zu gutmütig mit dem Pack gewesen.

Dann fing die Orgel an zu spielen, und der Küster horchte, die ganze Gemeinde horchte. Die Orgel hatte immer ihren Kopf für sich, aber heute war sie wohl ganz verrückt. Die Orgel spielte voller Wohllaut, ihr entströmten große, lichte Harmonien. Ein Vorspiel war es wie für einen Engelschor. Und als der Psalm kam, ergriff sie ihn, schwang ihn empor, trug ihn weit über die Wolken.

Der Küster saß und wagte kaum die Finger zu bewegen. Er hörte es am allerbesten. Das war nicht er, der spielte, das war nicht die Orgel, die spielte, sondern da hinein war ein Volk mit Goldharfen gezogen, und das Volk spielte. Das war Wunder, das war Zauberei.

Die Tränen begannen über des Alten Wangen zu strömen. Und in seine Seele schlich sich der große, herzerhebende Frieden. »Ach, so wolltest Du es haben«, rief er zu Gott, »alles, auch jedes bißchen willst Du annehmen. Ach, da verstehst Du Dich aufs Brockensammeln, Du.«

Und die Orgel fuhr fort, die herrlichste Musik auszuströmen, in ihr war das seligste Verlangen und die unverbrüchliche Hoffnung.

»Ach so«, sagte der Küster, »ach so, alle sollen mit dabei sein, alle. Ohne Ansehen der Person, Troll und Halunke und Ketzer, Du willst sie alle mit dabei haben.«

Das war eine solche Erleichterung. Das Alte war vollbracht. Er verstand, warum das Volk mit den Goldharfen in seine Orgel eingezogen war. Das war Dank für gestern. Nun hatte er seinen Auftrag in dieser Welt ausgerichtet. Er hatte die Trolle spielen gelehrt.

E. T. A. Hoffmann
Pate Drosselmeier beschert die Kinder

Am vierundzwanzigsten Dezember durften die Kinder des Medizinal-
rats Stahlbaum den ganzen Tag über durchaus nicht in die Mittelstube
hinein, viel weniger in das daranstoßende Prunkzimmer.

In einem Winkel des Hinterstübchens zusammengekauert, saßen Fritz und
Marie. Die tiefe Abenddämmerung war eingebrochen, und es wurde ihnen
recht schaurig zumute, als man, wie es gewöhnlich an dem Tage geschah,
kein Licht hereinbrachte.

Fritz entdeckte ganz insgeheim wispernd der jüngeren Schwester – sie war
eben erst sieben Jahre alt geworden –, wie er schon seit frühmorgens es
habe in den verschlossenen Stuben rauschen und rasseln und leise pochen
hören. Auch sei unlängst ein kleiner dunkler Mann mit einem großen
Kasten unter dem Arm über den Flur geschlichen, er wisse aber wohl,
daß es niemand anders gewesen als Pate Drosselmeier. Da schlug Marie
die kleinen Händchen vor Freude zusammen und rief: »Ach, was wird nur
Pate Drosselmeier für uns Schönes gemacht haben.«

Der Obergerichtsrat Drosselmeier war gar kein hübscher Mann, nur klein
und mager, hatte viele Runzeln im Gesicht, statt des rechten Auges ein
großes schwarzes Pflaster und auch gar keine Haare, weshalb er eine
sehr schöne weiße Perücke trug. Die war aber von Glas und ein künstliches Stück Arbeit.

Überhaupt war der Pate selbst auch ein sehr künstlicher Mann, der sich
sogar auf Uhren verstand und selbst welche machen konnte.

Wenn daher eine von den schönen Uhren in Stahlbaums Hause krank
war und nicht singen konnte, dann kam Pate Drosselmeier, nahm die
Glasperücke ab, zog sein gelbes Röckchen aus, band eine blaue Schürze
um und stach mit spitzigen Instrumenten in die Uhr hinein, so daß es
der kleinen Marie ordentlich wehe tat. Aber es verursachte der Uhr gar
keinen Schaden, sondern sie wurde vielmehr wieder lebendig und fing
gleich an recht lustig zu schnurren, zu schlagen und zu singen, worüber

denn alles große Freude hatte. Immer trug er, wenn er kam, was Hübsches für die Kinder in der Tasche, bald ein Männlein, das die Augen verdrehte und Verbeugungen machte, welches komisch anzusehen war, bald eine Dose, aus der ein Vögelchen heraushüpfte, bald was anderes.

Aber zu Weihnachten, da hatte er immer ein schönes künstliches Werk verfertigt, das ihm viel Mühe gekostet, weshalb es auch, nachdem es einbeschert worden, sehr sorglich von den Eltern aufbewahrt wurde.

»Ach, was wird nur Pate Drosselmeier für uns Schönes gemacht haben«, rief nun Marie.

Fritz meinte aber, es könne wohl diesmal nichts anderes sein, als eine Festung, in der allerlei sehr hübsche Soldaten auf- und abmarschierten und exerzierten. Und dann müßten andere Soldaten kommen, die in die Festung heineinwollten, aber nun schössen die Soldaten von innen tapfer heraus mit Kanonen, daß es tüchtig brauste und knallte.

»Nein, nein«, unterbrach Marie den Fritz, »Pate Drosselmeier hat mir von einem schönen Garten erzählt. Darin ist ein großer See, auf dem schwimmen sehr herrliche Schwäne mit goldnen Halsbändern herum und singen die hübschesten Lieder. Dann kommt ein kleines Mädchen aus dem Garten an den See und lockt die Schwäne heran und füttert sie mit süßem Marzipan.«

»Schwäne fressen kein Marzipan«, fiel Fritz etwas rauh ein, »und einen ganzen Garten kann Pate Drosselmeier auch nicht machen. Eigentlich haben wir wenig von seinen Spielsachen. Es wird uns ja alles gleich wieder weggenommen. Da ist mir denn doch das viel lieber, was uns Papa und Mama bescheren, wir behalten es fein und können damit machen, was wir wollen.«

Nun rieten die Kinder hin und her, was es wohl diesmal wieder geben könne. Marie meinte, daß Mamsell Trudchen, ihre große Puppe, sich sehr verändere; denn ungeschickter als jemals, fiele sie jeden Augenblick auf den Fußboden, welches ohne garstige Zeichen im Gesicht nicht abginge, und dann sei an Reinlichkeit in der Kleidung gar nicht mehr zu denken. Alles tüchtige Ausschelten helfe nichts. Auch habe Mama gelächelt, als sie sich über Gretchens kleinen Sonnenschirm so gefreut. Fritz versicherte dagegen, ein tüchtiger Fuchs fehle seinem Marstall durchaus sowie seinen Truppen gänzlich an Kavallerie, das sei dem Papa recht gut bekannt.

So wußten die Kinder wohl, daß die Eltern ihnen allerlei schöne Gaben eingekauft hatten, die sie nun aufstellten. Es war ihnen aber auch gewiß, daß dabei der liebe Heilige Christ mit gar freundlichen frommen Kindesaugen hineinleuchte und daß, wie von segensreicher Hand berührt, jede Weihnachtsgabe herrliche Lust bereite wie keine andere. Daran erinnerte die Kinder, die immerfort von den zu erwartenden Geschenken wisperten, ihre ältere Schwester Luise.

Die kleine Marie wurde nachdenklich, aber Fritz murmelte vor sich hin: »Einen Fuchs und Husaren hätt' ich nun einmal gern.« Es war ganz finster geworden. Fritz und Marie, fest aneinandergedrückt, wagten kein Wort mehr zu reden. Es war ihnen, als rausche es mit linden Flügeln um sie her und als ließe sich eine ferne, aber sehr herrliche Musik vernehmen.

In dem Augenblick ging es mit silberhellem Ton: Klingling, klingling. Die Türen sprangen auf, und solch ein Glanz erstrahlte aus dem großen Zimmer hinein, daß die Kinder mit lautem Ausruf: »Ach! Ach!« wie erstarrt auf der Schwelle stehenblieben.

Aber Papa und Mama traten in die Türe, faßten die Kinder bei der Hand und sprachen: »Kommt doch nur, kommt doch nur, ihr lieben Kinder, und seht, was euch beschert ist.«

Ich wende mich an dich selbst, sehr geneigter Leser oder Zuhörer – Fritz, Theodor, Ernst oder wie du sonst heißen magst – und bitte dich, daß du dir deinen letzten, mit schönen bunten Gaben reich geschmückten Weihnachtstisch recht lebhaft vor Augen bringen mögest. Dann wirst du es dir wohl auch denken können, wie die Kinder mit glänzenden Augen ganz verstummt stehen blieben, wie erst nach einer Weile Marie mit einem tiefen Seufzer rief: »Ach, wie schön – ach, wie schön«, und Fritz einige Luftsprünge versuchte, die ihm überaus wohl gerieten. Aber die Kinder mußten das ganze Jahr über besonders artig gewesen sein, denn nie war ihnen so viel Schönes, Herrliches beschert worden wie dieses Mal. Der große Tannenbaum in der Mitte trug viele goldne und silberne Äpfel, und wie Knospen und Blüten keimten Zuckermandeln und bunte Bonbons, und was es sonst noch für schönes Naschwerk gibt, aus allen Ästen. Als das Schönste an dem Wunderbaum mußte aber wohl gerühmt werden, daß in seinen dunkeln Zweigen hundert kleine Lichter wie Sternlein funkelten und er selbst, in sich hinein- und herausleuchtend, die Kinder freundlich einlud, seine Blüten und Früchte zu pflücken.

Um den Baum umher glänzte alles sehr bunt und herrlich. Was es da alles für schöne Sachen gab! Ja, wer das zu beschreiben vermöchte! Marie erblickte die zierlichsten Puppen, allerlei saubere kleine Gerätschaften; und was vor allem schön anzusehen war, ein seidenes Kleidchen, mit bunten Bändern zierlich geschmückt, hing an einem Gestell so der kleinen Marie vor Augen, daß sie es von allen Seiten betrachten konnte. Das tat sie denn auch, indem sie ein Mal über das andere ausrief: »Ach, das schöne, ach, das liebe – liebe Kleidchen; und das werde ich – ganz gewiß –, das werde ich wirklich anziehen dürfen!«

Fritz hatte indessen schon, drei- oder viermal um den Tisch herumgaloppierend und trabend, den neuen Fuchs versucht, den er in der Tat am Tische angezäumt gefunden. Wieder absteigend, meinte er, es sei eine wilde Bestie, das täte aber nichts, er wolle ihn schon kriegen, und musterte die neue Schwadron Husaren, die sehr prächtig in Rot und Gold gekleidet waren, lauter silberne Waffen trugen und auf solchen weiß glänzenden Pferden ritten, daß man beinahe hätte glauben sollen, auch diese seien von purem Silber. Eben wollten die Kinder, etwas ruhiger geworden, über die Bilderbücher her, die aufgeschlagen waren, daß man allerlei sehr schöne Blumen und bunte Menschen, ja auch allerliebste spielende Kinder, so natürlich gemalt, als lebten und sprächen sie wirklich, gleich anschauen konnte.

Ja, eben wollten die Kinder über diese wunderbaren Bücher her, als nochmals geklingelt wurde. Sie wußten, daß nun der Pate Drosselmeier bescheren würde, und liefen nach dem an der Wand stehenden Tisch. Schnell wurde der Schirm, hinter dem er so lange versteckt gewesen, weggenommen. Was erblickten die Kinder!

Auf einem grünen, mit bunten Blumen geschmückten Rasenplatz stand ein sehr herrliches Schloß mit vielen Spiegelfenstern und goldnen Türmen. Ein Glockenspiel ließ sich hören, Türen und Fenster gingen auf, und man sah, wie sehr kleine, aber zierliche Herren und Damen mit Federhüten und langen Schleppkleidern in den Sälen herumspazierten. In dem Mittelsaal, der ganz in Feuer zu stehen schien – so viel Lichterchen brannten an silbernen Kronleuchtern –, tanzten Kinder in kurzen Wämschen und Röckchen nach dem Glockenspiel. Ein Herr in einem smaragdenen Mantel sah oft durch ein Fenster, winkte heraus und verschwand wieder sowie auch Pate Drosselmeier selbst, aber kaum viel größer als Papas Daumen, zuweilen unten an der Tür des Schlosses stand und wieder hineinging.

Fritz hatte mit auf den Tisch gestemmten Armen das schöne Schloß und die tanzenden und spazierenden Figürchen angesehen. Dann sprach er: »Pate Drosselmeier, laß mich mal hineingehen in dein Schloß!«

Der Obergerichtsrat bedeutete ihm, daß das nun ganz und gar nicht anginge. Er hatte auch recht, denn es war töricht von Fritz, daß er in ein Schloß gehen wollte, welches überhaupt mitsamt seinen goldenen Türmchen nicht so hoch war wie er selbst. Fritz sah das auch ein. Nach einer Weile, als immerfort auf dieselbe Weise die Herrn und Damen hin und her spazierten, die Kinder tanzten, der smaragdene Mann zu demselben Fenster heraussah, Pate Drosselmeier vor die Türe trat, da rief Fritz ungeduldig: »Pate Drosselmeier, nun komm mal zu der andern Tür da drüben heraus!«

»Das geht nicht, Fritzchen«, erwiderte der Obergerichtsrat.

»Nun, so laß mal«, sprach Fritz weiter, »laß mal den grünen Mann, der so oft herausguckt, mit den andern herumspazieren.«

»Das geht auch nicht«, erwiderte der Obergerichtsrat aufs neue.

»So sollen die Kinder herunterkommen«, rief Fritz, »ich will sie näher besehen.«

»Ei, das geht alles nicht«, sprach der Obergerichtsrat verdrießlich, »wie die Mechanik nun einmal gemacht ist, muß sie bleiben.«

»So – o?« fragte Fritz mit gedehntem Ton, »das geht alles nicht? Hör mal, Pate Drosselmeier, wenn deine kleinen geputzten Dinger in dem Schlosse nicht mehr können als immer dasselbe, da taugen sie nicht viel, und ich frage nicht sonderlich nach ihnen. Nein, da lob' ich mir meine Husaren, die müssen manövrieren, vorwärts, rückwärts, wie ich's haben will, und sind in kein Haus gesperrt.« Und damit sprang er fort an den Weihnachtstisch und ließ seine Soldaten auf den silbernen Pferden hin und her reiten und schwenken und einhauen und feuern nach Herzenslust.

Auch Marie hatte sich sachte fortgeschlichen, denn auch sie wurde des Herumgehens und Tanzens der Püppchen im Schlosse bald überdrüssig und mochte es, da sie sehr artig und gut war, nur nicht so merken lassen wie Bruder Fritz.

Der Obergerichtsrat Drosselmeier sprach ziemlich verdrießlich zu den Eltern: »Für unverständige Kinder ist solch künstliches Werk nicht, ich will nur mein Schloß wieder einpacken.« Doch die Mutter trat hinzu und ließ sich den inneren Bau und das wunderbare, sehr künstliche Räderwerk zeigen, wodurch die kleinen Püppchen in Bewegung gesetzt wurden. Der Rat nahm alles auseinander und setzte es wieder zusammen. Dabei war er wieder ganz heiter geworden und schenkte den Kindern noch einige schöne braune Männer und Frauen mit goldnen Gesichtern, Händen und Beinen. Sie waren sämtlich aus Thorn und rochen so süß und angenehm wie Pfefferkuchen, worüber Fritz und Marie sich sehr freuten.

Schwester Luise hatte, wie es die Mutter gewollt, das schöne Kleid angezogen, welches ihr beschert worden, und sah wunderhübsch aus. Aber Marie meinte, als sie auch ihr Kleid anziehen sollte, sie möchte es lieber noch ein bißchen ansehen. Man erlaubte ihr das gern.

Theodor Storm · Unter dem Tannenbaum

1 *Eine Dämmerstunde*

Es war das Arbeitszimmer eines Beamten. Der Eigentümer, ein Mann in den Vierzigern, mit scharf ausgeprägten Gesichtszügen, aber milden, lichtblauen Augen unter dem schlichten, hellblonden Haar, saß an einem mit Büchern und Papieren bedeckten Schreibtisch; damit beschäftigt, einzelne Schriftstücke zu unterzeichnen, welche der daneben stehende alte Amtsbote ihm überreichte. Die Nachmittagssonne des Dezembers beleuchtete eben mit ihrem letzten Strahl das große, schwarze Tintenfaß, in das er dann und wann die Feder tauchte. Endlich war alles unterschrieben.

»Haben Herr Amtsrichter sonst noch etwas?« fragte der Bote, indem er die Papiere zusammenlegte.

»Nein, ich danke Ihnen.«

»So habe ich die Ehre, vergnügte Weihnachten zu wünschen.«

»Auch Ihnen, lieber Erdmann.«

Der Bote sprach einen der mitteldeutschen Dialekte; in dem Tone des Amtsrichters war etwas von der Härte jenes nördlichsten deutschen Volksstammes, der vor wenigen Jahren, und diesmal vergeblich, in einem seiner alten Kämpfe mit dem fremden Nachbarvolke geblutet hatte. – Als sein Untergebener sich entfernte, nahm er unter den Papieren einen angefangenen Brief hervor und schrieb langsam daran weiter.

Die Schatten im Zimmer fielen immer tiefer. Er sah nicht die schlanke Frauengestalt, die hinter ihm mit leisen Schritten durch die Tür getreten war; er bemerkte es erst, als sie den Arm um seine Schulter legte. – Auch ihr Antlitz war nicht mehr jung; aber in ihren Augen war noch jener Ausdruck von Mädchenhaftigkeit, den man bei Frauen, die sich geliebt wissen, auch noch nach der ersten Jugend findet. »Schreibst du an meinen Bruder?« fragte sie, und in ihrer Stimme, nur etwas mehr gemildert, war dieselbe Klangfarbe wie in der ihres Mannes.

Er nickte. »Lies nur selbst!« sagte er, indem er die Feder fortlegte und zu ihr emporsah.

Sie beugte sich über ihn herab; denn es war schon dämmrig geworden. So las sie, langsam wie er geschrieben hatte:

»Ich bin wieder gesund und arbeitsfähig, – glücklicherweise; denn das ist die Not der Fremde, daß man den Boden, worauf man steht, sich in jeder Stunde neu erschaffen muß. So schlecht es immer sein mag, darin habt Ihr es doch gut daheim; und wer wäre nicht gern geblieben, wenn er nur ein Stück Brot und jenes unentbehrliche ›sanfte Ruhekissen‹ des alten Sprichworts sich hätte erhalten können.«

Sie legte schweigend die Hand auf seine Stirn, während er, der ihren Augen gefolgt war, das Blatt umwandte. Dann las sie weiter:

»Der guten und klugen Frau, die Du vorige Weihnachten bei uns hast kennengelernt, bin ich so glücklich gewesen, durch die Vermittlung eines Vergleichs mit ihrem Gutsnachbarn einen wirklichen Dienst zu leisten; der schöne, so sehr von ihr begehrte Wald ist seit kurzem endlich in ihren Besitz gelangt. Hätten wir morgen für Deinen Freund Harro nur eine Tanne aus diesem Walde! Denn hier ist viele Meilen in die Runde kein Nadelholz zu finden. Was aber ist ein Weihnachtsabend ohne jenen Baum mit seinem Duft voll Wunder und Geheimnis!«

»Aber du«, sagte der Amtsrichter, als seine Frau gelesen hatte, »du bringst in deinen Kleidern den Duft des echten Weihnachtsabends!« Sie langte lächelnd in den Schlitz ihres Kleides und legte ein großes Stück braunen Weihnachtskuchen vor ihm auf den Tisch. »Sie sind eben vom Bäcker gekommen«, sagte sie, »prob nur; deine Mutter backt sie dir nicht besser!«

Er brach einen Brocken ab und prüfte ihn genau; aber er fand alles, was ihn als Knaben daran entzückt hatte; die Masse war glashart, die eingerollten Stückchen Zucker wohl zergangen und kandiert.

Es war allmählich dunkel geworden; die Frau des Amtsrichters hatte leise einen Aktenstoß von einem Stuhl entfernt und sich an die Seite ihres Mannes gesetzt.

»Drüben in dem Seitengebäude ist das Arbeitszimmer meines Vaters. Auf die Vordiele dort fällt heute kein Lichtschein aus dem Türfenster der Schreiberstube; der alte Tausendkünstler ist von meiner Mutter drinnen bei den Weihnachtsgeheimnissen angestellt. Aber ich tappe mich im Dunkeln vorwärts; denn gegenüber in seinem Zimmer höre ich die Schritte meines Vaters. Er arbeitet schon nicht mehr. Ich öffne leise die Tür; wie deutlich sehe ich ihn vor mir, ihn selbst und das große, verräucherte Gemach, in dem der harte Schlag der alten Wanduhr pickt! Mit einer feierlichen Unruhe geht er zwischen den mit Papieren bedeckten Tischen umher, in der einen Hand den Messingleuchter mit der brennenden Kerze, die andere vorgestreckt, als solle jetzt alles Störende ferngehalten werden. Er öffnet die Schublade seines kleinen Stehpults und nimmt die große goldene Tabatiere aus der Fischhautkapsel, einst ein Geschenk der Urgroßmutter an ihren Bräutigam, dann nach des Urgroßvaters Tode eine Ehren- und Vertrauensgabe an ihn. Aber er ist noch nicht fertig; aus dem Geldkörbchen werden blanke Silbermünzen für die Dienstboten hervorgesucht, eine Goldmünze für den Schreiber. ›Ist Onkel Erich schon da?‹ fragte er, ohne sich nach mir umzusehen. – ›Noch nicht, Vater! Darf ich ihn holen?‹ – ›Das könntest du ja tun.‹ Und fort renne ich durch das Wohnhaus auf die Straße, um die Ecke am Hafen entlang, und während ich drunten aus der Dämmerung das Pfeifen des Windes in den Tauen der Schiffe höre, habe ich das alte Giebelhaus mit dem Vorbau erreicht. Die Tür wird aufgerissen, daß die Klingel weithin durch Flur und Pesel schallt. – Vor dem Ladentisch steht der alte Kommis, der das Detailgeschäft leitet. Er sieht mich etwas grämlich an. ›Der Herr ist in seinem Kontor‹, sagte er trocken; er liebt die wilde naseweise Range nicht. Aber, was geht's mich an. – Fort mach ich hinten zur Hoftür hinaus, über zwei kleine finstere Höfe, dann in ein uraltes seltsames Nebengebäude, in welchem sich das Allerheiligste des Onkels befindet. Ohne Unfall komme ich durch den engen dunklen Gang und klopfte an eine Tür. – ›Herein!‹ Da sitzt der kleine Herr in dem feinen braunen Tuchrock an seinem mächtigen Arbeitspult; der Schein der Kontorlampe fällt auf seine freundlichen kleinen Augen und auf die mächtige Familiennase, die über den frischgestärkten Vatermördern hinausragt. – ›Onkel, ob du nicht kommen wolltest?‹ sage ich, nachdem ich Atem geschöpft habe. – ›Wollen wir uns noch einen Augenblick setzen!‹ erwiderte er, indem seine Feder summierend über das Folium des aufgeschlagenen Hauptbuches hinabgleitet. – Mir wird ganz behaglich zu Sinne, ich werde nicht ein bißchen ungeduldig; aber ich setze mich auch nicht; ich bleibe stehen und besehe mir die Englands- und Westindienfahrer des Onkels, deren Bilder an der Wand hängen. Es dauert auch nicht lange, so wird das Hauptbuch herzhaft zugeklappt, das Schlüsselbund rasselt und: ›Sieh so‹, sagt der Onkel, ›fertig wären wir!‹ Während er sein spanisches Rohr aus der Ecke langt, will ich schon wieder aus der Tür; aber er hält mich zurück. ›Ah, wart doch mal ein wenig! Wir hätten hier wohl noch so etwas mitzunehmen.‹ Und aus einer dunklen Ecke des Zimmers holt er zwei wohlversiegelte, geheimnisvolle Päckchen. – Ich wußte es wohl, in solchen Päckchen steckte ein Stück leibhaftigen Weihnachtens; denn der Onkel hatte einen Bruder in Hamburg, und er trat nicht mit leeren Händen an den Tannenbaum. So nie gesehenes Zuckerzeug, wie er mitten in der Bescherung noch mir und meiner Schwester auf unsere Weihnachtsteller zu legen pflegte, ist mir später niemals wieder vorgekommen.

Bald darauf steige ich an der Hand des Onkels die breite Steintreppe zu unserm Hause hinauf. Ein paar Augenblicke verschwindet er mit seinen Päckchen in die Weihnachtsstube; es ist noch nicht angezündet, aber durch die halb geöffnete und rasch wieder geschlossene Tür glitzert es mir entgegen aus der noch drinnen herrschenden ahnungsvollen Dämmerung. Ich schließe die Augen, denn ich will nichts sehen, und trete in das gegenüberliegende, festlich erleuchtete Zimmer, das ganz von dem Duft der braunen Kuchen und des heute besonders fein gemischten Tees erfüllt ist. Die Hände auf dem Rücken mit langsamen Schritten geht mein Vater auf und nieder. ›Nun, seid ihr da?‹ fragt er stehenbleibend. – Und schon ist auch Onkel Erich bei uns; mir scheint, die Stube wird noch einmal so hell, da er eintritt. Er grüßt die Großmutter, den Vater; er nimmt meiner Schwester die Tasse ab, die sie ihm auf dem gelblackierten Brettchen präsentiert. ›Was meinst du‹, sagt er, indem er seinen Augen einen bedenklichen Ausdruck zu geben sucht, ›es wird wohl heute nicht viel für uns abfallen!‹ Aber er lacht dabei so tröstlich, daß diese Worte wie eine goldene Verheißung klingen. Dann, während in dem blanken Messingkomfort der Teekessel saust, beginnt er eine seiner kleinen Erzählungen von den Begebenheiten der letzten Tage, seit man sich nicht gesehen.

– Aber während der Onkel so erzählt, steckt meine Mutter, die seit Mittag unsichtbar gewesen ist, den Kopf ins Zimmer. Der Onkel macht ein Kompliment und bricht seine Geschichte ab; die Tür und die gegenüberliegende Tür werden weit geöffnet. Wir treten zögernd ein; und vor uns, zurückgestrahlt von dem großen Wandspiegel, steht der brennende Baum mit seinen Flittergoldfähnchen, seinen weißen Netzen und goldenen Eiern, die wie Kinderträume in den Zweigen hängen.« »Paul«, sagte die Frau, »und wenn wir ihn noch so weit herbeischaffen sollten, wir müssen wieder einen Tannenbaum haben. Der arme Junge hat sich selbst einen Weihnachtsgarten gebaut; er ist nur eben wieder fort, um Moos aus dem Eichenwäldchen zu holen.«

Der Amtsrichter schwieg einen Augenblick. – »Es tut nicht gut, in die Fremde zu gehen«, sagte er dann, »wenn man daheim schon am eigenen Herd gesessen hat. – Mir ist noch immer, als sei ich hier nur zu Gaste, und morgen oder übermorgen sei die Zeit herum, daß wir alle wieder nach Hause müßten!«

Sie faßte die Hand ihres Mannes und hielt sie fest in der ihrigen, aber sie antwortete nichts darauf.

»Gedenkst du noch an einen Weihnachten?« hub er wieder an. Die Schwester und die Großmutter lebten noch. Damals war jener Weihnachtsabend; ein junges schönes Mädchen war zu der Schwester auf Besuch gekommen. Weißt du, wie sie hieß?«

»Ellen«, sagte sie leise und lehnte den Kopf an die Brust ihres Mannes. Der Mond war aufgegangen und beleuchtete ein paar Silberfäden in dem braunen seidigen Haar, das sie schlicht gescheitelt trug, schmucklos in einer Flechte um den Schildpattkamm gelegt. Er strich mit der Hand über dies noch immer selten schöne Haar. »Ellen hatte auch beschert bekommen«, sprach er weiter; »auf dem kleinen Mahagonitische lagen Geschenke von meiner Mutter und was von ihren Eltern von drüben aus dem Schwesterlande herübergeschickt war. Sie stand mit dem Rücken gegen den brennenden Baum, die Hand auf die Tischplatte gestützt; sie stand schon lange so; ich sehe sie noch;« – und er ließ seine Augen eine Weile schweigend auf dem schönen Antlitz seiner Frau ruhen; – »da war meine Mutter unbemerkt zu ihr getreten; sie faßte sanft ihre Hand und sah ihr fragend in die Augen. – Ellen blickte nicht um, sie neigte nur den Kopf; plötzlich aber richtete sie sich rasch auf und entfloh ins Nebenzimmer. Weißt du es noch? Während meine Mutter leise den Kopf schüttelte, ging ich ihr nach; denn seit einem kleinen Zank am letzten Abend waren wir vertraute Freunde. Ellen hatte sich in der Ofenecke auf einen Stuhl gesetzt; es war fast dunkel dort; nur eine vergessene Kerze mit langer Schnuppe brannte in dem Zimmer. ›Hast du Heimweh, Ellen?‹ fragte ich. – ›Ich weiß es nicht!‹ – Eine

Weile stand ich schweigend vor ihr. ›Was hast du denn da in der Hand?‹ – ›Willst du es haben?‹ – Es war eine Börse von dunkelroter Seide. ›Wenn du sie für mich gemacht hast‹, sagte ich; denn ich hatte die Arbeit in den Tagen zuvor in ihren Händen gesehen und wohl bemerkt, wie Ellen sie, sobald ich näher kam, in ihrem Nähkästchen verschwinden ließ. – Aber Ellen antwortete nicht und gab mir auch nicht ihr Angebinde. Sie stand auf und putzte das Licht, daß es plötzlich ganz hell im Zimmer wurde. ›Komm‹, sagte sie, ›der Baum brennt ab, und Onkel Erich will noch Zukkerzeug bescheren!‹ Damit wehte sie sich mit ihrem Schnupftuch ein paarmal um die Augen und ging in die Weihnachtsstube zurück, und als wir dann später am Pochbrett saßen, war sie die Ausgelassenste von allen. Von meinem Weihnachtsgeschenk war weiter nicht die Rede. – – Aber weißt du, Frau?« – und er ließ ihre Hand los, die er bis dahin festgehalten – »die Mädchen sollten nicht so eigensinnig sein; das hat mir damals keine Ruh gelassen; ich mußte doch die Börse haben, und darüber –«

»Darüber, Paul? – Sprich nur dreist heraus!«

»Nun, hast du denn von der Geschichte nichts gehört? Darüber bekam ich nun auch noch das Mädchen in den Kauf.«

»Freilich«, sagte sie, und er sah bei dem hellen Mondschein in ihren Augen etwas blitzen, das ihn an das übermütige Mädchen erinnerte, das sie einst gewesen, »freilich weiß ich von der Geschichte, und ich kann sie dir auch erzählen; aber es war ein Jahr später, nicht am Weihnachts-, sondern am Neujahrsabend, und auch nicht hüben, sondern drüben.«

Sie räumte das Tintenfaß und einige Papiere beseite und setzte sich ihrem Mann gegenüber auf den Schreibtisch. »Der Vetter war bei Ellens Eltern zum Besuch, bei dem alten prächtigen Kirchspielvogt, der damals noch ein starker Nimrod war. – Ellen hatte noch niemals einen so schönen und langen Brief bekommen als den, worin der Vetter sich bei ihnen angemeldet; aber so gut wie mit der Feder wußte er mit der Flinte nicht umzugehen. Und dennoch, tat es die Landluft oder der schöne Gewehrschrank im Zimmer des Kirchspielvogts, es war nicht anders, er mußte alle Tage auf die Jagd. Und wenn er dann abends durchnäßt mit leerer Tasche nach Hause kam und die Flinte schweigend in die Ecke setzte – wie behaglich ergingen sich da die Sticheleien des alten Herrn. – ›Das heißt Malheur, Vetter; aber die Hasen sind heuer alle wild geraten!‹ – Oder: ›Mein Herzensjunge, was soll die Diana von dir denken!‹ Am meisten aber – du hörst doch Paul?«

»Ich höre, Frau.«

»Am meisten plagte ihn die Ellen; sie setzte ihm heimlich einen Strohkranz auf, sie band ihm einen Gänseflügel vor den Flintenlauf; eines Vormittags – weißt du, es war Schnee gefallen – hatte sie einen Hasen, den der Knecht geschossen, aus der Speisekammer geholt, und eine Weile darauf saß er noch einmal auf seinem alten Futterplatz im Garten, als wenn er lebte, ein Kohlblatt zwischen den Vorderläufen. Dann hatte sie den Vetter gesucht und an die Hoftür gezogen. ›Siehst du ihn, Paul? dahinten im Kohl; die Löffel gucken aus dem Schnee!‹ – Er sah ihn auch; seine Hand zitterte. ›Still, Ellen! Sprich nicht so laut! Ich will die Flinte holen!‹ Aber als kaum die Tür nach des Vaters Stube hinter ihm zuklappte, war Ellen schon wieder in den Schnee hinausgelaufen, und als er endlich mit der geladenen Flinte heranschlich, hing auch der Hase schon wieder an seinem sicheren Haken in der Speisekammer. – Aber der Vetter ließ sich geduldig von ihr plagen.«

»Freilich«, sagte der Amtsrichter, und legte seine Arme behaglich auf die Lehne seines Sessels, »er hatte ja die Börse noch immer nicht!«

»Drum auch! Die lag noch unangerührt droben in der Kommode, in Ellens Giebelstübchen. Aber – wo die Ellen war, da war der Vetter auch; heißt das, wenn er nicht auf der Jagd war. Saß sie drinnen an ihrem Nähtisch, so hatte er gewiß irgendein Buch aus der Polterkammer geholt und las ihr daraus vor; war sie in der Küche und backte Waffeln, so stand er neben ihr, die Uhr in der Hand, damit das Eisen zur rechten Zeit gewendet würde. – So kam die Neujahrsnacht. Am Nachmittage hatten beide auf dem Hofe mit des Vaters Pistolen nach goldenen Eiern geschossen, die Ellen vom Weihnachtsbaum ihrer Geschwister abgeschnitten; und der Vetter hatte unter dem Händeklatschen der Kleinen zweimal das goldene Ei getroffen. Aber war's nun, weil er am andern Tage reisen mußte, oder war's weil Ellen fortlief, als er sie vorhin allein in ihrem Zimmer aufgesucht hatte – es war gar nicht mehr der geduldige Vetter – er tat kurz und unwirsch und sah kaum nach ihr hin. – Das blieb den ganzen Abend so; auch als man später sich zu Tische setzte. Ellens Mutter warf wohl einmal einen fragenden Blick auf die beiden, aber sie sagte nichts darüber. Der Kirchspielvogt hatte auf andere Dinge zu achten, er schenkte den Punsch, den er eigenhändig gebraut hatte; und als es drunten im Dorfe zwölf schlug, stimmte er das alte Neujahrslied von Johann Heinrich Voß an, das nun getreulich durch alle Verse abgesungen wurde. Dann rief man ›Prost Neujahr!‹ und schüttelte sich die Hände, und auch Ellen reichte dem Vetter ihre Hand; aber er berührte kaum ihre Fingerspitzen. – So war's auch, da man sich bald darauf gute Nacht sagte. – Als das Mädchen droben allein in ihrem Giebelstübchen war – und nun merk auf, Paul, wie ehrlich ich erzähle! – da hatte sie keine Ruh zum Schlafen; sie setzte sich still auf die Kante ihres Bettes, ohne sich auszukleiden und ohne der klingenden Kälte in der ungeheizten Kammer zu achten. Denn es kränkte sie doch; sie hatte dem Menschen ja nichts zuleid getan. Freilich, er hatte sie gestern noch gefragt, ob sie den Hasen nicht wieder im Kohl gesehen; und sie hatte dazu den Kopf geschüttelt. – War es etwa das, und wußte er denn, daß er den Hasen schon vor drei Tagen selbst hatte mit verzehren helfen? – – Sie wollte den schönen Brief des Vetters einmal wieder lesen. Aber als sie in die Tasche langte, vermißte sie den Kommodenschlüssel. Sie ging mit dem Lichte hinab in die Wohnstube, und von dort, als sie ihn nicht gefunden, in die Küche, wo sie vorhin gewirtschaftet hatte. Von all dem Sieden und Backen des Abends war es noch warm in dem großen dunklen Raume.

Und richtig, dort lag der Schlüssel auf dem Fensterbrett. Aber sie stand noch einen Augenblick, und blickte durch die Scheiben in die Nacht hinaus. – So hell und weit dehnte sich das Schneefeld; dort unten zerstreut lagen die schwarzen Strohdächer des Dorfes; unweit des Hauses zwischen den kahlen Zweigen der Silberpappeln erkannte sie deutlich die großen Krähennester; die Sterne funkelten. Ihr fiel ein alter Reim ein, ein Zauberspruch, den sie vor Jahr und Tag von der Tochter des Schulmeisters gelernt hatte. Hinter ihr im Hause war es so still und leer; sie schauerte; aber trotzdessen wuchs in ihr das Gelüste, es mit den unheimlichen Dingen zu versuchen. So trat sie zögernd ein paar Schritte zurück. Leise zog sie den einen Schuh vom Fuße, und die Augen nach den Sternen und tief aufatmend sprach sie: ›Gott grüß dich, Abendstern!‹ – Aber was war das? Ging hinten nicht die Hoftür? Sie horchte. – Nein, es knarrte wohl nur die große Pappel. – Und noch einmal hub sie leise an und sprach:

›Gott grüß dich, Abendstern!
Du scheinst so hell von fern,
Über Osten, über Westen,
Über alle Krähennesten.
Ist einer zu mein Liebchen geboren,
Ist einer zu mein Liebchen erkoren,
Der komm, als er geht,
Als er steht,
In sein täglich Kleid!‹

Dann schwenkte sie den Schuh und warf ihn hinter sich. Aber sie wartete vergebens; sie hörte ihn nicht fallen. Ihr wurde seltsam zumute, das kam von ihrem Vorwitz! Welch unheimlich Ding hatte ihren Schuh gefangen, eh er den Boden erreicht hatte? – Einen Augenblick noch stand sie so; dann mit dem letzten Restchen ihres Mutes wandte sie langsam den Kopf zurück. – Da stand ein Mann in der dunklen Tür, und es war Paul; er war richtig noch einmal auf den unglücklichen Hasen ausgewesen!«

»Nein, Ellen«, sagte der Amtsrichter, »du weißt es wohl; das war er denn doch diesmal nicht; er hatte nur, wie du, auch keine Ruhe gefunden; – aber nun hielt er den kleinen Schuh des Mädchens in der Hand; und Ellen hatte sich am Herd auf einen Stuhl gesetzt, mit geschlossenen Augen, die Hände gefaltet vor sich in den Schoß gestreckt. Es war kein Zweifel mehr, daß sie sich ganz verloren gab; denn sie wußte wohl, daß der Vetter alles gehört und gesehen hatte. – Und weißt du auch noch die Worte, die er zu ihr sprach?«

»Ja, Paul, ich weiß sie noch; und es war sehr grausam und wenig edel von ihm. ›Ellen‹, sagte er, ›ist noch immer die Börse nicht für mich gemacht?‹ Doch Ellen tat ihm auch diesmal den Gefallen nicht; sie stand auf und öffnete das Fenster, daß von draußen die Nachtluft und das ganze Sterngefunkel zu ihnen in die Küche drang.«

»Aber«, unterbrach er sie, »Paul war zu ihr getreten und sie legte still den Kopf an seine Brust; und noch höre ich den süßen Ton ihrer Stimme, als sie so, in die Nacht hinausnickend, sagte: ›Gott grüß dich, Abendstern!‹«

Die Tür wurde rasch geöffnet; ein kräftiger, etwa zehnjähriger Knabe trat mit einem brennenden Licht ins Zimmer. »Vater! Mutter!« rief er, indem er die Augen mit der Hand beschattete. »Hier ist Moos und Efeu und auch noch ein Wacholderzweig!« Der Amtsrichter war aufgestanden. »Bist du da, mein Junge!« sagte er und nahm ihm die Botanisiertrommel mit den heimgebrachten Schätzen ab.

Frau Ellen aber ließ sich schweigend von dem Schreibtisch herabgleiten und schüttelte sich ein wenig wie aus Träumen. Sie legte beide Hände auf ihres Mannes Schultern und blickte ihn eine Weile voll und herzlich an. Dann nahm sie die Hand des Knaben. »Komm, Harro«, sagte sie, »wir wollen Weihnachtsgärten bauen!«

2 Unter dem Tannenbaum

Der Weihnachtsabend begann zu dämmern. – Der Amtsrichter war mit seinem Sohne auf der Rückkehr von einem Spaziergange; Frau Ellen hatte sie auf ein Stündchen fortgeschickt. Vor ihnen im Grunde lag die kleine Stadt; sie sahen deutlich, wie aus allen Schornsteinen der Rauch empor-stieg; denn dahinter am Horizont stand feuerfarben das Abendrot. – Sie sprachen von den Großeltern drüben in der alten Heimat; dann von den letzten Weihnachten, die sie dort erlebt hatten. »Und am Vorabend«, sagte der Vater, »als Knecht Ruprecht zu uns kam mit dem Bart und dem Quer-sack und der Rute in der Hand!«

»Ich wußte wohl, daß es Onkel Johannes war«, erwiderte der Knabe, »der hatte immer so etwas vor!«

»Weißt du denn auch noch die Worte, die er sprach?«

Harro sah den Vater an und schüttelte den Kopf.

»Wart nur«, sagte der Amtsrichter, »die Verse liegen zu Haus in meinem Pult; vielleicht bekomm ich's noch beisammen!«

Und nach einer Weile fuhr er fort: »Entsinne dich nur, wie erst die drei Rutenhiebe von draußen auf die Tür fielen und wie dann die rauhe borstige Gestalt mit der großen Hakennase in die Stube trat!« Dann hub er langsam und mit tiefer Stimme an:

»Von drauß' vom Walde komm ich her,
Ich muß euch sagen, es weihnachtet sehr!
Allüberall auf den Tannenspitzen
Sah ich goldene Lichtlein sitzen.
Und droben aus dem Himmelstor
Sah mit großen Augen das Christkind hervor.
Und wie ich so strolcht' durch den dichten Tann,
Da rief's mich mit heller Stimme an;
›Knecht Ruprecht‹, rief es, ›alter Gesell,
Hebe die Beine und spute dich schnell!
Die Kerzen fangen zu brennen an,
Das Himmelstor ist aufgetan,
Alt' und Junge sollen nun
Von der Jagd des Lebens einmal ruhn;
Und morgen flieg ich hinab zur Erden,
Denn es soll wieder Weihnachten werden!‹
Ich sprach: ›O, lieber Herre Christ,
Meine Reise fast zu Ende ist;
Ich soll nur noch in diese Stadt,
Wo's eitel brave Kinder hat.‹
›Hast denn das Säcklein auch bei dir?‹
Ich sprach: ›Das Säcklein, das ist hier;
Denn Apfel, Nuß und Mandelkern
Essen fromme Kinder gern!‹
›Hast denn die Rute auch bei dir?‹
Ich sprach: ›Die Rute, die ist hier!
Doch für die Kinder nur, die schlechten,
Die trifft sie auf den Teil, den rechten!‹
Christkindlein sprach: ›So ist es recht,
So geh mit Gott mein treuer Knecht!‹
Von drauß' vom Walde komm ich her;
Ich muß euch sagen, es weihnachtet sehr!
Nun sprecht, wie ich's hierinnen find?
Sind's gute Kind, sind's böse Kind?

Aber«, fuhr der Amtsrichter mit veränderter Stimme fort, »ich sagte dem Knecht Ruprecht:

> Der Junge ist von Herzen gut,
> Hat nur mitunter was trotzigen Mut!«

»Ich weiß, ich weiß!« rief Harro triumphierend; und den Finger empor-hebend, und mit listigem Ausdruck setzte er hinzu: »Dann kam so etwas!«
»Was dich in großes Geschrei brachte; denn Knecht Ruprecht schwang sei-ne Rute und sprach:

> Heißt es bei euch denn nicht mitunter:
> Nieder den Kopf und die Hosen herunter?«

»O«, sagte Harro, »ich fürchtete mich nicht; ich war nur zornig auf den Onkel!«
Über der Stadt, die sie jetzt fast erreicht hatten, stand nur noch ein fahler Schein am Himmel. Es dunkelte schon; aber es begann zu schneien; leise und emsig fielen die Flocken und der Weg schimmerte schon weiß zu ihren Füßen.
Vater und Sohn waren eine Weile schweigend nebeneinander hergegangen. – »Am Abend darauf«, hub der Amtsrichter wieder an, »brannte der letzte Weihnachtsbaum, den du gehabt hast. Es war damals eine bewegte Zeit; sogar das Zuckerwerk zwischen den Tannenzweigen war kriegerisch ge-worden: unsere ganze Armee, Soldaten zu Pferde und zu Fuß! – Von alle-dem ist nun nichts mehr übrig!« setzte er leiser und wie mit sich selbst redend hinzu.
Der Knabe schien etwas darauf erwidern zu wollen, aber ein anderes hatte plötzlich seine Gedanken in Anspruch genommen. – Es war ein großer bärtiger Mann, der vor ihnen aus einem Seitenwege auf die Landstraße herauskam. Auf der Schulter balancierte er ein langes stangenartiges Ge-päck, während er mit einem Tannenzweig, den er in der Hand hielt, bei jedem Schritt in die Luft peitschte. Wie er vorüberging, hatte Harro in der Dämmerung noch die große rote Hakennase erkannt, die unter der Pelzmütze hinausragte. Auch einen Quersack trug der Mann, der an-

scheinend mit allerhand eckigen Dingen angefüllt war. Er ging rasch vor ihnen auf.

»Knecht Ruprecht!« flüsterte der Knabe, »hebe die Beine und spute dich schnell!«

Das Gewimmel der Schneeflocken wurde dichter, sie sahen ihn noch in die Stadt hinabgehen; dann entschwand er ihren Augen; denn ihre Wohnung lag eine Strecke weiter außerhalb des Tores. »Freilich«, sagte der Amtsrichter, indem sie rüstig zuschritten, »der Alte kommt zu spät; dort unten in der Gasse leuchteten schon alle Fenster in den Schnee hinaus.«

Endlich war das Haus erreicht. Nachdem sie auf dem Flur die beschneiten Überkleider abgetan, traten sie in das Arbeitszimmer des Amtsrichters. Hier war heute der Tee serviert; die große Kugellampe brannte, alles war hell und aufgeräumt. Auf der sauberen Damastserviette stand das feinlackierte Teebrett mit den Geburtstagstassen und dem rubinroten Zuckerglase; daneben auf dem Fußboden in dem Komfort von Mahagonistäbchen mit blankem Messingeinsatz kochte der Kessel, wie es sein muß, auf gehörig durchgeglühten Torfkohlen; wie daheim einst in der großen Stube des alten Familienhauses, so dufteten auch hier in dem kleinen Stübchen die braunen Weihnachtskuchen nach dem Rezept der Urgroßmutter. – Aber während die Mutter nebenan im Wohnzimmer noch das Fest bereitete, blieben Vater und Sohn allein; kein Onkel Erich kam, ihnen feiern zu helfen. Es war doch anders als daheim.

Ein paarmal hatte Harro mit bescheidenem Finger an die Tür gepocht, und ein leises »Geduld!« der Mutter war die Antwort gewesen. Endlich trat Frau Ellen selbst herein. Lächelnd – aber ein leiser Zug von Weh war doch dabei – streckte sie ihre Hände aus und zog ihren Mann und ihren Knaben, jeden bei einer Hand, in die helle Weihnachtsstube.

Es sah freundlich genug aus. Auf dem Tische in der Mitte, zwischen zwei Reihen brennender Wachskerzen, stand das kleine Kunstwerk, das Mutter und Sohn in den Tagen vorher sich selbst geschaffen hatten, ein Garten im Geschmack des vorigen Jahrhunderts mit glattgeschorenen Hecken und dunklen Lauben; alles von Moos und verschiedenem Wintergrün zierlich zusammengestellt. Auf dem Teiche von Spiegelglas schwammen zwei weiße Schwäne; daneben vor dem chinesischen Pavillon standen kleine Herren und Damen von Papiermachee in Puder und Kontuschen. – Zu beiden

Seiten lagen die Geschenke für den Knaben; eine scharfe Lupe für die Käfersammlung, ein paar bunte Münchener Bilderbogen, die nicht fehlen durften, von Schwind und Otto Speckter; ein Buch in rotem Halbfranzband; dazwischen ein kleiner Globus in schwarzer Kapsel, augenscheinlich schon ein altes Stück. »Es war Onkel Erichs letzte Weihnachtsgabe an mich«; sagte der Amtsrichter, »nimm du es nun von mir! Es ist mir in diesen Tagen aufs Herz gefallen, daß ich ihm die Freude, die er mir als Kind gemacht, in späterer Zeit nicht einmal wieder gedankt –; nun haben sie mir den alten Herrn im letzten Herbst begraben!«

Frau Ellen legte den Arm um ihren Mann und führte ihn an den Spiegeltisch, auf dem heute die beiden silbernen Armleuchter brannten. Auch ihm hatte sie beschert; das erste aber, wonach seine Hand langte, war ein kleines Lichtbild. Seine Augen ruhten lange darauf, während Frau Ellen still zu ihm emporsah. Es war sein elterlicher Garten; dort unter dem Ahorn vor dem Lusthause standen die beiden Alten selbst, das noch dunkle volle Haar seines Vaters war deutlich zu erkennen.

Der Amtsrichter hatte sich umgewandt; es war, als suchten seine Augen etwas. Die Lichter an den Moosgärtchen brannten knisternd fort; in ihrem Schein stand der Knabe vor dem aufgeschlagenen Weihnachtsbuch. Aber droben unter der Decke des hohen Zimmers war es dunkel; der Tannenbaum fehlte, der das Licht des Festes auch dort hinaufgetragen hätte.

Da klingelte draußen im Flur die Glocke und die Haustür wurde polternd aufgerissen. »Wer ist denn das?« sagte Frau Ellen; und Harro lief zur Tür und sah hinaus.

Draußen hörten sie eine rauhe Stimme fragen: »Bin ich denn hier recht beim Herrn Amtsrichter?« Und in demselben Augenblicke wandte auch der Knabe den Kopf zurück und rief: »Knecht Ruprecht; Knecht Ruprecht!« Dann zog er Vater und Mutter mit sich aus der Tür.

Es war der große bärtige Mann, der den beiden Spaziergängern vorhin oberhalb der Stadt begegnet war; bei dem Schein des Flurlämpchens sahen sie deutlich die rote Hakennase unter der beschneiten Pelzmütze leuchten. Sein langes Gepäck hatte er gegen die Wand gelehnt. »Ich habe das hier abzugeben!« sagte er, indem er auch den schweren Quersack von der Schulter nahm.

»Von wem denn?« fragte der Amtsrichter.

»Ist mir nichts von aufgetragen worden.«

»Wollt Ihr denn nicht näher treten?«

Der Alte schüttelte den Kopf. »Ist alles schon besorgt! Habt gute Weihnacht beieinander!« Und indem er noch einmal mit der großen Nase nickte, war er schon zur Tür hinaus.

»Das ist eine Bescherung!« sagte Frau Ellen fast ein wenig schüchtern. Harro hatte die Haustür aufgerissen. Da sah er die große dunkle Gestalt schon weithin auf dem beschneiten Wege hinausschreiten.

Nun wurde die Magd herbeigerufen, deren Bescherung durch dieses Zwischenspiel bis jetzt verzögert war; und als mit ihrer Hilfe die verhüllten Dinge in das helle Weihnachtszimmer gebracht waren, kniete Frau Ellen auf dem Fußboden und begann mit ihrem Trennmesser die Nähte des großen Packens aufzulösen. Und bald fühlte sie, wie es von innen heraus sich dehnte und die immer schwächer werdenden Bande zu sprengen strebte; und als der Amtsrichter, der bisher schweigend dabeigestanden, jetzt die letzten Hüllen abgestreift hatte und es aufrecht vor sich hingestellt hielt, da war's ein ganzer mächtiger Tannenbaum, der nun nach allen Seiten seine entfesselten Zweige ausbreitete. Lange schmale Bänder von Knittergold rieselten und blitzten überall von den Spitzen durch das dunkle Grün herab; auch die Tannäpfel waren golden, die unter allen Zweigen hingen. Harro war indes nicht müßig gewesen, er hatte den Quersack aufgebunden; mit leuchtenden Augen brachte er einen flachen grünlackierten Kasten geschleppt. »Horch, es rappelt!« sagte er. »Es ist ein Schubfach darin!« Und als sie es aufgezogen, fanden sie wohl ein Schock der feinsten weißen Wachskerzchen.

»Das kommt von einem echten Weihnachtsmann«, sagte der Amtsrichter, indem er einen Zweig des Baumes herunterzog, »da sitzen schon überall die kleinen Blechlampetten!«

Aber es war nicht nur ein Schubfach in dem Kasten; es war auch obenauf ein Klötzchen mit einem Schraubengang. Der Amtsrichter wußte Bescheid in diesen Dingen; nach einigen Minuten war der Baum eingeschroben und stand fest und aufrecht, seine grüne Spitze fast bis zur Decke streckend. – Die alte Magd hatte ihre Schüssel mit Äpfeln und Pfeffernüssen stehen lassen; während die andern drei beschäftigt waren, die Wachskerzen aufzustecken, stand sie neben ihnen, ein lebendiger Kandelaber, in jeder

Hand einen brennenden Armleuchter emporhaltend. – Sie war aus der Heimat mit herübergekommen und hatte sich von allen am schwersten in den Brauch der Fremde gefunden. Auch jetzt betrachtete sie den stolzen Baum mit mißtrauischen Augen. »Die goldenen Eier sind denn doch vergessen!« sagte sie.

Der Amtsrichter sah sie lächelnd an: »Aber, Margret, die goldenen Tannäpfel sind doch schöner!«

»So, meint der Herr? Zu Hause haben wir immer die goldenen Eier gehabt.«

Darüber war nicht zu streiten; es war auch keine Zeit dazu. Harro hatte sich indessen schon wieder über den Quersack hergemacht. »Noch nicht anzünden!« rief er, »das Schwerste ist noch darin!«

Es war ein fest vernageltes hölzernes Kistchen. Aber der Amtsrichter holte Hammer und Meißel aus seinem Gerätkästchen; nach ein paar Schlägen sprang der Deckel auf und eine Fülle weißer Papierspäne quoll ihnen entgegen. – »Zuckerzeug!« rief Frau Ellen und streckte schützend ihre Hände darüber aus. »Ich wittere Marzipan! Setzt euch; ich werde auspacken!«

Und mit vorsichtiger Hand langte sie ein Stück nach dem anderen heraus und legte es auf den Tisch, das nun von Vater und Sohn aus dem umhüllenden Seidenpapier herausgewickelt wurde.

»Himbeeren!« rief Harro. »Und Erdbeeren, ein ganzer Strauß!«

»Aber siehst du es wohl?« sagte der Amtsrichter. »Es sind Walderdbeeren; so welche wachsen in den Gärten nicht.«

Dann kam, wie lebend, allerlei Geziefer; Hornisse und Hummeln und was sonst im Sonnenschein an stillen Waldplätzchen herumzusummen pflegt, zierlich aus Dragant gebildet, mit goldbestäubten Flügeln; nun eine Honigwabe – die Zellen mochten mit Likör gefüllt sein – wie sie die wilde Biene in den Stamm der hohlen Eiche baut; und jetzt ein großer Hirschkäfer, von Schokolade, mit gesperrten Zangen und ausgebreiteten Flügeldecken.

»Cervus lucanus!« rief Harro und klatschte in die Hände.

An jedem Stück war, je nach der Größe, ein lichtgrünes Seidenbändchen. Sie konnten der Lockung nicht widerstehen; sie begannen schon jetzt den Baum damit zu schmücken, während Frau Ellens Hände noch immer neue Schätze ans Licht förderten.

Bald schwebte zwischen den Immen auch eine Schar von Schmetterlingen an den Tannenspitzen; da war der Himbeerfalter, die silbergraue Daphnis und der olivenfarbige Waldargus, und wie sie alle heißen mochten, die Harro hier vergebens aufzujagen gesucht hatte. – Und immer schwerer wurden die Päckchen, die eins nach dem andern von den eifrigen Händen geöffnet wurden. Denn jetzt kam das Geschlecht des größern Geflügels; da kam der Dompfaff und der Buntspecht, ein paar Kreuzschnäbel, die im Tannenwald daheim sind; und jetzt – Frau Ellen stieß einen leichten Schrei aus – ein ganzes Nest voll kleiner schnäbelaufsperrender Vögel; und Vater und Sohn gerieten miteinander in Streit, ob es Goldhähnchen oder junge Zeisige seien, während Harro schon das kleine Heimwesen im dichtesten Tannengrün verbarg.

Noch ein Waldbewohner erschien; er mußte vom Buchenrevier herübergekommen sein; ein Eichhörnchen aus Marzipan, in halber Lebensgröße, mit erhobenem Schweif und klugen Augen. »Und nun ist's alle!« rief Frau Ellen. Aber nein, ein schweres Päckchen noch! Sie öffnete es und verbarg es dann ebenso rasch wieder in beiden Händen. »Ein Prachtstück!« rief sie. »Aber nein, Paul; ich bin edelmütiger als du; ich zeig's dir nicht!«

Der Amtsrichter ließ sich das nicht anfechten; er brach ihr die nicht gar zu ernstlich geschlossenen Hände auseinander, während sie lachend über ihn wegschaute.

»Wo ist Harro?« fragte er nach einer Weile.

Harro war eben wieder ins Zimmer getreten; aus einer Schachtel, die er mit sich brachte, nahm er eine kleine verblichene Figur und befestigte sie sorgfältig an einem Zweig des Tannenbaums. Die Eltern hatten es wohl erkannt; es war ein Stück von dem Zuckerzeug des letzten heimatlichen Weihnachtsbaums; ein Dragoner auf schwarzem Pferde in langem graublauem Mantel. Der Knabe stand davor und betrachtete es unbeweglich; seine großen blauen Augen unter der breiten Stirn wurden immer finsterer. »Vater«, sagte er endlich, und seine Stimme zitterte, »es war doch schade um unser schönes Heer! – Wenn sie es nur nicht aufgelöst hätten – ich glaube, dann wären wir wohl noch zu Hause!«

Eine lautlose Stille folgte, als der Knabe das gesprochen. Dann rief der Vater seinen Sohn und zog ihn dicht an sich heran. »Du kennst noch das alte Haus deiner Großeltern«, sagte er, »du bist vielleicht das letzte Kind

von den Unseren, das noch auf den großen übereinandergetürmten Boden-
räumen gespielt hat; denn die Stunde ist nicht mehr fern, daß es in fremde
Hand kommen wird. – Einer deiner Urahnen hat es einst für seinen Sohn
gebaut. Der junge Mann fand es fertig und ausgestattet vor, als er nach
mehrjähriger Abwesenheit in den Handelsstädten Frankreichs nach seiner
Heimat zurückkehrte. Bei seinem Tode hat er es seinen Nachkommen hin-
terlassen, und sie haben darin gewohnt als Kaufherren und Senatoren oder,
nachdem sie sich dem Studium der Rechte zugewandt hatten, als Bürger-
meister oder Syndizi ihrer Vaterstadt. Es waren angesehene und wohl-
denkende Männer, die im Lauf der Zeit ihre Kraft und ihr Vermögen auf
mannigfache Weise ihren Mitbürgern zugute kommen ließen. So waren sie
wurzelfest geworden in der Heimat. Noch in meiner Knabenzeit gab es
unter den tüchtigen Handwerkern fast keine Familie, wo nicht von den
Voreltern oder Eltern eines in den Diensten der Unserigen gestanden hätte;
sei es auf den Schiffen oder in den Fabriken oder auch im Hause selbst. –
Es waren das Verhältnisse des gegenseitigen Vertrauens; jeder rühmte
sich des andern und suchte sich des andern wert zu zeigen; wie ein Erbe
ließen es die Eltern ihren Kindern; sie kannten sich alle, über Geburt und
Tod hinaus, denn sie kannten Art und Geschlecht der Jungen, die geboren
wurden, und der Alten, die vor ihnen dagewesen waren.« – – Der Amtsrichter schwieg einen Augenblick, während der Knabe unbeweglich zu ihm
emporsah. »Aber nicht allein in die Höhe«, fuhr er fort, »auch in die Tiefe
haben deine Voreltern gebaut; zu dem steinernen Hause in der Stadt gehörte die Gruft draußen auf dem Kirchhof; denn auch die Toten sollten
noch beisammen sein. – Und seltsam, da ich des inneward, daß ich fort
mußte, mein erster Gedanke war, ich könnte dort den Platz verfehlen. – –
Ich habe sie mehr als einmal offen gesehen; das letzte Mal, als deine Urgroßmutter starb, eine Frau in hohen Jahren wie sie den Unserigen vergönnt
zu sein pflegen. – Ich vergesse den Tag nicht. Ich war hinabgestiegen und
stand unten in der Dunkelheit zwischen den Särgen, die neben und über
mir auf den eisernen Stangen ruhten; die ganze alte Zeit, eine ernste
schweigsame Gesellschaft. Neben mir war der Totengräber, ein eisgrauer
Mann. Aber einst war er jung gewesen und hatte als Kutscher, den schwarzen Pudel zwischen den Knien, die Rappen meines Großvaters gefahren. –
Er stand an einen hohen Sarg gelehnt und ließ wie liebkosend seine Hand

über das schwarze Tuch des Sargdeckels gleiten. ›Dat is min ole Herr!‹ sagte er in seinem Plattdeutsch. ›Dat weer en gude Mann!‹ – –

Mein Kind, nur dort zu Hause konnte ich solche Worte hören. Ich neigte unwillkürlich das Haupt; denn mir war, als fühlte ich den Segen der Heimat sich leibhaftig auf mich niedersenken. Ich war der Erbe dieser Toten; sie selbst waren zwar dahingegangen; aber ihre Güte und Tüchtigkeit lebte noch, und war für mich da und half mir, wo ich selber irrte, wo meine Kräfte mich verließen. – – Und auch jetzt noch, wenn ich – mir und den Meinen nicht zur Freude, aber getrieben von jenem geheimnisvollen Weh, auf kurze Zeit zurückkehrte, ich weiß es wohl, dem sich dann alle Hände dort entgegenstreckten, das war nicht ich allein.«

Er war aufgestanden und hatte einen Fensterflügel aufgestoßen. Weithin dehnte sich das Schneefeld; der Wind sauste; unter den Sternen vorüber jagten die Wolken; dorthin, wo in unsichtbarer Ferne ihre Heimat lag. –

Er legte fest den Arm um seine Frau, die ihm schweigend gefolgt war; seine lichtblauen Augen lugten scharf in die Nacht hinaus. »Dort!« sprach er leise; »ich will den Namen nicht nennen; er wird nicht gern gehört in deutschen Landen; wir wollen ihn still in unserm Herzen sprechen, wie die Juden das Wort für den Allerheiligsten.« Und er ergriff die Hand seines Kindes und preßte sie so fest, daß der Junge die Zähne zusammenbiß.

»Ein Hase!« jubelte Harro, »er hat ein Kohlblatt zwischen den Vorderpfötchen!«

Frau Ellen nickte: »Freilich, er kommt auch eben aus des alten Kirchspielvogts Garten!«

»Harro, mein Junge«, sagte der Amtsrichter, indem er drohend den Finger gegen seine Frau erhob; »versprich mir, diesen Hasen zu verspeisen, damit er gründlich aus der Welt komme!«

Das versprach Harro.

Der Baum war voll, die Zweige bogen sich; die alte Margret stöhnte, sie könne die Leuchter nicht mehr halten, sie habe gar keine Arme mehr am Leibe.

Aber es gab wieder neue Arbeit.

»Anzünden!« kommandierte der Amtsrichter; und die klein und großen Weihnachtskinder standen mit heißen Gesichtern, kletterten auf Schemel und Stühle und ließen nicht ab, bis alle Kerzen angezündet waren.

Der Baum brannte, das Zimmer war von Duft und Glanz erfüllt; es war nun wirklich Weihnachten geworden.

Ein wenig müde von der ungewohnten Anstrengung saß der Amtsrichter auf dem Sofa, nachsinnend in den gegenüberhängenden großen Wandspiegel blickend, der das Bild des brennenden Baums zurückstrahlte.

Frau Ellen, die ganz heimlich ein wenig aufzuräumen begann, wollte eben die geleerte Kiste an die Seite setzen, als sie wie in Gedanken noch einmal mit der Hand durch die Papierspäne streifte. Sie stutzte. »Unerschöpflich!« sagte sie lächelnd. – Es war ein Star von Schokolade, den sie hervorgeholt hatte. »Und, Paul«, fuhr sie fort, »er spricht!«

Sie hatte sich zu ihm auf die Sofaecke gesetzt, und beide lasen nun gemeinschaftlich den beschriebenen Zettel, den der Vogel in seinem Schnabel trug: »Einen Wald- und Weihnachtsgruß von einer dankbaren Freundin!«

»Also von ihr!« sagte der Amtsrichter. »Ihr Herz hat ein gutes Gedächtnis. Knecht Ruprecht mußte einen tüchtigen Weg zurücklegen; denn das Gut liegt fünf ganze Meilen von hier.«

Frau Ellen legte den Arm um ihres Mannes Nacken. »Nicht wahr, Paul, wir wollen auch nicht undankbar gegen die Fremde sein?«

»Oh, ich bin nicht undankbar; – aber ––«

»Was denn aber, Paul?«

»Was mögen drüben jetzt die Alten machen!«

Sie antwortete nicht darauf; sie gab ihm schweigend ihre Hand.

Noch lange standen sie und blickten dem dunkeln Zuge der Wolken nach. – Hinter ihnen im Zimmer ging lautlos die alte Magd umher und hütete sorgsamen Auges die allmählich niederbrennenden Weihnachtskerzen.

Friedrich Wolf · Lichter überm Graben

Keiner von uns Pionieren, die in jenem Winter 1916 in den Dörfern und Schützengräben vor Douai lagen, wagte sich an Germaine heran. Dieses zwanzigjährige kräftige Mädchen in den blauen Männerhosen und der kurzen Jacke der ehemaligen Bergarbeiterin war mit ihrer alten Mutter inmitten der Kohlenhalden zurückgeblieben; sie hielt sich die nicht sehr schüchternen Landser mit einer unmißverständlichen Gradheit vom Leibe. Dabei hatte sie einen Scharm, wenn sie uns den Gulasch mit Dörrgemüse aufwärmte, daß uns jedesmal allein von ihrem Anblick gefährlich heiß ums Herz wurde. Natürlich schauten auch unsere Offiziere auf Germaine. Doch wir betrachteten das Mädel als einen der Unsern, das heißt unsrer Landsergruppe, und wenn der Leutnant unseres Zuges sich zu einem Tête-à-tête anpürschte, stets war einer von uns da, der eine dringliche Meldung zu überbringen oder ein Urlaubsgesuch wegen Todesfalles vorzulegen hatte. Wir hatten damals solche Papiere auf jede Gefahr hin in Reserve.

In der Schutzgarde Germaines stand Schorsch Wirtgen, ein baumlanger, jungenhafter Bursche, an erster Stelle. Er sprach im allgemeinen soviel wie ein Kabeljau. Aber wenn Germaine die »Trois jolis tambours« sang, geriet er in Ekstase und schrie wie verwundet auf: »O Mademoiselle, je vous adore!« (was wir ihm beigebracht hatten), während er selbst unentwegt der Angebeteten Lieblingslied: »Bin von den Bergen gestiegen, wo die Lawine rollt« zum besten gab.

So lebten wir in jenem Winter zwischen den riesigen, mit leichtem Schnee bedeckten Kohlenhalden vor Douai und der Lorettohöhe, eine Woche in Ruhestellung im Dorf, eine andere vorn als Infanterie im Graben. Eines Nachts nun kam der lange Schorsch dampfend vor Erregung in den Unterstand. Er war draußen in der vordersten Sappe auf Horchposten gewesen, kaum dreißig Meter entfernt von dem Posten des französischen Stichgrabens. Und nun habe dieser Franzmann dauernd »Germaine Duvettre« gerufen. Wir foppten Schorsch, daß er zweifellos von einem Sonnenstich getroffen sei, weil das Weib seiner Wünsche ihn bis in die vorderste Sappe verfolge.

Doch dann gingen zwei von uns mit. Tatsächlich, da rief ein Franzose: »Camerade allemand, est-ce que se trouve là bas Mademoiselle Germaine Duvettre au village . . .« Ich fragte den Rufer in seiner Sprache, wer er denn sei?

»Der Freund von Germaine! Pierre, der Freund!«

»Sei still! Laß dein Gewehr dort! Und komm ans Drahtverhau zu uns!«

Er trat aus dem Stichgraben, ohne Waffe, und ging im weißen Dämmer der dünnen Schneedecke über die zwanzig Meter Niemandsland zu unserem Verhau. Der lange Schorsch und ich stiegen ebenfalls aufs Feld. Wir ließen uns Germaine beschreiben. Es stimmte alles haargenau. Schorsch aber wurde plötzlich wortgewaltig wie ein Staatsanwalt. Ich mußte ihm alle Antworten Pierres – eines kleinen, stämmigen, etwa fünfundzwanzigjährigen Poilus – übersetzen. Wobei Schorsch bei der Beschreibung von Germaines Statur sein Veto einlegte, als ich Pierres »bien potelée« in »gut gewachsen« oder »vollbusig« übertrug; denn sie sei »herrlich schlank«. Doch schließlich wurde Germaines Signalement anerkannt.

Was aber war zu tun?

Pierre bat um nicht mehr und nicht weniger, als daß wir seine Braut, die ja kein Militär sei, ihm zuführten. Wir erklärten ihm, wir müßten das mit unseren Kameraden zuerst besprechen. Er solle nächste Nacht wieder in der Sappe sein. Pierre versprach uns Himmel und Hölle für die Übergabe seiner Braut. Das ließ uns aufhorchen. Denn Germaine war auch für unser Wohlbefinden ein Wertobjekt. Pierre steigerte, da wir nachdenklich schwiegen, sein Angebot: Brüsseler Büchsenschinken, Tabak, warme Socken . . .

Wir waren schon wieder auf dem Weg zum Graben, da hörten wir noch: »Des saucisses de Francfort . . .«

»Was sagt der Hund?« fragte mich Schorsch dumpf.

»Er gibt uns noch Frankfurter Würstchen.«

Unsere Gruppe im Unterstand beriet die ganze Nacht. So einfach war die Sache nun nicht. In zwei Tagen zur Weihnacht wurden wir abgelöst. Zum Glück stellte unsere Gruppe den Postholer der Kompanie. Dieser also mußte Germaine abends in der Dunkelheit heranbringen. Die rechte Anschlußgruppe im Graben mußte verständigt werden, das heißt, sie mußte an dem Austauschpreis beteiligt werden, das heißt, wir mußten die von Pierre zu liefernde Tabakration auf sechzehn Mann aufteilen, schon damit alle dichthielten. Auf dieser Basis verhandelten wir die kommende Nacht mit Pierre, der ebenfalls einen Kameraden als Zeugen mitgebracht hatte.

Am nächsten Morgen kam mit unserem Postabholer ein anderer Soldat im Landsermantel und mit Schneehaube überm Kopf. Es war Germaine. Sie wurde in unserm Unterstand in einer Ecke unter Decken verstaut. Schorsch saß im Stroh und spielte leise: »Bin von den Bergen gestiegen«. Er verlor ja eine Braut – eine Seelenbraut.

Und dann kam der große Moment. Schorsch und ich, wir brachten Germaine nach vorn. Die Sappe führte unter unserem Drahtverhau hindurch ins Freie. Der Weg wurde uns nicht leicht. Gebückt schlichen wir dahin. Dann aber traten wir ins Niemandsland, das totenstill im fahlen Schneedämmer dalag. Es war eine völlig windlose Nacht.

Auf einmal sprang eine Gestalt aus der französischen Sappe. Pierre riß Germaine an sich. Wir zwei Deutsche rührten uns nicht. Alles war ganz unwirklich. Da stürzte Pierre auch auf uns beide, umarmte und küßte uns.

Wir hörten nur immer wieder: »Camerades! Camerades!« und nun küßte uns auch Germaine, auf die Backen, auf den Mund, ihre Hände strichen über unser Gesicht. Ein zweiter Franzose war aus der Sappe gekommen. Auch er umarmte uns.

»Adieu, mes amis!« sagte Germaine.

»Au revoir, Germaine! Bonne chance!« sagte ich.

Schorsch sprach kein Wort. Er sprang wieder in die Sappe hinunter. Ich folgte ihm. Da kam der zweite Franzose uns nach: »Camerades!« Er reichte uns ein schweres Paket hinab. Mein Gott! Das Wichtigste hatten wir in der Aufregung vergessen!

Das war eine Nacht in unserem Unterstand und in dem der Nachbargruppe. Wahrhaftig, die Franzosen hatten sich nicht lumpen lassen: Rotwein, Schinken, Würstchen, Schokolade, Tabak, Zigaretten! Wir tranken und sangen und ließen Germaine leben.

Plötzlich kam einer auf den Gedanken – wohl nach dem starken und würzigen Rotwein –, wir sollten draußen Lichter anstecken. Jeder hatte in seinem Weihnachtspaket von daheim ein Päckchen Kerzen erhalten. Bäume gab's allerdings weit und breit nicht mehr in dem Trichtergelände.

So steckten wir die Kerzen einfach auf die Spitzen des Stacheldrahtes. In der windstillen Nacht brannten sie mit einer seltsamen geraden Flamme.

Die Grabenposten kamen zu uns: Was denn los sei? Aber dann gaben sie weiter, man solle keinen Lärm machen! Wenn die Franzosen nicht schössen, könnten die Lichter ruhig bleiben. Unsere Kerzen brannten bald herunter. Indes die Sache machte Schule. Überall flammten jetzt kleine Lichter über den Gräben auf . . . die ganze Linie entlang.

Es schien, als tanzten die Flämmchen auf dem Stacheldraht.

Jetzt sah man auch drüben über den französischen Gräben Lichter aufflammen, nicht so viel wie bei uns, da die Franzosen ja nicht Weihnachten, sondern Neujahr groß feiern. Aber doch waren es Lichter wie Antwortsignale.

Und wir in unserem Unterstand schmausten, sprachen und sangen bis zum Morgengrauen. Nur der lange Schorsch lag still und schweigsam in der Ecke im Stroh, wo am Abend Germaine gelegen.

Übrigens fiel diese Nacht und auch den nächsten Tag an unserm Frontabschnitt kein Schuß. Dann wurde mit unserer Ablösung auch die rückwärtige Artillerie herausgezogen. Und erst als die neuen Batterien in Stellung gegangen waren und sich kräftig eingeschossen hatten, wofür sie den Segen der französischen Batterien erhielten, konnte in diesem Abschnitt der Krieg wieder seinen geordneten Fortgang nehmen.

Rudolf Otto Wiemer · Die Reise nach Bethlehem

Bredelem heißt unser Ort. Er kann nichts dafür, daß er so heißt, auch wenn es mitunter aussieht, als wollten die Leute uns deshalb verspotten. »Machen wir mal eine Reise nach Bethlehem!« sagen sie. Ein Spaß, nichts weiter, aber damals, als die Geschichte mit Mausche Grendel passierte, mußte man vorsichtig sein mit Späßen. Lehrer Fricke jedenfalls wurde stets giftig und sagte, wir sollten es nicht dulden, wenn jemand unserem Ort etwas anhängen will.

Wir nickten, weil wir immer nickten bei Lehrer Fricke; sonst hatten wir nichts gegen Bethlehem. Es war uns auch gleich, worüber die Erwachsenen Späße machten. Wir klopften Pfeifen aus Holunder. Wir fingen Stichlinge mit dem Kescher. Dann ließen wir Drachen steigen. Dann rauchten wir heimlich Hopfenstengel. Dann schneeballerten wir. Dann schnitten wir wieder Holunder und klopften Pfeifen. Dann machten wir den Schulausflug zur Dobeler Burg, im Juni, die ganze Schule, zwanzig Jungen und siebzehn Mädchen.

Jedes Jahr fuhren wir mit dem Bus zur Dobeler Burg, wenn dort auch nur ein Turm, ein paar schiefe Mauern und ein Kellergewölbe zu sehen sind. Aber Lehrer Fricke sagte, das wäre eine stolze Vergangenheit. Wir nickten und zählten die Stufen. Sechsundachtzig waren es. Und ganz unten gab es ein Verlies mit Spinnweben und Ratten, wo es nach verfaultem Stroh roch. »Da haben die Kaufleute dringesessen«, sagte Herr Fricke, »und geschmachtet, bis das Lösegeld kam. Wenn es nicht kam, mußten sie verhungern.« Wir machten große Augen. So etwas geschieht heute ja nicht mehr, doch es ist angenehm gruselig zu hören. Und Herr Fricke sagte: »Andere Zeiten, andere Sitten.«

Hinter der Burg war eine hölzerne Bude, wo es Bonbons und Limonade zu kaufen gab. Herr Fricke trank da meist ein Helles und wickelte die Wurststullen aus. Er hatte einen kleinen Schnurrbart auf der Oberlippe und trug Marschstiefel, weil er seit kurzem bei der SA war. Davon erzählte er oft. Wie forsch es da zuging und wie sie einen Gepäckmarsch gemacht haben, zwölf Kilometer von Bredelem weg und zwölf zurück, mit vier Backsteinen im Tornister. Und es war so heiß, daß der Schweiß aus den Uniformärmeln tropfte, aber keiner hat gemuckt. Und wir, sagte Herr Fricke spöttisch, deutsche Jungen wollten wir sein und im Bus fahren zur Dobeler Burg? Haha!

Es war aber stets so gewesen, daß wir mit dem Bus fuhren. Wir liefen dann den Burgberg hoch. Wir spielten Raubritter und Kaufmann, die Mädchen hüpften oder hatten einen Ball. Und wenn wir genug gespielt hatten und das Bierglas leer war, zog Herr Fricke eine Trillerpfeife aus der Tasche und ließ uns antreten. Er gab scharfe Kommandos, dann marschierten wir in Dreierreihen zum Schwimmbad, das eine knappe Stunde hinter der Burg auf einer Wiese lag, bei Groß-Dobeln. Dort holte uns der Bus ab. Wir sangen, wir lutschten Bonbons und fuhren nach Hause.

Herr Fricke bezahlte das alles aus der Reisekasse. Sogar die Limonade bezahlte er, nur die Bonbons nicht. Weil das den Zähnen schadet, sagte er. Und er war sehr stolz auf die Reisekasse, denn sie ist eine eigene Erfindung gewesen. Niemand brauchte etwas einzuzahlen. Trotzdem war stets, wenn wir zur Dobeler Burg fuhren, genausoviel Geld drin, wie es kostete. Das klingt nach Zauberei, es ist aber leicht zu erklären. Wir führten nämlich jedes Jahr zu Weihnachten ein Theaterstück auf, das ist ebenfalls eine Erfindung von Herrn Fricke gewesen. Er hatte es gedichtet, als er noch nicht in der SA war: von Maria und Josef, von den Hirten und von den Weisen aus dem Morgenland und den Engeln. Vorläufig will ich aber nur sagen, daß es ein schönes Theaterstück war und daß wir kurz nach Bußtag damit anfingen. Das meiste konnten wir schon vom Vorjahr auswendig. Klaus Schöpke zum Beispiel war der Herodes, weil er Stimmbruch hatte und fast so tief sprechen konnte wie Herr Fricke. Renate Schüddekopp spielte die Maria, Glombitza einen Hirten. Udo Voß, weil er groß und dürr war, mußte der Josef sein. Die Mädchen waren natürlich Engel. Und ich der Mohrenkönig. Ich schmierte mir das Gesicht mit Ofenruß schwarz und schnitt eine Krone aus Seifenkarton, die bemalte ich mit Goldbronze.

Die Aufführung fand stets zwei Tage vor Heiligabend im »Weißen Roß« statt. Es war proppenvoll, das freute uns, denn jeder, der es sehen wollte, mußte fünfzig Pfennig Eintritt bezahlen. Das taten die Leute auch, hauptsächlich weil Mausche Grendels Esel mitspielte. Es gab da öfter etwas zu lachen, wenn der Esel zum Beispiel was fallen ließ oder wenn er die Vorderbeine gegen die Bretter stemmte. Maria, die auf dem Esel saß, mußte ihm dann, so hatte Mausche gesagt, den Hals klopfen. Auf diese Art besann sich der Esel. Er trottete weiter zu Willi Teuteberg, dem dritten Wirt, der so leise sprach, daß Herr Fricke den Text meist aus der Kulisse rufen mußte: »Weiß nicht, wo ich euch aufnehmen soll, alle Kammern sind mir von Gästen voll, habe nur noch, daß Gott erbarm, einen Stall dunkel und niedrig und arm«, oder so ähnlich.

Der Esel, sobald er etwas vom Stall hörte, stellte die Ohren aufrecht. Mitunter stieß er auch einen Schrei aus. Deswegen hauptsächlich kamen die Leute und bezahlten. Unser Dorf ist ja klein, es hat nicht mal ein Kino, und man kriegt sonst nicht viel zu sehen, wenigstens damals nicht, als wir unsere Ausflüge zur Dobeler Burg machten. Immerhin, das Geld für die Reisekasse kam reichlich zusammen. Lehrer Fricke rechnete es an der Tafel aus. Zuletzt sagte er: »Tja, wenn wir Mausche Grendels Esel nicht hätten!« Damit hatte er recht, denn die Geschichte von Maria und Josef, da ist nicht viel Neues dran, man kennt sie. Aber der Esel, der war sehenswert.

Er hieß Bileam, glaube ich. Er hatte ein zotteliges, zernarbtes Fell und wässerige Augen. Vielleicht ist er schon alt gewesen, doch das war sein Herr auch.

Mausche Grendel verkaufte Schnürsenkel, Zwirn, Strümpfe, Wollgarn, Sicherheitsnadeln, Bleistifte, Radiergummi, Malbücher, Seife, Parfüm, lauter Kleinkram. Man hätte es ebensogut im Dorfladen kaufen können, aber bei Mausche Grendel war alles ein paar Pfennige billiger. Außerdem kriegte man, wenn man für eine Mark kaufte, einen Ring geschenkt, einen Fingerring mit grünem oder rotem Stein. Und vor Weihnachten hatte er natürlich auch Engelshaar, Schneewatte, Lametta, Glaskugeln, Wunderkerzen und Rauschgoldsterne. Mausche machte kein schlechtes Geschäft, sehr zum Ärger des Kaufmanns, der sagte, es wäre alles Schund, man sollte zu ihm kommen, da hätten wir reelle Ware. Wir gingen aber lieber zu Mausche.

Er stand mit seinem Wägelchen bei Ebecke unten im Dorf, und der Esel stand in Ebeckes Scheune. Er war am Pflock festgebunden und streckte den Kopf zwischen den Balken durch. Meist schneite es, oder es regnete, dann blickte uns der Esel noch trauriger an.

»Ist müde, das Eselche«, sagte Mausche.

Er füllte die Tüte mit Pfeffernüssen und zwinkerte, indem er die rechte Augenbraue hochzog.

Mausche Grendel hatte ein zerknittertes, blasses Gesicht. Über den Schläfen kräuselten sich Büschel pechschwarzer Haare. Auch seine Brauen, in denen der Schnee hing, waren schwarz. Er trug Schaftstiefel wie Lehrer Fricke, nur waren sie längst nicht so neu und blank gewichst. Der Mantel, an dem zwei Knöpfe fehlten, hing schlottrig an ihm herunter. Nachts, sagten die Leute, wickelt er sich in den Mantel und legt sich neben dem Esel Bileam ins Stroh. Deswegen sah man meist Halme oder Spelzen am Mantel haften, aber das machte Mausche Grendel nichts aus. Er hatte, sagten die Leute, keine Frau mehr, die auf ihn achten konnte. Nur eine Tochter, die war krank. Wer sollte ihm da den Mantel bürsten und die Knöpfe annähen? Aber er hatte sie sehr gern, die Tochter. Und den Esel fast ebenso gern.

Vielleicht war Mausche sogar stolz darauf, daß der Esel in unserem Stück mitspielen durfte. Es sah prächtig aus, wenn Renate Schüddekopp in ihrem blauen Mantel dahergeritten kam. Mausche stand dann hinten im Saal und gab acht, daß der Esel nichts verpatzte. Und sooft man den Bileam lobte, zwinkerte der Alte und sagte: »O bitte särr! Is a gutts Eselche! A gutts Eselche!« Das zerknitterte Gesicht wurde dann glatt und glänzend, und er wollte keine Entschädigung annehmen, nein, nichts, keinen Pfennig, nicht mal ein Schnäpschen.

»Ist ja eine Ehre«, sagte er, die Hände hebend, »eine große Ehre! Bitt scheen, die Herrschaften, das macht der Bileam umsonstig!«

Alljährlich richtete Mausche es so ein, daß er kurz vor Heiligabend in unser Dorf kam. Wir warteten schon tagelang auf ihn und gingen an die Westerbecker Kreuzung hinauf, wo man die Straße bis an den Wald überblicken kann. Und sobald Mausche Grendel mit dem Wägelchen unten in der Waldschneise auftauchte, liefen wir ihm entgegen, nahmen ihm die Zügel aus der Hand und schoben das Wägelchen so rasch vorwärts, daß der Esel sich erstaunt umsah. Mausche lachte und wischte sich den Schweiß ab: »So gut mecht er's halt immer haben, der Graue!«

Noch ehe wir ins Dorf zogen, lief einer voraus und meldete Lehrer Fricke: »Der Esel ist da!«

Herr Fricke hatte sich womöglich schon Sorgen gemacht, ob Mausche nicht etwa krank wäre. Man weiß ja, wie unverhofft es kommen kann.

In dem Jahr allerdings, von dem ich erzählen will, es war das Jahr, als Lehrer Fricke die Marschstiefel anzog und manchmal mit braunen geschweiften Hosen in die Schule kam und mit einem Koppel um den Bauch, da machte er sich keine Sorgen um Mausche Grendel. Wenn wir ihn fragten, ob es nicht bald Zeit wäre, zuckte er die Achseln. Und Schöpke Herodes, der einen vorlauten Mund hat, als der sagte: »Ohne den Esel spielen wir nicht«, da wurde Herr Fricke giftig, was jetzt öfter vorkam, und er schrie, wir sollten es bleibenlassen.

»Die Geschichte ist sowieso nicht zeitgemäß«, sagte er etwas ruhiger; es täte ihm fast leid, daß er so etwas geschrieben hat, aber man ist ja früher blind gewesen, jetzt ist das nicht mehr der Fall, jetzt durchschaut man die Sache.

Wir wußten nicht genau, wie Lehrer Fricke das meinte. Es war kein Spaß, soviel sahen wir ihm an. Er reckte die Schultern und ging stramm in der Klasse auf und ab, daß die Dielen knarrten. Und Schöpke Herodes, der noch etwas sagen wollte, bekam von Glombitza, dem Hirten, einen Wink, er solle bloß still sein, damit Lehrer Fricke nicht noch mehr böse wird und uns das Doppelte aufgibt an Schularbeiten.

Natürlich gingen wir an die Westerbecker Kreuzung. Es schneite, wir konnten nicht weit sehen. Aber als wir eine halbe Stunde Schneebälle gegen den Telegrafenmast geworfen hatten, daß er von oben bis unten gesprenkelt war, hörte es auf zu schneien. Ein Schwarm Krähen flog über uns weg, es war nachmittags gegen halb vier, fast dämmerig, da sagte Udo Voß: »Dort kommt was.«

Wir starrten gegen die Waldschneise. Die Straße war weiß, der Wald auch weiß, aber nur auf der Windseite. Auf der anderen Seite war er dunkelgrün, fast schwarz. Und dort, zwischen dem Schwarzen und Weißen, da sahen wir etwas sich bewegen, langsam, viel langsamer als sonst.

»Ein Wagen«, sagte Glombitza.

Wir kniffen die Augen zusammen. Ein Wagen, jawohl, aber kein Esel. Wir rannten die Straße hinunter. Jetzt sahen wir, daß Mausche einen Riemen quer über Brust und Schultern trug, und dieser Riemen war an der Achse des Wägelchens befestigt.

Mausche lächelte dünn, als er uns gewahrte. Er nahm den Hut ab und wischte den Schweiß von der Stirn. Die Haare waren verklebt vor Nässe, das Gesicht schmal und spitznäsig. Es war der gleiche Mausche wie sonst, und doch sah er anders aus.

»Wo ist der Esel?« Mausche hob die Hände; er versuchte zu zwinkern, aber es ging nicht. »Sie haben ihn doch nicht verkauft?«

Der feuchte filzige Mantel Mausches war fast noch länger und schlottriger geworden. Niemand hatte ihm die fehlenden Knöpfe angenäht. Von Zeit zu Zeit blieb der Alte stehen. Er sprach kein Wort.

»Wie geht es der Tochter?« fragte Glombitza. Er fragte vielleicht nur, damit der Alte merken sollte, daß wir nichts vergessen hatten.

»Tot«, sagte Mausche. Er blickte uns groß an. »Hat nicht mehr wollen läbben, das Töchterche. Aber der Mausche, der muß. Der muß läbben.«

Er schüttelte verzweifelt den Kopf. Es war ja auch schwer zu verstehen, daß die junge Tochter sterben mußte, und der alte Mausche, der mußte leben. Er setzte den Hut auf und stemmte sich gegen den Riemen.

Wir schoben das Wägelchen den Berg hinauf. Es ging ganz leicht für Mausche Grendel. Er freute sich, trotz seines Kummers, daß wir ihn abgeholt hatten. Unterwegs hörten wir, daß er den Esel verkauft hatte, an einen Fabrikanten, der ihn den Kindern zu Weihnachten schenken wollte, damit sie darauf reiten könnten. Der Fabrikant war nach Mausches Beschreibung ein freundlicher Herr. Er hatte mehr als das Doppelte geboten, man kriegte ja nirgends Esel. Und dem Bileam ging es gut dort. Er konnte fressen, soviel er wollte. Und Mausche konnte die Begräbniskosten bezahlen. Ein paar Mark hatte er sogar übrig. Die kamen in die Reisekasse.

Wie? Hatte Mausche Grendel auch eine Reisekasse?

»Wollen Sie denn weg?« fragte Udo Voß.

Der Alte tat, als hätte er die Frage nicht gehört. Überhaupt hatte er, wie es uns vorkam, ein seltsames Wesen. Er blickte mitunter scheu von einem zum anderen. Er zuckte, wenn man ihn anredete. Es war, als hätte er Angst zu lächeln. Er schämte sich womöglich, weil er uns darum gebracht hatte, mit dem Esel auf der Bühne großzutun.

Kaum trauten wir uns, Herrn Fricke die Ankunft Mausche Grendels zu melden. Es ginge ihm nicht besonders, sagten wir. Er wolle den Handel aufstecken und verreisen.

»Soll er«, sagte Lehrer Fricke. »Soll bloß abhauen, der Mausche. Möglichst bald. Und weit weg. Am besten nach Bethlehem.«

Wir dachten, das wäre Spaß. Deshalb sagte Glombitza: »Aber er macht doch jedes Jahr die Reise nach Bethlehem! Zu uns, ins Dorf!«

Lehrer Fricke drehte sich wütend um. »Ich meine natürlich das richtige Bethlehem! Das, wohin die Meschpoke gehört!«

Nach dem Esel hatte er überhaupt nicht gefragt. Wir blickten auf seine Stiefel und schwiegen.

Mausche schlief, wie immer, in Ebeckes Scheune. Das heißt, Ebecke sagte, er wolle es nicht erlauben; aber wenn es trotzdem so wäre, wüßte er von nichts. Mausche machte keinen Besuch bei Ebecke, wie er es sonst immer getan hatte.

Am nächsten Tag gingen wir zu ihm, Glombitza und ich. Wir holten uns Wunderkerzen und Schnürsenkel. Doch Renate Schüddekopp sagte, ihre Mutter hätte es verboten. »Bei Mausche kauft man nicht«, sagte sie.

Wir kamen uns fast so vor, als hätten wir gestohlen, zumal der Kaufmann grüne Zettel mit Sternen in die Häuser schickte, darauf stand, daß es immer noch Einwohner gäbe, die ihre Ehre um ein paar Pfennige verleugnen, und diejenigen, welche das täten, sollten hiermit gewarnt sein.

Bald war es so weit, daß Mausche allein vor seinem Wägelchen hockte. Von Tag zu Tag ließ er den Kopf tiefer hängen.

Ich stand hinter Ebeckes Scheune und beobachtete ihn. Er blickte die leere Dorfstraße hinauf. Er ging um das Wägelchen herum und stampfte mit den Stiefeln. Es fing sanft zu schneien an. Mausche hauchte in die Hände. Dann steckte er die Hände in die Manteltaschen. Mitunter blickte er zur Scheune hinüber. Er mochte sich daran erinnern, daß Bileam dort den Kopf zwischen den Balken hervorgestreckt hatte. Jetzt war nur gelbes Stroh zu sehen. Ein Brett war quer über die Luke genagelt. Auf dem Dach saßen zwei Tauben, die strichen klatschend ab, als ein Schneeball von der Straße her durch die Luft sauste. Er traf Mausche Grendel vor die linke Brust, auf den Mantel. Es sah aus, als hätte Mausche sich dort einen Orden angesteckt.

»Na, na«, sagte er kopfschüttelnd.

Da ging ich zu ihm und kaufte zwei Schachteln Engelshaar.

Er starrte mich furchtsam an, weil ich von hinten, von der Scheune her, kam. Als ich weggehen wollte, hielt er mich beim Rockärmel fest.

»Wer hat geworfen? Weißt du?« Er deutete auf den Schneefleck am Mantel. Ich wollte ihm nicht sagen, daß es Schöpke Herodes gewesen war, der jetzt am lautesten auf Mausche schimpfte, weil er den Esel nicht mitgebracht hatte. Auch sonst hatte er an Mausche allerlei auszusetzen. »Er will uns übers Ohr hauen«, sagte er. »Wir sind aber nicht so dumm und fallen darauf herein.«

»Willst einen Ring?« fragte Mausche.

Ich schüttelte den Kopf.

Mausche blickte mich argwöhnisch an. Der Schein der Karbidlampe warf einen messerscharfen Schatten in sein Gesicht. Die Backen waren hohl und feucht. Es mochte Schnee sein, der darauf taute.

»Nimm schon«, sagte er. »E scheener Ring, sieh doch!«

Ich sah, wie Mausches Hand zitterte.

»Wollen Sie wirklich verreisen?« fragte ich.

Mausche nickte.

Ich nahm den Ring, steckte ihn in die Tasche und fragte: »Nach Bethlehem?«

Mausche blickte mich von der Seite an. Er fürchtete offenbar, ich wolle mich über ihn lustig machen.

»Schwätz nicht«, sagte er barsch und schob, weil es stärker schneite, die Wagenplane über das Brett, auf dem er den Flitterkram zum Verkauf ausgelegt hatte. »So viel Geld«, sagte er, »hat der Mausche nicht, daß er mecht kommen bis Bethlehem.«

»Und die Reisekasse?«

Mausche lächelte verlegen. »I, das mecht vielleicht reichen fier weniger. Die Reise zum Töchterche, weißt?«

Ich sagte, ich wollte außer dem Engelshaar auch Lametta haben. Mir war eingefallen, daß ich noch Geld in der Hosentasche hatte.

Mausche gab mir Lametta. Er zwinkerte wie in alten Zeiten. »Das schenkt dir der Mausche. Damit du wirst denken an ihn, wenn er wird sein unterwegs, auf der Reise. Willst du?«

Er hob die Schultern, daß der Kopf fast im Mantelkragen verschwand. Dann ließ er die Schultern wieder herabfallen und wendete sich ab.

»Heute abend«, sagte ich, um ihn aufzumuntern, »Sie kommen doch ins Gasthaus? Zuschauen?«

»Nein. Man wird nicht hereinlassen den alten Grendel.«

Ich verdrückte mich, weil ich glaubte, ich hätte Renate Schüddekopp auf der Straße gesehen.

»Wetten«, sagte Schöpke Herodes, als es soweit war. Er zog sich gerade den roten Mantel an.

»Was – wetten?«

»Daß er sich nicht traut!«

Mausche Grendel kam aber doch. Wir linsten durch den Vorhang. Er stand wahrhaftig im Saal, seitlich, ins Dunkle gedrückt.

»Unverschämt«, sagte Schöpke Herodes.

Ich sah, wie Mausche das Taschentuch aus dem Mantel zog und die Stirn abwischte. Der Wirt hatte gut eingeheizt, weil Lehrer Fricke stets besorgt ist, die Engel in ihren dünnen Kleidern möchten sich erkälten.

Der Saal war nicht so proppenvoll wie sonst. Man sah ein paar Reihen leere Stühle. Glombitza sagte: »Nur weil der Esel nicht da ist.« Und Udo Voß, der den schönen langen Josefsbart hinter den Ohren befestigte, sagte, das nächste Mal müßten wir marschieren zur Dobeler Burg, weil nicht genug Geld einkommt für den Bus.

Ich drehte mich um. Schöpke Herodes flüsterte aufgeregt mit Lehrer Fricke. Herr Fricke sah aus, als müßte er etwas unternehmen. Er strich über das Bärtchen. Das tat er immer, wenn er anfing, giftig zu werden.

Ich hatte mir inzwischen das Gesicht schwarz gemacht. Ich setzte die Krone auf, die ich aus dem Seifenkarton geschnitten hatte. Maria stand in ihrem blauen Mantel neben Udo Voß. Beide warteten auf Herrn Frickes Zeichen, damit sie sich auf die Reise machen könnten, diesmal zu Fuß. Udo Voß sagte: »Wir haben ja junge Beine.« Und weil er dabei nach Renate Schüddekopps Beinen schielte, mußten wir lachen, die Hirten, die Könige, auch ein paar Engel.

Da hörte ich Schritte. Energische Stiefelschritte, dicht neben mir. Dann eine Stimme. Herr Fricke konnte manchmal so reden, wenn er uns 'runtermachte.

Jetzt sagte er: »Wie ich erfahre, befindet sich jemand im Saal, der hier fehl am Platze ist.«

Und eine andere Stimme unter den Zuschauern, ich glaube, es war der Sohn des Kaufmanns, rief noch etwas, was ich nicht verstand.

Es war eine Weile still. Dann hörte man einen leisen, schleppenden Schritt. Die Tür klappte. Und wir fingen an.

Als das Spiel zu Ende war und wir alle vor der Krippe gekniet hatten, rannte ich aus dem Saal, so wie ich war, mit Ofenruß und Krone.

Ich kam zu Ebeckes Scheune. Wo Mausche Grendels Wagen gestanden hatte, war ein dunkler Fleck, den der Schnee mehr und mehr verdeckte. Eine Räderspur, gerade noch zu erkennen, führte zum Dorf hinaus.

Ich sah nichts als wirbelnde Flocken, doch ich glaubte zu sehen, wie Mausche sich gegen den Riemen stemmte, wie er den Wagen zog, Schritt für Schritt, wie er keuchte, wie er stehenblieb und sich ängstlich umblickte, als kämen die Marschstiefel hinter ihm her.

Bethlehem, dachte ich. Ob er wirklich unterwegs war? Vom falschen Bethlehem ins richtige Bethlehem? Oder wohin fuhr Mausche Grendel?

»Ein prächtiger König warst du«, sagte die Mutter, als ich heimkam.

Ich schwieg. Rasch ging ich in die Kammer, legte die Krone weg und wusch mir die Schwärze aus dem Gesicht.

Heinrich Böll · Nicht nur zur Weihnachtszeit

I

In unserer Verwandtschaft machen sich Verfallserscheinungen bemerkbar, die man eine Zeitlang stillschweigend zu übergehen sich bemühte, deren Gefahr ins Auge zu blicken man nun aber entschlossen ist. Noch wage ich nicht, das Wort Zusammenbruch anzuwenden, aber die beunruhigenden Tatsachen häufen sich derart, daß sie eine Gefahr bedeuten und mich zwingen, von Dingen zu berichten, die den Ohren der Zeitgenossen zwar befremdlich klingen werden, deren Realität aber niemand bestreiten kann. Schimmelpilze der Zersetzung haben sich unter der ebenso dicken wie harten Kruste der Anständigkeit eingenistet, Kolonien tödlicher Schmarotzer, die das Ende der Unbescholtenheit einer ganzen Sippe ankündigen. Heute müssen wir es bedauern, die Stimme unseres Vetters Franz überhört zu haben, der schon früh begann, auf die schrecklichen Folgen aufmerksam zu machen, die ein »an sich« harmloses Ereignis haben werde. Dieses Ereignis selbst war so geringfügig, daß uns das Ausmaß der Folgen nun erschreckt. Franz hat schon früh gewarnt. Leider genoß er zu wenig Reputation. Er hat einen Beruf erwählt, der in unserer gesamten Verwandtschaft bisher nicht vorgekommen ist, auch nicht hätte vorkommen dürfen: er ist Boxer geworden. Schon in seiner Jugend schwermütig und von einer Frömmigkeit, die immer als »inbrünstiges Getue« bezeichnet wurde, ging er früh auf Bahnen, die meinen Onkel Franz – diesem herzensguten Menschen – Kummer bereiteten. Er liebte es, sich der Schulpflicht in einem Ausmaß zu entziehen, das nicht mehr als normal bezeichnet werden kann. Er traf sich mit fragwürdigen Kumpanen in abgelegenen Parks und dichten Gebüschen vorstädtischen Charakters. Dort übten sie die harten Regeln des Faustkampfes, ohne sich bekümmert darum zu zeigen, daß das humanistische Erbe vernachlässigt wurde. Diese Burschen zeigten schon früh die Untugenden ihrer Generation, von der sich ja inzwischen herausgestellt hat, daß sie nicht taugt. Die erregenden Geisteskämpfe früherer Jahrhunderte interessierten sie nicht, zu sehr waren sie mit den fragwürdigen Aufregungen ihres eigenen Jahrhunderts beschäftigt. Zunächst schien mir,

Franzens Frömmigkeit stehe im Gegensatz zu diesen regelmäßigen Übungen in passiver und aktiver Brutalität. Doch heute beginne ich manches zu ahnen. Ich werde darauf zurückkommen müssen.

Franz also war es, der schon frühzeitig warnte, der sich von der Teilnahme an gewissen Feiern ausschloß, das Ganze als Getue und Unfug bezeichnete, sich vor allem später weigerte, an Maßnahmen teilzunehmen, die zur Erhaltung dessen, war er Unfug nannte, sich als erforderlich erwiesen. Doch – wie gesagt – besaß er zu wenig Reputation, um in der Verwandtschaft Gehör zu finden.

Jetzt allerdings sind die Dinge in einer Weise ins Kraut geschossen, daß wir ratlos dastehen, nicht wissend, wie wir ihnen Einhalt gebieten sollen. Franz ist längst ein berühmter Faustkämpfer geworden, doch weist er heute das Lob, das ihm in der Familie gespendet wird, mit derselben Gleichgültigkeit zurück, mit der er sich damals jede Kritik verbat.

Sein Bruder aber – mein Vetter Johannes –, ein Mensch, für den ich jederzeit meine Hand ins Feuer gelegt hätte, dieser erfolgreiche Rechtsanwalt, Lieblingssohn meines Onkels – Johannes soll sich der kommunistischen Partei genähert haben, ein Gerücht, das zu glauben ich mich hartnäckig weigere. Meine Kusine Lucie, bisher eine normale Frau, soll sich nächtlicherweise in anrüchigen Lokalen, von ihrem hilflosen Gatten begleitet, Tänzen hingeben, für die ich kein anderes Beiwort als existentialistisch finden kann, Onkel Franz selbst, dieser herzensgute Mensch, soll geäußert haben, er sei lebensmüde, er, der in der gesamten Verwandtschaft als ein Muster an Vitalität galt und als ein Vorbild dessen, was man uns einen christlichen Kaufmann zu nennen gelehrt hat.

Arztrechnungen häufen sich, Psychiater, Seelentestler werden einberufen. Einzig meine Tante Milla, die als Urheberin all dieser Erscheinungen bezeichnet werden muß, erfreut sich bester Gesundheit, lächelt, ist wohl und heiter, wie sie es fast immer war. Ihre Frische und Munterkeit beginnen jetzt langsam uns aufzuregen, nachdem uns ihr Wohlergehen lange Zeit so sehr am Herzen lag. Denn es gab eine Krise in ihrem Leben, die bedenklich zu werden drohte. Gerade darauf muß ich näher eingehen.

II

Es ist einfach, rückwirkend den Herd einer beunruhigenden Entwicklung auszumachen – und merkwürdig, erst jetzt, wo ich es nüchtern betrachte, kommen mir die Dinge, die sich seit fast zwei Jahren bei unseren Verwandten begeben, außergewöhnlich vor.

Wir hätten früher auf die Idee kommen können, es stimme etwas nicht. Tatsächlich, es stimmt etwas nicht, und wenn überhaupt jemals irgend etwas gestimmt hat – ich zweifle daran –, hier gehen Dinge vor sich, die mich mit Entsetzen erfüllen. Tante Milla war in der ganzen Familie von jeher wegen ihrer Vorliebe für die Ausschmückung des Weihnachtsbaumes bekannt, eine harmlose, wenn auch spezielle Schwäche, die in unserem Vaterland ziemlich verbreitet ist. Ihre Schwäche wurde allgemein belächelt, und der Widerstand, den Franz von frühester Jugend an gegen diesen »Rummel« an den Tag legte, war immer Gegenstand heftigster Entrüstung, zumal Franz ja sowieso eine beunruhigende Erscheinung war. Er weigerte sich, an der Ausschmückung des Baumes teilzunehmen. Das alles verlief bis zu einem gewissen Zeitpunkt normal. Meine Tante hatte sich daran gewöhnt, daß Franz den Vorbereitungen in der Adventszeit fernblieb, auch der eigentlichen Feier, und erst zum Essen erschien. Man sprach nicht einmal mehr darüber.

Auf die Gefahr hin, mich unbeliebt zu machen, muß ich hier eine Tatsache erwähnen, zu deren Verteidigung ich nur sagen kann, daß sie wirklich eine ist. In den Jahren 1939 bis 1945 hatten wir Krieg. Im Krieg wird gesungen, geschossen, geredet, gekämpft, gehungert und gestorben – und es werden Bomben geschmissen – lauter unerfreuliche Dinge, mit deren Erwähnung ich meine Zeitgenossen in keiner Weise langweilen will. Ich muß sie nur erwähnen, weil der Krieg Einfluß auf die Geschichte hatte, die ich erzählen will. Denn der Krieg wurde von meiner Tante Milla nur registriert als eine Macht, die schon Weihnachten 1939 anfing, ihren Weihnachtsbaum zu gefährden. Allerdings war ihr Weihnachtsbaum von einer besonderen Sensibilität.

Die Hauptattraktion am Weihnachtsbaum meiner Tante Milla waren gläserne Zwerge, die in ihren hocherhobenen Armen einen Korkhammer hielten und zu deren Füßen glockenförmige Ambosse hingen. Unter den Fußsohlen der Zwerge waren Kerzen befestigt, und wenn ein gewisser

Wärmegrad erreicht war, geriet ein verborgener Mechanismus in Bewegung, eine hektische Unruhe teilte sich den Zwergenarmen mit, sie schlugen wie irr mit ihren Korkhämmern auf die glockenförmigen Ambrosse und riefen so, ein Dutzend an der Zahl, ein konzertantes, elfenhaft feines Gebimmel hervor. Und an einer Spitze des Tannenbaumes hing ein silbrig gekleideter rotwangiger Engel, der in bestimmten Abständen seine Lippen voneinander hob und »Frieden« flüsterte, »Frieden«. Das mechanische Geheimnis dieses Engels ist, konsequent gehütet, mir später erst bekannt geworden, obwohl ich damals fast wöchentlich Gelegenheit hatte, ihn zu bewundern. Außerdem gab es am Tannenbaum meiner Tante natürlich Zuckerkringel, Gebäck, Engelhaar, Marzipanfiguren und – nicht zu vergessen – Lametta, und ich weiß noch, daß die sachgemäße Anbringung des vielfältigen Schmuckes erhebliche Mühe kostete, die Beteiligung aller erforderte und die ganze Familie am Weihnachtsabende vor Nervosität keinen Appetit hatte, die Stimmung dann – wie man so sagt – einfach gräßlich war, ausgenommen bei meinem Vetter Franz, der an diesen Vorbereitungen ja nicht teilgenommen hatte und sich als einziger Braten und Spargel, Sahne und Eis schmecken ließ. Kamen wir dann am zweiten Weihnachtstag zu Besuch und wagten die kühne Vermutung, das Geheimnis des sprechenden Engels beruhe auf dem gleichen Mechanismus, der gewisse Puppen veranlaßt, »Mama« oder »Papa« zu sagen, so ernteten wir nur höhnisches Gelächter. Nun wird man sich denken können, daß in der Nähe fallende Bomben einen solch sensiblen Baum aufs höchste gefährdeten. Es kam zu schrecklichen Szenen, wenn die Zwerge vom Baum gefallen waren, einmal stürzte sogar der Engel. Meine Tante war untröstlich. Sie gab sich unendliche Mühe, nach jedem Luftangriff den Baum komplett wiederherzustellen, ihn wenigstens während der Weihnachtstage zu erhalten. Aber schon im Jahre 1940 war nicht mehr daran zu denken. Wieder auf die Gefahr hin, mich sehr unbeliebt zu machen, muß ich hier kurz erwähnen, daß die Zahl der Luftangriffe auf unsere Stadt tatsächlich erheblich war, von ihrer Heftigkeit ganz zu schweigen. Jedenfalls wurde der Weihnachtsbaum meiner Tante ein Opfer – von anderen Opfern zu sprechen, verbietet mir der rote Faden – der modernen Kriegführung; fremdländische Ballistiker löschten seine Existenz vorübergehend aus. Wir alle hatten wirklich Mitleid mit unserer Tante, die eine reizende und liebenswürdige Frau war. Es tut uns leid, daß sie nach harten Kämpfen, endlosen Disputen, nach Tränen und Szenen sich bereit erklären mußte, für Kriegsdauer auf ihren Baum zu verzichten.

Glücklicherweise – oder soll ich sagen unglücklicherweise? – war dies fast das einzige, was sie vom Krieg zu spüren bekam. – Der Bunker, den mein Onkel baute, war einfach bombensicher, außerdem stand jederzeit ein Wagen bereit, meine Tante Milla in Gegenden zu entführen, wo von der unmittelbaren Wirkung des Krieges nichts zu sehen war; es wurde alles getan, um ihr den Anblick der gräßlichen Zerstörungen zu ersparen. Meine beiden Vettern hatten das Glück, den Kriegsdienst nicht in seiner härtesten Form zu erleben. Johannes trat schnell in die Firma meines Onkels ein, die in der Gemüseversorgung unserer Stadt eine entscheidende Rolle spielt. Zudem war er gallenleidend. Franz hingegen wurde zwar Soldat, war aber nur mit der Bewachung von Gefangenen betraut, ein Posten, den er zur Gelegenheit nahm, sich auch bei seinen militärischen Vorgesetzten unbeliebt zu machen, indem er Russen und Polen wie Menschen behandelte. Meine Kusine Lucie war damals noch nicht verheiratet und half im Geschäft. Einen Nachmittag in der Woche half sie im freiwilligen Kriegsdienst in einer Hakenkreuzstickerei. Doch will ich hier nicht die politischen Sünden meiner Verwandten aufzählen.

Aufs Ganze gesehen jedenfalls fehlte es weder an Geld noch an Nahrungsmitteln und jeglicher erforderlichen Sicherheit, und meine Tante empfand nur den Verzicht auf ihren Baum als bitter. Mein Onkel Franz, dieser herzengute Mensch, hat sich fast fünfzig Jahre hindurch erhebliche Verdienste erworben, indem er in tropischen und subtropischen Ländern Apfelsinen und Zitronen aufkaufte und sie gegen einen entsprechenden Aufschlag weiter in den Handel gab. Im Kriege dehnte er sein Geschäft auch auf weniger wertvolles Obst und Gemüse aus. Aber nach dem Kriege kamen die erfreulichen Früchte, denen sein Hauptinteresse galt, als Zitrusfrüchte wieder auf und wurden Gegenstand des schärfsten Interesses aller Käuferschichten. Hier gelang es Onkel Franz, sich wieder maßgebend einzuschalten, und er brachte die Bevölkerung in den Genuß von Vitaminen und sich in den eines ansehnlichen Vermögens.

Aber er war fast siebzig, wollte sich nun zur Ruhe setzen, das Geschäft seinem Schwiegersohn übergeben. Da fand jenes Ereignis statt, das wir damals belächelten, das uns heute aber als Ursache der ganzen unseligen Entwicklung erscheint.

Meine Tante Milla fing wieder mit dem Weihnachtsbaum an. Das war an sich harmlos; sogar die Zähigkeit, mit der sie darauf bestand, daß alles »so sein sollte wie früher«, entlockte uns nur ein Lächeln. Zunächst bestand wirklich kein Grund, diese Sache allzu ernst zu nehmen. Zwar hatte der Krieg manches zerstört, das wiederherzustellen mehr Sorge bereitete, aber warum – so sagten wir uns – einer charmanten alten Dame diese kleine Freude nehmen?

Jedermann weiß, wie schwer es war, damals Butter und Speck zu bekommen. Aber sogar für meinen Onkel Franz, der über die besten Beziehungen verfügte, war die Beschaffung von Marzipanfiguren, Schokoladenkringeln und Kerzen in Jahre 1945 unmöglich. Erst im Jahre 1946 konnte alles bereitgestellt werden. Glücklicherweise war noch eine komplette Garnitur von Zwergen und Ambossen sowie ein Engel erhalten geblieben.

Ich entsinne mich des Tages noch gut, an dem wir eingeladen waren. Es war im Januar 1947, Kälte herrschte draußen. Aber bei meinem Onkel war es warm, und es herrschte kein Mangel an Eßbarem. Und als die Lampen gelöscht, die Kerzen angezündet waren, als die Zwerge anfingen zu hämmern, der Engel »Frieden« flüsterte, »Frieden«, fühlte ich mich lebhaft zurückversetzt in eine Zeit, von der ich angenommen hatte, sie sei vorbei.

Immerhin, dieses Erlebnis war, wenn auch überraschend, so doch nicht außergewöhnlich. Außergewöhnlich war, was ich drei Monate später erlebte. Meine Mutter – es war Mitte März geworden – hatte mich hinübergeschickt, nachzuforschen, ob bei Onkel Franz »nichts zu machen« sei. Es ging ihr um Obst. Ich schlenderte in den benachbarten Stadtteil – die Luft war mild, es dämmerte. Ahnungslos schritt ich an bewachsenen Trümmerhalden und verwilderten Parks vorbei, öffnete das Tor zum Garten meines Onkels, als ich plötzlich bestürzt stehenblieb. In der Stille des Abends war sehr deutlich zu hören, daß im Wohnzimmer meines Onkels gesungen wurde. Singen ist eine gute deutsche Sitte, und es gibt viele Frühlingslieder – her aber hörte ich deutlich:

> holder Knabe im lockigen Haar . . .

Ich muß gestehen, daß ich verwirrt war. Ich ging langsam näher, wartete das Ende des Liedes ab. Die Vorhänge waren zugezogen, ich beugte mich zum Schlüsselloch. In diesem Augenblick drang das Gebimmel der Zwergenglocken an mein Ohr, und ich hörte deutlich das Flüstern des Engels. Ich hatte nicht den Mut, einzudringen, und ging langsam nach Hause zurück. In der Familie rief mein Bericht allgemeine Belustigung hervor. Aber erst als Franz auftauchte und Näheres berichtete, erfuhren wir, was geschehen war:

Um Mariä Lichtmeß herum, zu der Zeit also, wo man in unseren Landen die Christbäume plündert, sie dann auf den Kehricht wirft, wo sie von nichtsnutzigen Kindern aufgegriffen, durch Asche und sonstigen Unrat geschleift und zu mancherlei Spiel verwendet werden, um Lichtmeß herum war das Schreckliche geschehen. Als mein Vetter Johannes am Abend des Lichtmeßtages, nachdem ein letztes Mal der Baum gebrannt hatte – als Johannes begann, die Zwerge von den Klammern zu lösen, fing meine bis dahin so milde Tante jämmerlich zu schreien an, und zwar so heftig und plötzlich, daß mein Vetter erschrak, die Herrschaft über den leise schwankenden Baum verlor, und schon war es geschehen: es klirrte und klingelte, Zwerge und Glocken, Ambosse und der Spitzenengel, alles stürzte hinunter, und meine Tante schrie.

Sie schrie fast eine Woche lang. Neurologen wurden herbeitelegraphiert, Psychiater kamen in Taxen herangerast – aber alle, auch Kapazitäten, verließen achselzuckend, ein wenig erschreckt auch, das Haus. Keiner hatte diesem unerfreulich schrillen Konzert ein Ende bereiten können. Nur die stärksten Mittel brachten einige Stunden Ruhe, doch ist die Dosis Luminal, die man einer Sechzigjährigen täglich verabreichen kann, ohne ihr Leben zu gefährden, leider gering. Es ist aber eine Qual, eine aus allen Leibeskräften schreiende Frau im Hause zu haben: schon am zweiten Tage befand sich die Familie in völliger Auflösung. Auch der Zuspruch des Priesters, der am Heiligen Abend der Feier beizuwohnen pflegte, blieb vergeblich: meine Tante schrie. Franz machte sich besonders unbeliebt, weil er riet, einen regelrechten Exorzimus anzuwenden. Der Pfarrer schalt ihn, die Familie war bestürzt über seine mittelalterliche Anschauungen, der Ruf seiner Brutalität überwog für einige Wochen seinen Ruf als Faustkämpfer. Inzwischen wurde alles versucht, meine Tante aus ihrem Zustand zu erlösen. Sie verweigerte die Nahrung, sprach nicht, schlief nicht; man wandte kaltes Wasser an, heiße Fußbäder, Wechselbäder, die Ärzte schlugen in

Lexika nach, suchten nach dem Namen dieses Komplexes, fanden ihn nicht. Und meine Tante schrie. Sie schrie so lange, bis mein Onkel Franz – dieser wirklich herzensgute Mensch – auf die Idee kam, einen neuen Tannenbaum aufzustellen.

III

Die Idee war ausgezeichnet, aber sie auszuführen, erwies sich als äußerst schwierig. Es war fast Mitte Februar geworden, und es ist verhältnismäßig schwer, um diese Zeit einen diskutablen Tannenbaum auf dem Markt zu finden. Die gesamte Geschäftswelt hat sich längst – mit erfreulicher Schnelligkeit übrigens – auf andere Dinge eingestellt. Karneval ist nahe: Masken und Pistolen. Cowboyhüte und verrückte Kopfbedeckungen für Czardasfürstinnen füllen die Schaufenster, in denen man sonst Engel und Engelhaar, Kerzen und Krippen hat bewundern können. Die Zuckerwarenläden haben längst den Weihnachtskrempel in ihre Lager zurücksortiert, während Knallbonbons nun ihre Fenster zieren. Jedenfalls, Tannenbäume gibt es um diese Zeit auf dem regulären Markt nicht.

Es wurde schließlich eine Expedition raublustiger Enkel mit Taschengeld und einem scharfen Beil ausgerüstet: sie fuhren in den Staatsforst und kamen gegen Abend, offenbar in bester Stimmung, mit eine Edeltanne zurück. Aber inzwischen war festgestellt worden, daß vier Zwerge, sechs glockenförmige Ambosse und der Spitzenengel völlig zerstört waren. Die Marzipanfiguren und das Gebäck waren den gierigen Enkeln zum Opfer gefallen. Auch diese Generation, die dort heranwächst, taugt nichts, und wenn je eine Generation etwas getaugt hat – ich zweifle daran –, so komme ich doch zu der Überzeugung, daß es die Generation unserer Väter war.

Obwohl es an Barmitteln, auch an den nötigen Beziehungen nicht fehlte, dauerte es weitere vier Tage, bis die Ausrüstung komplett war. Währenddessen schrie meine Tante ununterbrochen. Telegramme an die deutschen Spielzeugzentren, die gerade im Aufbau begriffen waren, wurden durch den Äther gejagt, Blitzgespräche geführt, von jungen erhitzten Postgehilfen, wurden in der Nacht Expreßpakete angebracht, durch Bestechung wurde kurzfristig eine Einfuhrgenehmigung aus der Tschechoslowakei durchgesetzt.

Diese Tage werden in der Chronik der Familie meines Onkels als Tage mit außerordentlich hohem Verbrauch an Kaffee, Zigaretten und Nerven erhalten bleiben. Inzwischen fiel meine Tante zusammen: ihr rundliches Gesicht wurde hart und eckig, der Ausdruck der Milde wich dem einer unnachgiebigen Strenge, sie aß nicht, trank nicht, schrie dauernd, wurde von zwei Krankenschwestern bewacht, und die Dosis Luminal mußte täglich erhöht werden.

Franz erzählte uns, daß in der ganzen Familie eine krankhafte Spannung geherrscht habe, als endlich am 12. Februar die Tannenbaumausrüstung wieder vollständig war. Die Kerzen wurden entzündet, die Vorhänge zugezogen, meine Tante wurde aus dem Krankenzimmer herübergebracht, und man hörte unter den Versammelten nur Schluchzen und Kichern. Der Gesichtsausdruck meiner Tante milderte sich schon im Schein der Kerzen, und als deren Wärme den richtigen Grad erreicht hatte, die Glasburschen wie irr zu hämmern anfingen, schließlich der Engel »Frieden« flüstert, »Frieden«, ging ein wunderschönes Lächeln über ihr Gesicht, und kurz darauf stimmte die ganze Familie das Lied ›O Tannenbaum‹ an. Um das Bild zu vervollständigen, hatte man auch den Pfarrer eingeladen, der ja üblicherweise den Heiligen Abend bei Onkel Franz zu verbringen pflegte; auch er lächelte, auch er war erleichtert und sang mit.

Was kein Test, kein tiefenpsychologisches Gutachten, kein fachmännisches Aufspüren verborgener Traumata vermocht hatte: das fühlende Herz meines Onkels hatte das Richtige getroffen. Die Tannenbaumtherapie dieses herzensguten Menschen hatte die Situation gerettet.

Meine Tante war beruhigt und fast – so hoffte man damals – geheilt, und nachdem man einige Lieder gesungen, einige Schüsseln Gebäck geleert hatte, war man müde und zog sich zurück, und siehe da: meine Tante schlief ohne jedes Beruhigungsmittel. Die beiden Krankenschwestern wurden entlassen, die Ärzte zuckten die Schultern, alles schien in Ordnung zu sein. Meinte Tante aß wieder, trank wieder, war wieder liebenswürdig und milde. Aber am Abend darauf, als die Dämmerstunde nahte, saß mein Onkel zeitunglesend neben seiner Frau unter dem Baum, als diese plötzlich sanft seinen Arm berührte und zu ihm sagte: »So wollen wir denn die Kinder zur Feier rufen, ich glaube, es ist Zeit.« Mein Onkel gestand uns später, daß er erschrak, aber aufstand, um in aller Eile seine Kinder und

Enkel zusammenrufen und einen Boten zum Pfarrer zu schicken. Der Pfarrer erschien, etwas abgehetzt und erstaunt, aber man zündete die Kerzen an, ließ die Zwerge hämmern, den Engel flüstern, man sang, aß Gebäck – und alles schien in Ordnung zu sein.

IV

Nun ist die gesamte Vegetation gewissen biologischen Gesetzen unterworfen, und Tannenbäume, dem Mutterboden entrissen, haben bekanntlich die verheerende Neigung, Nadeln zu verlieren, besonders, wenn sie in warmen Räumen stehen, und bei meinem Onkel war es warm. Die Lebensdauer der Edeltanne ist etwas länger als die der gewöhnlichen, wie die bekannte Arbeit ›Abies vulgaris und abies nobilis‹ von Dr. Hergenring ja bewiesen hat. Doch auch die Lebensdauer der Edeltanne ist nicht unbeschränkt. Schon als Karneval nahte, zeigte es sich, daß man versuchen mußte, meiner Tante neuen Schmerz zu bereiten: der Baum verlor rapide an Nadeln, und beim abendlichen Singen der Lieder wurde ein leichtes Stirnrunzeln bei meiner Tante bemerkt. Auf Anraten eines wirklich hervorragenden Psychologen wurde nun der Versuch unternommen, in leichtem Plauderton von einem möglichen Ende der Weihnachtszeit zu sprechen, zumal die Bäume schon angefangen hatten, auszuschlagen, was ja allgemein als ein Zeichen des herannahenden Frühlings gilt, während man in unseren Breiten mit dem Wort Weihnachten unbedingt winterliche Vorstellungen verbindet. Mein sehr geschickter Onkel schlug eines Abends vor, die Lieder ›Alle Vögel sind schon da‹ und ›Komm, lieber Mai, und mache‹ anzustimmen, doch schon beim ersten Vers des erstgenannten Liedes machte meine Tante ein derart finsteres Gesicht, daß man sofort abbrach und ›O Tannenbaum‹ intonierte. Drei Tage später wurde mein Vetter Johannes beauftragt, einen milden Plünderungszug zu unternehmen, aber schon, als er seine Hände ausstreckte und einem der Zwerge den Korkhammmer nahm, brach meine Tante in so heftiges Geschrei aus, daß man den Zwerg sofort wieder komplettierte, die Kerzen anzündete und etwas hastig, aber sehr laut in das Lied ›Stille Nacht‹ ausbrach.
Aber die Nächte waren nicht mehr still; singende Gruppen jugendlicher Trunkenbolde durchzogen die Stadt mit Trompeten und Trommeln, alles

war mit Luftschlangen und Konfetti bedeckt, maskierte Kinder bevölkerten tagsüber die Straßen, schossen, schrien, manche sangen auch, und einer privaten Statistik zufolge gab es mindestens sechzigtausen Cowboys und vierzigtausend Czardasfürstinnen in unserer Stadt: kurzum, es war Karnval, ein Fest, das man bei uns mit ebensolcher, fast mit mehr Heftigkeit zu feiern gewohnt ist als Weihnachten. Aber meine Tante schien blind und taub zu sein: sie bemängelte karnevalistische Kleigungsstücke, wie sie um diese Zeit in den Garderoben unserer Häuser unvermeidlich sind; mit trauriger Stimme beklagte sie das Sinken der Moral, da man nicht einmal an den Weihnachtstagen in der Lage sei, von diesem unsittlichen Treiben zu lassen, und als sie im Schlafzimmer meiner Kusine einen Luftballon entdeckte, der zwar eingefallen war, aber noch deutlich einen mit weißer Farbe aufgemalten Narrenhut zeigte, brach sie in Tränen aus und bat meinen Onkel, diesem unheiligen Treiben Einhalt zu gebieten.

Mit Schrecken mußte man feststellen, daß meine Tante sich wirklich in dem Wahn befand, es sei »Heiliger Abend«. Mein Onkel berief jedenfalls eine Familienversammlung ein, bat um Schonung für seine Frau, Rücksichtnahme auf ihren merkwürdigen Geisteszustand, und rüstete zunächst wieder eine Expedition aus, um wenigstens den Frieden des abendlichen Festes garantiert zu wissen.

Während meine Tante schlief, wurde der Schmuck vom alten Baum ab- und auf den neuen montiert, und ihr Zustand blieb erfreulich.

V

Aber auch der Karneval ging vorüber, der Frühling kam wirklich, statt des Liedes ›Komm, lieber Mai‹ hätte man singen können »Lieber Mai, du bist gekommen«. Es wurde Juni. Vier Tannenbäume waren schon verschlissen, und keiner der neuerlich zugezogenen Ärzte konnte Hoffnung auf Besserung geben. Meine Tante blieb fest. Sogar der als internationale Kapazität bekannte Dr. Bless hatte sich achselzuckend wieder in sein Studierzimmer zurückgezogen, nachdem er als Honaorar die Summen von 1365 DM kassiert hatte, womit er zum wiederholten Male seine Weltfremdheit bewies. Einige weitere sehr vage Versuche, die Feier abzubrechen oder ausfallen zu lassen, wurden mit solchem Geschrei von seiten meiner Tante quittiert, daß man von derlei Sakrilegien endgültig Abstand nehmen mußte. Das Schreckliche war, daß meine Tante darauf bestand, alle ihr nahestehenden Personen müßten anwesend sein. Zu diesen gehörten auch der Pfarrer und die Enkelkinder. Selbst die Familienmitglieder waren nur mit äußerster Strenge zu veranlassen, pünktlich zu erscheinen, aber mit dem Pfarrer wurde es schwierig. Einige Wochen hielt er zwar ohne Murren mit Rücksicht auf seine alte Pönitentin durch, aber dann versuchte er unter verlegenem Räuspern, meinem Onkel klarzumachen, daß es so nicht weiterging. Die eigentliche Feier war zwar kurz – sie dauerte etwa achtunddreißig Minuten –, aber selbst diese kurze Zeremonie sei auf die Dauer nicht durchzuhalten, behauptete der Pfarrer. Er habe andere Verpflichtungen, abendliche Zusammenkünfte mit seinen Konfratres, seelsorgerische Aufgaben, ganz zu schweigen vom samstäglichen Beichthören. Immerhin hatte er einige Wochen Terminverschiebungen in Kauf genommen, aber gegen Ende Juni fing er an, energisch Befreiung zu erheischen. Franz wütete in der Familie herum, suchte Komplizen für seinen Plan, die Mutter in eine Anstalt zu bringen, stieß aber überall auf Ablehnung.

Jedenfalls: es machten sich Schwierigkeiten bemerkbar. Eines Abends fehlte der Pfarrer, war weder telefonisch noch durch einen Boten aufzutreiben, und es wurde klar, daß er sich einfach gedrückt hatte. Mein Onkel fluchte fürchterlich, er nahm dieses Ereignis zum Anlaß, die Diener der Kirche mit Worten zu bezeichnen, die zu wiederholen ich mich weigern muß. In alleräußerster Not wurde einer der Kapläne, ein Mensch einfacher Herkunft, gebeten, auszuhelfen. Er tat es, benahm sich aber so fürchterlich, daß es fast zur Katastrophe gekommen wäre. Immerhin, man muß bedenken, es war Juni, also heiß, trotzdem waren die Vorhänge zugezogen, um winterliche Dunkelheit wenigstens vorzutäuschen, außerdem brannten Kerzen. Dann ging die Feier los; der Kaplan hatte zwar von diesem merkwürdigen Ereignis schon gehört, aber keine rechte Vorstellung davon. Zitternd stellte man meiner Tante den Kaplan vor, er vertrete den Pfarrer. Unerwarteterweise nahm sie die Veränderung des Programms hin. Also: die Zwerge hämmerten, der Engel flüsterte, es wurde ›O Tannenbaum‹ gesungen, dann aß man Gebäck, sang noch einmal das Lied, und plötzlich bekam der Kaplan einen Lachkrampf. Später hat er gestanden, die Stelle ». . . nein, auch im Winter, wenn es schneit« habe er einfach nicht ohne zu lachen ertragen können. Er plusterte mit klerikaler Albernheit los, verließ das Zimmer und ward nicht mehr gesehen. Alles blickte gespannt auf meine Tante, doch die sagte nur resignierend etwas vom »Proleten im Priestergewande« und schob sich ein Stück Marzipan in den Mund. Auch wir erfuhren damals von diesem Vorfall mit Bedauern – doch bin ich heute geneigt, ihn als einen Ausbruch natürlicher Heiterkeit zu bezeichnen.

Ich muß hier – wenn ich der Wahrheit die Ehre lassen will – einflechten, daß mein Onkel seine Beziehungen zu den höchsten Verwaltungsstellen der Kirche ausgenutzt hat, um sich sowohl über den Pfarrer wie den Kaplan zu beschweren. Die Sache wurde mit äußerster Korrektheit angefaßt, ein Prozeß wegen Vernachlässigung seelsorgerischer Pflichten wurde angestrengt, der in erster Instanz von den beiden Geistlichen gewonnen wurde. Ein zweites Verfahren schwebt noch.

Zum Glück fand man einen pensionierten Prälaten, der in der Nachbarschaft wohnte. Dieser reizende alte Herr erklärte sich mit liebenswürdiger Selbstverständlichkeit bereit, sich zur Verfügung zu halten und täglich die abendliche Feier zu vervollständigen. Doch ich habe vorgegriffen. Mein Onkel Franz, der nüchtern genug war, zu erkennen, daß keinerlei ärztliche Hilfe zum Ziel gelangen würde, sich auch hartnäckig weigerte, einen Exorzismus zu versuchen, war Geschäftsmann genug, sich nun auf Dauer einzustellen und die wirtschaftlichste Art herauszukalkulieren. Zunächst wurden schon Mitte Juni die Enkelexpeditionen eingestellt, weil sich herausstellte, daß sie zu teuer wurden. Mein findiger Vetter Johannes, der zu allen Kreisen der Geschäftswelt die besten Beziehungen unterhält, spürte den Tannenbaum-Frischdienst der Firma Söderbaum auf, eines leistungsfähigen Unternehmens, das sich nun schon fast zwei Jahre um die Nerven meiner Verwandtschaft hohe Verdienste erworben hat. Nach einem halben Jahr schon wandelte die Firma Söderbaum die Lieferung des Baumes in ein wesentlich verbilligtes Abonnement um und erklärte sich bereit, die Lieferfrist von ihrem Nadelbaumspezialisten, Dr. Alfast, genauestens festlegen zu lassen, so daß schon drei Tage, bevor der alte Baum indiskutabel wird, der neue anlangt und mit Muße geschmückt werden kann. Außerdem werden vorsichtshalber zwei Dutzend Zwerge auf Lager gehalten, und drei Spitzenengel sind in Reserve gelegt.

Ein wunder Punkt sind bis heute die Süßigkeiten geblieben. Sie zeigen die verheerende Neigung, vom Baume schmelzend herunterzutropfen, schneller und endgültiger als schmelzendes Wachs. Jedenfalls in den Sommermonaten. Jeder Versuch, sie durch geschickt getarnte Kühlvorrichtungen in weihnachtlicher Starre zu erhalten, ist bisher gescheitert, ebenso eine Versuchsreihe, die begonnen wurde, um die Möglichkeiten der Präparierung eines Baumes zu prüfen. Doch ist die Familie für jeden fortschrittlichen Vorschlag, der geeignet ist, dieses stetige Fest zu verbilligen, dankbar und aufgeschlossen.

VI

Inzwischen haben die abendlichen Feiern im Hause meines Onkels eine fast professionelle Starre angenommen: man versammelt sich unter dem Baum oder um den Baum herum. Meine Tante kommt herein, man entzündet die Kerzen, die Zwerge beginnen zu hämmern und der Engel flüstert »Frieden, Frieden«, dann singt man einige Lieder, knabbert Gebäck, plaudert ein wenig und zieht sich gähnend mit dem Glückwunsch »Frohes Fest auch« zurück – und die Jugend gibt sich den jahreszeitlich bedingten Vergnügungen hin, während mein herzensguter Onkel Franz mit Tante Milla zu Bett geht. Kerzenrauch bleibt im Raum, der sanfte Geruch erhitzter Tannenzweige und das Aroma von Spezereien. Die Zwerge, ein wenig phosphoreszierend, bleiben starr in der Dunkelheit stehen, die Arme bedrohlich erhoben, und der Engel läßt ein silbriges, offenbar ebenfalls phosphoreszierendes Gewand sehen.
Es erübrigt sich vielleicht, festzustellen, daß die Freude am wirklichen Weihnachtsfest in unserer gesamten Verwandtschaft erhebliche Einbuße erlitten hat: wir können, wenn wir wollen, bei unserem Onkel jederzeit einen klassischen Weihnachtsbaum bewundern – und es geschieht oft, wenn wir sommers auf der Veranda sitzen und uns nach des Tages Last und Müh Onkels milde Apfelsinenbowle in die Kehle gießen, daß von drinnen der sanfte Klang gläserner Glocken kommt, und man kann im Dämmer die Zwerge wie flinke kleine Teufelchen herumhämmern sehen, während der Engel »Frieden« flüstert, »Frieden«. Und immer noch kommt es uns befremdlich vor, wenn mein Onkel mitten im Sommer seinen Kindern

plötzlich zuruft: »Macht bitte den Baum an, Mutter kommt gleich.« Dann tritt, meist pünktlich, der Prälat ein, ein milder alter Herr, den wir alle in unser Herz geschlossen haben, weil er seine Rolle vorzüglich spielt, wenn er überhaupt weiß, daß er eine und welche er spielt. Aber gleichgültig: er spielt sie, weißhaarig, lächelnd, und der violette Rand unterhalb seines Kragens gibt seiner Erscheinung den letzten Hauch von Vornehmheit. Und es ist ein ungewöhnliches Erlebnis, in lauen Sommernächten den erregten Ruf zu hören: »Das Löschhorn, schnell, wo ist das Löschhorn?« Es ist schon vorgekommen, daß während eines heftigen Gewitters die Zwerge sich plötzlich bewogen fühlten, ohne Hitzeeinwirkung die Arme zu erheben und sie wild zu schwingen, gleichsam ein Extrakonzert zu geben, eine Tatsache, die man ziemlich phantasielos mit dem trockenen Wort Elektrizität zu deuten versuchte.

Eine nicht ganz unwesentliche Seite dieses Arrangements ist die finanzielle. Wenn auch in unserer Familie im allgemeinen kein Mangel an Barmitteln herrscht, solch außergewöhnliche Ausgaben stürzen die Kalkulation um. Denn trotz aller Vorsicht ist natürlich der Verschleiß an Zwergen, Ambossen und Hämmern enorm, und der sensible Mechanismus, der den Engel zu einem sprechenden macht, bedarf der stetigen Sorgfalt und Pflege und muß hin und wieder erneuert werden. Ich habe das Geheimnis übrigens inzwischen entdeckt: der Engel ist durch ein Kabel mit einem Mikrophon im Nebenzimmer verbunden, vor dessen Metallschnauze sich eine ständig rotierende Schallplatte befindet, die, mit gewissen Pausen dazwischen, «Frieden» flüstert, «Frieden«. Alle diese Dinge sind um so kostspieliger, als sie für den Gebrauch an nur wenigen Tagen des Jahres erdacht sind, nun aber das ganze Jahr strapaziert werden. Ich war erstaunt, als mein Onkel mir eines Tages erklärte, daß die Zwerge tatsächlich alle drei Monate erneuert werden müssen und daß ein kompletter Satz nicht weniger als 128 Mark kostet. Er habe einen befreundeten Ingenieur gebeten, sie durch einen Kautschuküberzug zu verstärken, ohne jedoch ihre Klangschönheit zu beeinträchtigen. Dieser Versuch ist gescheitert. Der Verbrauch, an Kerzen, Spekulatius, Marzipan, das Baumabonnement, Arztrechnungen und die vierteljährliche Aufmerksamkeit, die man dem Prälaten zukommen lassen muß, alles zusammen, sagte mein Onkel, komme ihm täglich im Durchschnitt auf elf Mark, ganz zu schweigen von dem Verschleiß an

Nerven und von sonstigen gesundheitlichen Störungen, die damals anfingen sich bemerkbar zu machen. Doch war das im Herbst, und man schrieb die Störungen einer gewissen herbstlichen Sensibilität zu, wie sie ja allgemein beobachtet wird.

VII

Das wirkliche Weihnachtsfest verlief ganz normal. Es ging etwas wie ein Aufatmen durch die Familie meines Onkels, da man auch andere Familien nun unter Weihnachtsbäumen versammelt sah, andere auch singen und Spekulatius essen mußten. Aber die Erleichterung dauerte nur so lange an, wie die weihnachtliche Zeit dauerte. Schon Mitte Januar brach bei meiner Kusine Lucie ein merkwürdiges Leiden aus: beim Anblick der Tannenbäume, die auf den Straßen und Trümmerhaufen herumlagen, brach sie in ein hysterisches Geschluchze aus. Dann hatte sie einen regelrechten Anfall von Wahnsinn, den man als Nervenzusammenbruch zu kaschieren versuchte. Sie schlug einer Freundin, bei der sie zum Kaffeeklatsch war, die Schüssel aus der Hand, als diese ihr milde lächelnd Spekulatius anbot. Meine Kusine ist allerdings das, was man eine temperamentvolle Frau nennt; sie schlug also ihrer Freundin die Schüssel aus der Hand, nahte sich dann deren Weihnachtsbaum, riß ihn vom Ständer und trampelte auf Glaskugeln, künstlichen Pilzen, Kerzen und Sternen herum, während ein anhaltendes Gebrüll ihrem Munde entströmte. Die versammelten Damen entflohen, einschließlich der Hausfrau, man ließ Lucie toben, wartete in der Diele auf den Arzt, gezwungen, zuzuhören, wie drinnen Porzellan zerschlagen wurde. Es fällt mir schwer, aber ich muß hier berichten, daß Lucie in einer Zwangsjacke abtransportiert wurde.

Anhaltende hypnotische Behandlung brachte das Leiden zwar zum Stillstand, aber die eigentliche Heilung ging nur sehr langsam vor sich. Vor allem schien ihr die Befreiung von der abendlichen Feier, die der Arzt erzwang, zusehends wohl zu tun; nach einigen Tagen schon begann sie aufzublühen. Schon nach zehn Tagen konnte der Arzt riskieren, mit ihr über Spekulatius wenigstens zu reden, ihn zu essen, weigerte sie sich jedoch hartnäckig. Dem Arzt kam dann die geniale Idee, sie mit sauren Gurken zu füttern, ihr Salate und kräftige Fleischspeisen anzubieten. Das war wirklich die Rettung für die arme Lucie. Sie lachte wieder, und sie begann die endlosen therapeutischen Unterredungen, die ihr Arzt mit ihr pflegte, mit ironischen Bemerkungen zu würzen.

Zwar war die Lücke, die durch ihr Fehlen bei der abendlichen Feier entstand, schmerzlich für meine Tante, wurde aber durch einen Umstand erklärt, der für alle Frauen als hinlängliche Entschuldigung gelten kann, durch Schwangerschaft.

Aber Lucie hatte das geschaffen, was man einen Präzedenzfall nennt: sie hatte bewiesen, daß die Tante zwar litt, wenn jemand fehlte, aber nicht sofort zu schreien begann, und mein Vetter Johannes und sein Schwager Karl versuchten nun, die strenge Disziplin zu durchbrechen, indem sie Krankheit vorschützten, geschäftliche Verhinderung oder andere, recht durchsichtige Gründe angaben. Doch blieb mein Onkel hier erstaunlich hart: mit eiserner Strenge setzte er durch, daß nur in Ausnahmefällen Atteste eingereicht, sehr kurze Beurlaubungen beantragt werden konnten. Denn meine Tante merkte jede weitere Lücke sofort und brach in stilles, aber anhaltendes Weinen aus, was zu den bittersten Bedenken Anlaß gab. Nach vier Wochen kehrte auch Lucie zurück und erklärte sich bereit, an der täglichen Zeremonie wieder teilzunehmen, doch hat ihr Arzt durchgesetzt, daß für sie ein Glas Gurken und ein Teller mit kräftigen Butterbroten bereitgehalten wird, da sich ihr Spekulatiustrauma als unheilbar erwies. So waren eine Zeitlang durch meinen Onkel, der hier eine unerwartete Härte bewies, alle Disziplinschwierigkeiten aufgehoben.

VIII

Schon kurz nach dem ersten Jahrestag der ständigen Weihnachtsfeier gingen beunruhigende Gerüchte um: mein Vetter Johannes sollte sich von einem befreundeten Arzt ein Gutachten haben ausstellen lassen, auf wie lange wohl die Lebenszeit meiner Tante noch zu bemessen wäre, ein wahrhaft finsteres Gerücht, das ein bedenkliches Licht auf eine allabendlich friedlich versammelte Familie wirft. Das Gutachten soll vernichtend für Johannes gewesen sein. Sämtliche Organe meiner Tante, die zeitlebens sehr solide war, sind völlig intakt, die Lebensdauer ihres Vaters hat achtundsiebzig, die ihrer Mutter sechsundachtzig Jahre betragen. Meine Tante selbst ist zweiundsechzig, und so besteht kein Grund, ihr ein baldiges seliges Ende zu prophezeien. Noch weniger, so finde ich, es ihr zu wünschen. Als meine Tante dann mitten im Sommer einmal erkrankte – Erbrechen und Durchfall suchten diese arme Frau heim –, wurde gemunkelt, sie sei vergiftet worden, aber ich erkläre hier ausdrücklich, daß dieses Gerücht einfach eine Erfindung übelmeinender Verwandter ist. Es ist eindeutig erwiesen, daß es sich um eine Infektion handelte, die von einem Enkel eingeschleppt wurde. Analysen, die mit den Exkrementen meiner Tante vorgenommen wurden, ergaben aber auch nicht die geringste Spur von Gift.

Im gleichen Sommer zeigten sich bei Johannes die ersten gesellschaftsfeindlichen Bestrebungen: er trat aus seinem Gesangsverein aus, erklärte, auch schriftlich, daß er an der Pflege des deutschen Liedes nicht mehr teilzunehmen gedenke. Allerdings, ich darf hier einflechten, daß er immer, trotz des akademischen Grades, den er errang, ein ungebildeter Mensch war. Für die ›Virhymina‹ war es ein großer Verlust, auf seinen Baß verzichten zu müssen.

Mein Schwager Karl fing an, sich heimlich mit Auswanderungsbüros in Verbindung zu setzen. Das Land seiner Träume mußte besondere Eigenschaften haben: es durften dort keine Tannenbäume gedeihen, deren Import mußte verboten oder durch hohe Zölle unmöglich gemacht sein; außerdem – das seiner Frau wegen – mußte dort das Geheimnis der Spekulatiusherstellung unbekannt und das Singen von Weihnachtsliedern verboten sein. Karl erklärte sich bereit, harte körperliche Arbeit auf sich zu nehmen.

Inzwischen sind seine Versuche vom Fluche der Heimlichkeit befreit, weil sich auch in meinem Onkel eine vollkommene und sehr plötzliche Wandlung vollzogen hat. Diese geschah auf so unerfreulicher Ebene, daß wir wirklich Grund hatten, zu erschrecken. Dieser biedere Mensch, von dem ich nur sagen kann, daß er ebenso hartnäckig wie herzensgut ist, wurde auf Wegen beobachtet, die einfach unsittlich sind, es auch bleiben werden, solange die Welt besteht. Es sind von ihm Dinge bekannt geworden, auch durch Zeugen belegt, auf die nur das Wort Ehebruch angewandt werden kann. Und das Schrecklichste ist, er leugnet es schon nicht mehr, sondern stellt für sich den Anspruch, in Verhältnissen und Bedingungen zu leben,

die moralische Sondergesetze berechtigt erscheinen lassen müßten. Unge-
schickterweise wurde diese plötzliche Wandlung gerade zu dem Zeitpunkt
offenbar, wo der zweite Termin gegen die beiden Geistlichen seiner Pfarre
fällig geworden war. Onkel Franz muß als Zeuge, als verkappter Kläger
einen solch minderwertigen Eindruck gemacht haben, daß es ihm allein
zuzuschreiben ist, wenn auch der zweite Termin günstig für die beiden
Geistlichen auslief. Aber das alles ist Onkel Franz inzwischen gleichgültig
geworden: bei ihm ist der Verfall komplett, schon vollzogen. Er war
auch der erste, der die Idee hatte, sich von einem Schauspieler bei
der abendlichen Feier vertreten zu lassen. Er hatte einen arbeitslosen
Bonvivant aufgetrieben, der ihn vierzehn Tage lang so vorzüglich nach-
ahmte, daß nicht einmal seine Frau die ausgewechselte Identität bemerkte.
Auch seine Kinder bemerkten es nicht. Es war einer der Enkel, der während
einer kleinen Singpause plötzlich in den Ruf ausbrach: »Opa hat Ringel-
socken an«, wobei er triumphierend das Hosenbein des Bonvivants hoch-
hob. Für den armen Künstler muß diese Szene schrecklich gewesen sein,
auch die Familie war bestürzt, und um Unheil zu vermeiden, stimmte man,
wie so oft schon in peinlichen Situationen, schnell ein Lied an. Nachdem
die Tante zu Bett gegangen, war die Identität des Künstlers schnell festgestellt. Es war das Signal zum fast völligen Zusammenbruch.

IX

Immerhin: man muß bedenken, eineinhalb Jahre, das ist eine lange Zeit,
und der Hochsommer war wieder gekommen, eine Jahreszeit, in der meinen Verwandten die Teilnahme an diesem Spiel am schwersten fällt. Lust-
los knabbern sie in dieser Hitze an Printen und Pfeffernüssen, lächeln starr
vor sich hin, während sie ausgetrocknete Nüsse knacken, sie hören den
unermüdlich hämmernden Zwergen zu und zucken zusammen, wenn der
rotwangige Engel über ihre Köpfe hinweg »Frieden« flüstert, »Frieden«,
aber sie harren aus, während ihnen trotz sommerlicher Kleidung der
Schweiß über Hals und Wangen läuft und ihnen die Hemden festkleben.
Vielmehr: sie haben ausgeharrt.
Geld spielt vorläufig noch keine Rolle – fast im Gegenteil. Man beginnt
sich zuzuflüstern, daß Onkel Franz nun auch geschäftlich zu Methoden ge-

griffen hat, die die Bezeichnung »christlicher Kaufmann« kaum noch zu-
lassen. Er ist entschlossen, keine wesentliche Schwächung des Vermögens
zuzulassen, eine Versicherung, die uns zugleich beruhigt und erschreckt.
Nach der Entlarvung des Bonvivants kam es zu einer regelrechten Meuterei,
deren Folge ein Kompromiß war: Onkel Franz hat sich bereit erklärt, die
Kosten für ein kleines Ensemble zu übernehmen, das ihn, Johannes, meinen
Schwager Karl und Lucie ersetzt, und es ist ein Abkommen getroffen
worden, daß immer einer von den vieren im Original an der abendlichen
Feier teilzunehmen hat, damit die Kinder in Schach gehalten werden. Der
Prälat hat bisher nichts von diesem Betrug gemerkt, den man keineswegs
mit dem Adjektiv fromm wird belegen können. Abgesehen von meiner
Tante und den Kindern ist er die einzige originale Figur bei diesem Spiel.
Es ist ein genauer Plan aufgestellt worden, der in unserer Verwandtschaft
Spielplan genannt wird, und durch die Tatsache, daß einer immer wirklich
teilnimmt, ist auch für die Schauspieler eine gewisse Vakanz gewährleistet.
Inzwischen hat man auch gemerkt, daß diese sich nicht ungern zu der Feier
hergeben, sich gerne zusätzlich etwas Geld verdienen, und man hat mit
Erfolg die Gage gedrückt, da ja glücklicherweise an arbeitslosen Schau-
spielern kein Mangel herrscht. Karl hat mir erzählt, daß man hoffen könne,
diesen »Posten« noch ganz erheblich herunterzusetzen, zumal ja den Schau-
spielern eine Mahlzeit geboten wird und die Kunst bekanntlich, wenn sie
nach Brot geht, billiger wird.

X

Lucies verhängnisvolle Entwicklung habe ich schon angedeutet: sie treibt
sich fast nur noch in Nachtlokalen herum, und besonders an den Tagen, wo
sie gezwungenermaßen an der häuslichen Feier hat teilnehmen müssen, ist
sie wie toll. Sie trägt Kordhosen, bunte Pullover, läuft in Sandalen herum
und hat sich ihr prachtvolles Haar abgeschnitten, um eine schmucklose
Fransenfrisur zu tragen, von der ich jetzt erfahre, daß sie unter dem Namen
Pony schon einige Male modern war. Obwohl ich offenkundige Unsitt-
lichkeit bei ihr bisher nicht beobachten konnte, nur eine gewisse Exaltation,
die sie selbst als Existentialismus bezeichnet, trotzdem kann ich mich nicht
entschließen, diese Entwicklung erfreulich zu finden; ich liebe die milden

Frauen mehr, die sich sittsam im Takte des Walzers bewegen, die angenehme Verse zitieren und deren Nahrung nicht ausschließlich aus sauren Gurken und mit Paprika überwürztem Gulasch besteht. Die Auswanderungspläne meines Schwagers Karl scheinen sich zu realisieren: er hat ein Land entdeckt, nicht weit vom Äquator, das seinen Bedingungen gerecht zu werden verspricht, und Lucie ist begeistert: man trägt in diesem Lande Kleider, die den ihren nicht unähnlich sind, man liebt dort die scharfen Gewürze und tanzt nach Rhythmen, ohne die nicht mehr leben zu können sie vorgibt. Es ist zwar ein wenig schockierend, daß diese beiden dem Sprichwort »Bleibe im Lande und nähre dich redlich« nicht zu folgen gedenken, aber andererseits verstehe ich, daß sie die Flucht ergreifen.

Schlimmer ist es mit Johannes. Leider hat sich das böse Gerücht bewahrheitet: er ist Kommunist geworden. Er hat alle Beziehungen zur Familie abgebrochen, kümmert sich um nichts mehr und existiert bei den abendlichen Feiern nur noch in seinem Double. Seine Augen haben einen fanatischen Ausdruck angenommen, derwischähnlich produziert er sich in öffentlichen Veranstaltungen seiner Partei, vernachlässigt seine Praxis und schreibt wütende Artikel in den entsprechenden Organen. Merkwürdigerweise trifft er sich jetzt häufiger mit Franz, der ihn und den er vergeblich zu bekehren versucht. Bei aller geistigen Entfremdung sind sie sich persönlich etwas näher gekommen.

Franz selbst habe ich lange nicht gesehen, nur von ihm gehört. Er soll von tiefer Schwermut befallen sein, hält sich in dämmrigen Kirchen auf, ich glaube, man kann seine Frömmigkeit getrost als übertrieben bezeichnen. Er fing an, seinen Beruf zu vernachlässigen, nachdem das Unheil über seine Familie gekommen war, und neulich sah ich an der Mauer eines zertrümmerten Hauses ein verblichenes Plakat mit der Aufschrift »Letzter Kampf unseres Altmeisters Lenz gegen Lecoq. Lenz hängt die Boxhandschuhe an den Nagel.« Das Plakat war vom März, und jetzt haben wir längst August. Franz soll sehr heruntergekommen sein. Ich glaube, er befindet sich in einem Zustand, der in unserer Familie bisher noch nicht vorgekommen ist: er ist arm. Zum Glück ist er ledig geblieben, die sozialen Folgen seiner unverantwortlichen Frömmigkeit treffen also nur ihn selbst. Mit erstaunlicher Hartnäckigkeit hat er versucht, einen Jugendschutz für die Kinder von Lucie zu erwirken, die er durch die abendlichen Feiern gefährdet glaubte. Aber seine Bemühungen sind ohne Erfolg geblieben; Gott sei Dank sind ja die Kinder begüteter Menschen nicht dem Zugriff sozialer Institutionen ausgesetzt.

Am wenigsten von der übrigen Verwandtschaft entfernt hat sich trotz mancher widerwärtiger Züge – Onkel Franz. Zwar hat er tatsächlich trotz seines hohen Alters eine Geliebte, auch sind seine geschäftlichen Praktiken von einer Art, die wir zwar bewundern, keinesfalls aber billigen können. Neuerdings hat er einen arbeitslosen Inspizienten aufgetan, der die abendliche Feier überwacht und sorgt, daß alles wie am Schnürchen läuft. Es läuft wirklich alles wie am Schnürchen.

XI

Fast zwei Jahre sind inzwischen verstrichen: eine lange Zeit. Und ich konnte es mir nicht versagen, auf einem meiner abendlichen Spaziergänge einmal am Hause meines Onkels vorbeizugehen, in dem nun keine natürliche Gastlichkeit mehr möglich ist, seitdem fremdes Künstlervolk dort allabendlich herumläuft und die Familienmitglieder sich befremdenden Vergnügungen hingeben. Es war ein lauer Sommerabend, als ich dort vorbeikam, und schon als ich um die Ecke in die Kastanienallee einbog, hörte ich den Vers:

weihnachtlich glänzet der Wald . . .

Ein vorüberfahrender Lastwagen machte den Rest unhörbar, ich schlich mich langsam ans Haus und sah durch einen Spalt zwischen den Vorhängen ins Zimmer: Die Ähnlichkeit der anwesenden Mimen mit den Verwandten, die sie darstellten, war so erschreckend, daß ich im Augenblick nicht erkennen konnte, wer nun wirklich an diesem Abend die Aufsicht führte – so nennen sie es. Die Zwerge konnte ich nicht sehen, aber hören. Ihr zirpendes Gebimmel bewegt sich auf Wellenlängen, die durch alle Wände dringen. Das Flüstern des Engels war unhörbar. Meine Tante schien wirklich glücklich zu sein: sie plauderte mit dem Prälaten, und erst spät erkannte ich meinen Schwager als einzige, wenn man so sagen darf, reale Person. Ich erkannte ihn daran, wie er beim Auspusten des Streichholzes die Lippen spitzte. Es scheint doch unverwechselbare Züge der Individualität zu geben. Dabei kam mir der Gedanke, daß die Schauspieler offenbar auch mit Zigarren, Zigaretten und Wein traktiert werden – zudem gibt es jeden Abend Spargel. Wenn sie unverschämt sind – und welcher Künstler wäre das nicht? –, bedeutet dies eine erhebliche zusätzliche Verteuerung für meinen Onkel. Die Kinder spielten mit Puppen und hölzernen Wagen in einer Zimmerecke: sie sahen blaß und müde aus. Tatsächlich, vielleicht müßte man auch an sie denken. Mir kam der Gedanke, daß man sie vielleicht durch Wachspuppen ersetzen könne, solcherart, wie sie in den Schaufenstern der Drogerien als Reklame für Milchpulver und Hautcreme Verwendung finden. Ich finde, die sehen doch recht natürlich aus.

Tatsächlich will ich die Verwandtschaft einmal auf die möglichen Auswirkungen dieser ungewöhnlichen täglichen Erregung auf die kindlichen Gemüter aufmerksam machen. Obwohl eine gewisse Disziplin ihnen ja nichts schadet, scheint man sie hier doch über Gebühr zu beanspruchen.

Ich verließ meinen Beobachtungsposten, als man drinnen anfing, »Stille Nacht« zu singen. Ich konnte das Lied wirklich nicht ertragen. Die Luft ist so lau – und ich hatte einen Augenblick lang den Eindruck, einer Versammlung von Gespenstern beizuwohnen. Ein scharfer Appetit auf saure Gurken befiel mich ganz plötzlich und ließ mich leise ahnen, wie sehr Lucie gelitten haben muß.

XII

Inzwischen ist es mir gelungen, durchzusetzen, daß die Kinder durch Wachspuppen ersetzt werden. Die Anschaffung war kostspielig – Onkel Franz scheute lange davor zurück –, aber es war nicht länger zu verantworten, die Kinder täglich mit Marzipan zu füttern und sie Lieder singen zu lassen, die ihnen auf die Dauer psychisch schaden können. Die Anschaffung der Puppen erwies sich als nützlich, weil Karl und Lucie wirklich auswanderten und auch Johannes seine Kinder aus dem Haushalt des Vaters zog. Zwischen großen Überseekisten stehend, habe ich mich von Karl, Lucie und den Kinder verabschiedet, sie erschienen mir glücklich, wenn auch etwas beunruhigt. Auch Johannes ist aus unserer Stadt weggezogen. Irgendwo ist er damit beschäftigt, einen Bezirk seiner Partei umzuorganisieren.

Onkel Franz ist lebensmüde. Mit klagender Stimme erzählte er mir neulich, daß man immer wieder vergißt, die Puppen abzustauben. Überhaupt machen ihm die Dienstboten Schwierigkeiten, und die Schauspieler scheinen zur Disziplinlosigkeit zu neigen. Sie trinken mehr, als ihnen zusteht, und einige sind dabei ertappt worden, daß sie sich Zigarren und Zigaretten einsteckten. Ich riet meinem Onkel, ihnen gefärbtes Wasser vorzusetzen und Pappzigarren anzuschaffen.

Die einzig Zuverlässigen sind meine Tante und der Prälat. Sie plaudern miteinander über die gute alte Zeit, kichern und scheinen recht vergnügt und unterbrechen ihr Gespräch nur, wenn ein Lied angestimmt wird.

Jedenfalls: die Feier wird fortgesetzt.

Mein Vetter Franz hat eine merkwürdige Entwicklung genommen. Er ist als Laienbruder in ein Kloster der Umgebung aufgenommen worden. Als ich ihn zum erstenmal in der Kutte sah, war ich erschreckt: diese große Gestalt mit der zerschlagenen Nase und den dicken Lippen, sein schwermütiger Blick – er erinnerte mich mehr an einen Sträfling als an einen Mönch. Es schien fast, als habe er meine Gedanken erraten. »Wir sind mit dem Leben bestraft«, sagte er leise. Ich folgte ihm ins Sprechzimmer. Wir unterhielten uns stockend, und er war offenbar erleichtert, als die Glocke ihn zum Gebet in die Kirche rief. Ich blieb nachdenklich stehen, als er ging: er eilte sehr, und seine Eile schien aufrichtig zu sein.

Georg Britting · Die Könige sind unterwegs

Der Schnee fiel schon seit Stunden, dick und fett und weiß, und so war nicht zu sehen, ob es Kartoffelfelder waren, die sich da hindehnten, ob Weizensaat hier keimte oder junger Roggen, vielleicht waren es Wiesen, weil ja alles weiß war, gleichmäßig weiß, wattebauschig weiß. Ein Dorf, nicht fern, das sah aus, als habe ein großmächtiger Maulwurf einen überschneiten Berg aufgewühlt, und vielleicht würde er, der unsichtbare schwarze Pfotenschaufler, den Berg noch höher wölben, immer höher, immer höher! Und es fiel Schnee, das würde nimmer aufhören heut, morgen auch nicht, vielleicht übermorgen, wenn überhaupt je. Wahrscheinlich lief neben der Straße ein Straßengraben. Aber zu sehen war er nicht, so war er angefüllt mit Schnee.

Drei Männer kamen die Straße daher, und es war wunderbar genug, daß sie immer noch die Straße unter den Füßen hatten, sie wußten auch nicht genau, ob es immer noch die Straße war, vielleicht gingen sie schon längst querfeldein. Bis an die Knie reichte ihnen der Schnee, und besonders Balthasar, der Neger, litt unter der Kälte, und sein roter Mantel hätte besser zum gelben Wüstensand seiner Heimat gepaßt (wie war sie fern!), als zu dieser weißen Winterlandschaft, aber er ging unverdrossen hinter Kaspar und Melchior drein. Kaspar hatte einen langen, spitzen Bart, weiß wie der Schnee, und trug einen schwarzen Mantel, der geräumig um ihn wogte, und Melchior war bartlos und faltenfrei im Gesicht, und sein Mantel war gelb, und um die Hüften herausfordernd eng geschnitten. Sie gingen im Gänsemarsch, einer trat in die Fußstapfen des anderen, und da zeigte es sich, daß der Neger die kleinsten Füße hatte von den dreien, denn seine silbergeflochtenen Schuhe hätten gut zweimal Platz gehabt in den tiefen Gruben, die seine Vorgänger traten. Und einmal machte es ihm Spaß, das zu versuchen, in einer Grube Fuß vor Fuß zu setzen, Silberschuh vor Silberschuh, und so stehen zu bleiben. Wie komisch der schwarze Mantel Kaspars sich blähte!

So gingen sie und sahen manchmal zum Himmel auf. Der war nicht zu sehen, nur Schnee sah man herunterfallen, aber der Himmel war schon noch da, o ja, unerschütterlich, der Himmel, denn sie sahen den Stern: zwar nur laternenklein, zartrosafarbig war er, ein Sternlein nur, winzig im schwarzgrauen Flockenfall, aber er war da, war noch da und führte sie. Das Dorf, das Maulwurfsdorf, blieb auch schon zurück, und sie gingen immer weiter, und Balthasar schüttelte den Rotmantel, ihn von der Schneelast zu befreien, und der spitzbärtige Kaspar blies in die erstarrten Hände, sie aufzutauen, und der dicke Melchior stampfte mit den Füßen, weil sich an seinen Absätzen Schneeballen bildeten und zu Eis wurden, was das Gehen erschwerte.

Zur linken Hand an der Straße, wenn es noch die Straße war, auf der sie gingen, stand ein starker Baum mit vielen Ästen, knorrigen und lustig verdrehten, und als sie bei ihm waren und wieder einmal zum Himmel aufschauten, war der Stern schon noch da, der Rosastern, aber er glühte plötzlich stark auf, wie ein riesiges Katzenauge, funkelte, es war zum Fürchten, einen Augenblick lang waren Baum und Himmel und der unendliche Schnee rosarot, weithin alles rosarot, dann erlosch er, war weg, wirklich, er war weg, fort, und der Schnee wieder weiß. Der Mohr im roten Mantel schrie: »Habt ihrs gesehen?« Sie hatten es natürlich alle drei gesehen, blieben alle drei unterm Baum stehen. »Dann muß es hier sein, irgendwo in der Nähe«, sagte Kaspar, »aber wo?« » Wir warten hier«, entschied Melchior.

Sie ließen sich unter dem Baum nieder, breiteten eine Decke aus auf dem Schnee und setzten sich und hüllten sich fest in ihre Mäntel, daß sie waren wie drei merkwürdige Vögel, ein blutroter, ein rabenschwarzer und ein gelber. Sie sprachen nichts, der Schnee fiel lautlos, und der junge Balthasar wiegte den Krauskopf hin und her, immer hin und her, daß die goldenen Ringe an seinen Ohren klirrten. Dann hielt er den Kopf ruhig, die Ohrringe schwiegen, da war nur mehr der lautlose Schnee.

Wahrscheinlich waren sie eingeschlafen und erwachten von einer Stimme, die sie anrief, und sie wachten alle drei gleichzeitig auf, und da stand vor ihnen ein Mann, der hatte einen grauen Bart, grau wie das Fell des Esels, den er am Zügel führte, und auf dem Esel saß eine Frau. Das Tier schnappte mit weichem Maul nach dem roten Mantel des Mohren, und der Mann fragte: »Ist hier kein Dorf in der Nähe! Es wird Abend, und wir sind müd und suchen ein Unterkommen.« So fragte der Mann, und Balthasar, der ihn scharf beobachtete, bemerkte doch nicht, daß sich irgend etwas bewegt hätte in dem Gesicht des Fragers. Denn, wenn auch seine Lippen vom Bart bedeckt waren, hätte man doch diesen, den Bart, sich rühren sehen müssen, oder die Wangen sich heben, oder die Nasenflügel, aber das alles geschah nicht. Das Gesicht des Mannes blieb still und unbewegt, auch während er sprach; Balthasar verwunderte sich und stand auf, und da standen die beiden anderen auch auf, und Kaspar sagte: »Da hinten ist ein Dorf, eine halbe Stunde zurück, und ihr werdet dort schon finden, war ihr sucht!«

Der Mann nickte dankend, und die Frau nickte, und der Mann trieb den Esel an, der den roten Mantel ungern aus dem Maul ließ, und dann verschwanden Mann, Frau und Tier im Schneetreiben.

Balthasar dachte darüber nach, ob wohl seine beiden Gefährten es auch beobachtet hätten, daß der Graubart mit stummen Lippen hatte reden können und wollte sie fragen, da sagte Kaspar: »Sie sind!« – »Wer«? fragte Melchior. »Wer?« fragte Balthasar und rieb an seinem Mantelärmel, der feuchtwarm war von der Eselmaulnässe.

»Sie sinds!« wiederholte Kaspar und bekam ein ganz frommes Gesicht. Balthasar schrie wütend: »Sie sinds! Sie sinds! Ein Mann war es und eine Frau und ein Esel! Aber wir suchen doch ein Kind!« Der zornige Mohr drehte die Augen, daß man das Weiße sah. Und plötzlich wie flehend, sagte er mit leiser Stimme: »Ein Kind doch suchen wir!«

»Ihr habt nicht gesehen«, fragte Kaspar, fragte es sanft und lächelte dem Neger ins Gesicht: »Ihr habt nicht gesehen, daß die Frau gesegneten Leibes ist?«

Der Mohr wurde selig bleich, Melchior fing mit der Hand eine Schneeflocke und hielt sie wie eine Hoffnungstaube, und der weiße, scharfäugige Kaspar fragte: »Habt ihr eure Geschenke bereit?«

Und sie holten aus den Manteltaschen Gold in blanken, runden Stücken, würzige Hölzer und Öle in kostbaren Flaschen.

Sie setzten sich wieder, im Schneewirbel, und vor ihnen lagen die Geschenke im Schnee, und die Flocken tanzten darüber, aber keine einzige ließ sich darauf nieder, nicht eine, und sie glänzten unberührt, bis sie zuletzt in einer Mulde lagen, wie in einer Schneeschüssel mit weißen Schneewulsträndern.

Die drei Könige saßen die ganze Nacht, sie froren nicht, sangen leise Lieder vor sich hin, Balthasar ein seltsam verschnörkeltes, afrikanisches, Kaspar ein brummendes, dumpfes, und Melchior sang auch, aber nicht schön, und lachte dazwischen, und sie sangen und erwarteten den Morgen.

Der kam, die Sonne kam, es schneite nicht mehr, der Baum glänzte im Licht, und aus der Tiefe der Schneeschüssel leuchteten die Geschenke. Sie nahmen sie an sich, und Kaspar rief: »Jetzt zu dem Dorf!«

Sie drehten um, Kaspar voran, dann Melchior, dann der schwarze Balthasar im roten Mantel, und nahmen die Richtung auf das Maulwurfsdorf, das sie gestern gesehen hatten.

Und der plattnasige Mohr, der jüngste der drei, fast ein Knabe noch, blieb plötzlich in einer Fußstapfe stehen, Silberschuh vor Silberschuh, weil ihm wieder eingefallen war, wie der Graubart gestern hatte reden können, ohne daß sein Gesicht sich rührte.

Wenn sie jetzt auf ihn trafen, wollte er sich das genau betrachten.

Marie Luise Kaschnitz · Alle Jahre wieder

Gestern hat mich der junge Munk besucht. Es war der dritte Adventssonntag, und natürlich kamen wir bald auf Weihnachten zu sprechen und auch auf jenes besondere Weihnachten, das letzte, das der junge Munk in unserer Stadt verlebte. Er war damals elf Jahre alt, und seine Freunde, der kleine Sepp und der große Anton waren ungefähr ebenso alt, sie gingen alle in dieselbe Klasse, und weil sie auch in demselben Mietshause wohnten, waren sie unzertrennlich, was jedoch nur heißen soll, daß es nach allen Krächen und Schlägereien immer wieder zu einer Versöhnung kam. Ich wohnte in demselben großen Hause, ich kannte die drei Buben und kannte auch ihre Eltern, denen es in den letzten Jahren immer besser gegangen war, so daß sie schon vor jenem besonderen Weihnachten im Sinn hatten, wegzuziehen, in schöne Häuser mit Gärten weit vor der Stadt.

Das Haus, in dem wir lebten, war in mancher Beziehung auch unerfreulich. Es war gleich nach dem zweiten Kriege eilig und aus schlechtem Material erbaut worden, und seine Wände und Decken waren so dünn, daß man aus den Nachbarwohnungen, aber auch von oben und unten alle Geräusche hörte, Stimmen und Schritte, den Staubsauger und das Radio und natürlich auch am Heiligen Abend die Weihnachtslieder und die kleinen Glocken, mit denen man die Kinder zu den Bescherungen rief. Aber diesem Umstand hatte ich es doch zu verdanken, daß ich in jener nun schon Jahre zurückliegenden Christnacht ahnte, warum die drei Buben sofort nach der Bescherung wegliefen und warum sie erst wiederkamen, als die Mitternachtsglocken ausgeläutet hatten. Was sie in der Zwischenzeit gemacht haben, habe ich freilich erst gestern von dem jungen Munk erfahren. Es erschien mir gleich wert, es aufzuschreiben, und das will ich tun, aber langsam und mit der Vorgeschichte, die aus lauter erlauschten Weihnachtsabenden besteht. Und am Ende will ich auch sagen, was ich über das alles denke, und warum mir die traurige Christnacht der drei Buben gar nicht so traurig erscheint.

Die erlauschten Weihnachtsabende – nun, man muß sich nicht vorstellen, daß sie einander glichen, wie eine silberne Christbaumkugel der anderen gleicht. Ich erinnere mich, daß in den ersten Jahren überall im Hause noch Weihnachtslieder gesungen wurden und daß über vielen unreinen und schwankenden Stimmen immer eine schwebte, die so klang, wie man sich die Stimme eines Engels vorstellt, hell, unbeirrbar und rein. Später dann wurde nicht mehr gesungen, man holte sich die Musik aus dem Rundfunk, unterbrach sie auch und ließ Glocken läuten oder einen Redner reden und und unterbrach am Ende auch diesen, um sich zu Tisch zu setzen, zu diesen Weihnachtsmählern, die in jeder Festzeit üppiger wurden.

In den folgenden Jahren aber war es auch mit der Radiomusik vorbei. Es wurden von den Kindern keine Gedichte mehr aufgesagt, die zitternden Töne der Bescherungsglöckchen waren nicht mehr zu vernehmen und auch nicht die Stimme des kleinen Sepp, der früher dazu angehalten worden war, neben dem brennenden Christbaum die Weihnachtsgeschichte aus dem Lukas-Evangelium vorzulesen. Übrigens zog um diese Zeit auch der Geruch der Christbaumkerzen schon nicht mehr durch das Haus. Die Eltern des großen Anton hatten es überflüssig gefunden, dem Gymnasiasten noch einen Baum zu putzen, und die Eltern des kleinen Sepp hatten ein künstliches Ding gekauft, das sich mit Glühbirnen besteckt im Kreise drehte und dazu »Stille Nacht« spielte, welche Töne man aber auch abstellen konnte und abstellte, schon im zweiten Jahr.

Nur in der Familie Munk gab es noch einen Tannenbaum mit Lichtern. Aber diese Lichter wurden bereits nach fünf Minuten wieder ausgeblasen, weil der Vater des kleinen Munk jetzt sehr nervös war, immer einen Eimer Wasser bereithielt und schon die ganzen fünf Minuten lang mit seiner schrillen Stimme »Ausmachen, Ausmachen« rief.

Das waren die Geräusche, die ich hörte oder auch nicht mehr hörte im Laufe der acht Jahre, während derer die Buben heranwuchsen und in die Volksschule und dann in die höhere Schule kamen. Ich hatte mir nie recht klar gemacht, was sich da so langsam veränderte, so daß schließlich von Weihnachten fast nichts mehr übrigblieb als ein Tisch voller Geschenke, ein zu fettes Essen und ein unruhiger Schlaf. An dem Abend aber, von dem ich erzählen will, ging ich kurz vor 9 Uhr mit meinem Hund noch einmal auf die Straße, und da sah ich das Haus von außen, sah die Eltern Munk in ihrem 220 SE schön angezogen wegfahren, sah den großen Anton in einem kahlen Zimmer allein am Tisch hocken und begegnete an der Ecke den Bekannten, die zu den Eltern des kleinen Sepp zum Kartenspielen kamen. Und ein wenig später sah ich auch die Buben, die sich aus den Fenstern beugten und einander Zeichen machten und wie sie dann plötzlich alle zusammen aus der Haustüre und die Straße hinunterliefen. Ich hatte da wohl einen Augenblick lang die Absicht, sie zurückzurufen, aber ich tat es nicht. Ich folgte ihnen nur ein paar Schritte weit und dabei bemerkte ich, daß an der Ecke ein Mädchen sich ihnen anschloß, und daß sie dieses Mädchen mit Schimpfworten und sogar mit Schlägen, aber ganz vergeblich zu vertreiben versuchten.

Wie der junge Munk mir gestern erzählte, hatte er dieses Mädchen schon vorher gekannt. Er hatte es des öfteren an der Getränkebude getroffen, wo er für seinen Vater Bier holte. Es hatte dort auf einem niederen Mäuerchen seltsame Tanzschritte gemacht und dazu so unzusammenhängende Worte gemurmelt, daß er es für schwachsinnig hielt. An jenem Abend nun hatte es ihm dazu noch gewinkt und so getan, als habe es ihm Wichtiges mitzuteilen, und darum war der junge Munk es gewesen, der das Mädchen am lautesten angeschrien und sogar geschlagen hatte. Aber dann hatte er sich schließlich nur an die Stirne getippt und hatte das Kind mitlaufen lassen, weil an diesem Weihnachtsabend ja doch schon alles verdorben und nichts mehr zu retten war.

Denn was ist noch zu retten, wenn man, wie Munk, von einer zügellosen und später nicht mehr begreiflichen Vorfreude erfüllt den Vater im Nebenzimmer höhnisch sagen hört, Alle Jahre wieder, und, könnte auch einmal ausfallen, dieses blödsinnige Weihnachten, alle zwei Jahre wäre genug. Und was ist noch zu retten, wenn Eltern, wie die des Anton, nicht einmal an diesem Abend Frieden halten können, sondern sich die schlimmsten Vorwürfe machen und schließlich beieinander hocken, verbissen und stumm. Und was ist noch zu retten, wenn, wie in der Wohnung des kleinen Sepp, das Weihnachtszimmer voll fremder Leute sitzt, die Karten spielen und sich Witze erzählen, und nicht einmal die Schienen kann man zusammenstecken, und der kleine schäbige Engel, den man geliebt hat, hängt auch nicht mehr am Baum. Da muß man doch einfach weglaufen und gar nichts mitnehmen als ein paar uralte Murmeln, und das taten die drei Jungen auch und gingen mit ihren Murmeln an einen Ort, den sie kannten, auf ein großes, noch unbebautes Grundstück am Rande der Stadt. Dort versuchten sie noch einmal das Mädchen loszuwerden, indem sie es mit feuchten Erdbrocken bewarfen. Aber das Mädchen blieb trotzdem stehen, wiegte eine aus Stroh geflochtene Puppe und murmelte etwas, das wie Wurmsturmstirnstern, also völlig unsinnig klang.

Es war da draußen ziemlich dunkel, kein Schnee, warme Luft und leise Schritte überall, auch gegen den Park und die Schrebergärten hin, so, als seien viele Kinder an diesem Abend unterwegs. Die Jungen auf dem mit Gras überwachsenen und teilweise schon aufgegrabenen Grundstück fingen an zu spielen, sie spielten mit ihren ganz gewöhnlichen blaugrauen und braunen Murmeln, die sie von einem Grashügel in ein Loch laufen ließen, in dem ein wenig schwarzes Wasser stand. Munk war nicht ganz bei der Sache, er hätte gern erzählt, was er seinen Vater hatte sagen hören, und den Sepp gefragt, ob so etwas überhaupt möglich wäre; aber er genierte sich vor dem großen Anton, dessen Eltern aus der Kirche ausgetreten waren und der zweimal in der Woche ausschlafen durfte, weil er nicht in die Religionsstunde ging.

Plötzlich lief eine Murmel den Hügel herunter, die anders aussah als die übrigen, größer, glasklar, mit etwas Weißem mitten drin. Munk stürzte hin und holte sie heraus, das Weiße in der Mitte war ein winziges Lamm mit einem Fähnchen aus gelbem Metall. Munk schrie den Weihnachtsgeschichten-Vorleser an, woher hast du die, seit wann hast du die, aber es stellte sich heraus, daß die Kugel dem großen Anton gehörte, der sie bereits vor Monaten von einem katholischen Jungen eingehandelt hatte. Dämlich, sagte Munk, ein Schaf mit einer Fahne, und der Sepp sagte nur, das ist das Lamm Gottes, und gab die Riesenmurmel dem großen Anton zurück. Munk ließ auch diese Gelegenheit zu fragen vorübergehen, er behielt nur alle Fenster am Stadtrande im Auge, einige waren schon dunkel, einige hell, aber von ganz gewöhnlichem elektrischen Licht.

Der große Anton sah auf seine Uhr, legte den Kopf in den Nacken und sagte, Explorer 205, und schon sahen sie das leuchtende Pünktchen zwischen Wolkenfetzen hinziehen und fingen an, sich darüber zu streiten, zum wievielten Male der kleine Satellit die Erde umkreiste. Das Mädchen klatschte in die Hände und rief: gehtaufgehtuntergehtabgehtschief, bis ihm die Buben mit Prügel drohten. Danach schlug eine Turmuhr zehnmal, und der kleine

Munk verkroch sich hinter einem Busch, weil sein Gesicht plötzlich naß und salzig war. Ein paar Tropfen fielen auch vom Himmel, und das Mädchen winkte, es schien sich hier auszukennen, es führte die Jungen zu einer halbverfallenen Bretterhütte, die als Geräteschuppen diente.

Der große Anton lief in die Hütte, steckte den Kopf zum Fenster heraus und schrie Muh Muh, was die anderen nicht ruhen ließ, so daß sie nun alle mit Muh und Bäh und I-A einen gewaltigen Lärm vollführten.

Das Mädchen hatte sich in der Hütte auf einen Holzklotz gesetzt und wiegte da töricht lachend seine Strohpuppe, und der große Anton schlich hin, zog seine Stablaterne heraus und leuchtete ihm ins Gesicht. Munk überlegte, was sie jetzt tun könnten, nach Hause auf keinen Fall, lieber noch weiter fort, und es fielen ihm nur lauter schlimme Dinge ein, von der Autobahnbrücke Steine auf die unten hinrollenden Wagen fallen lassen, eine große Schaufensterscheibe einwerfen, den blöden Strohwisch verbrennen, den das Mädchen da schaukelte wie ein lebendiges Kind. Mit bösen Augen und verkniffenem Mund kroch er an die Tür und wollte seine Vorschläge machen, da sagte der Sepp ganz ruhig, das waren die Tiere, jetzt kommen die Hirten, zog sich die Jacke wie eine Kapuze über den Kopf, ging zu dem Mädchen hinein und beugte vor ihm das Knie.

Du bist wohl verrückt, schrie der große Anton, und Munk dachte, verrückt, verrückt, und machte dem Sepp schon alles nach, weil er sich plötzlich an die Krippe erinnerte, die früher unter dem Weihnachtsbaum gestanden hatte, aber schon lange nicht mehr, weil den Eltern das Aufbauen zu mühsam geworden war. Der große Anton natürlich tat nichts dergleichen, er ließ noch immer seinen Lichtstrahl wandern, nur manierlicher jetzt, so daß das Mädchen nicht mehr geblendet wurde und wieder sanft und ein wenig irre lächeln konnte. Aber dann knipste Anton seine Laterne mit einemmal aus und sagte streng, was soll der Quatsch, und gerade in diesem Augenblick dröhnte das Nachtflugzeug nach Irland über die Hütte hin.

Es ist die Weihnachtsgeschichte, sagte der Sepp, als sie wieder miteinander reden konnten, und fing schon an, sie zu erzählen, aber nicht in dem alten Wortlaut, den er doch auswendig wissen mußte, sondern ganz anders, grausam und hart.

Da war die Heilige Nacht sehr dunkel und sehr kalt, der Joseph war ein hilfloser Alter, und die schwangere Maria war sehr verzagt. Der Stern funkelte höchst unheimlich, und der erste Schrei, den das Jesuskind tat, war ein Schrei der Angst. Die Hirten kamen aus bloßer Neugierde, und die drei Könige aus dem Morgenland saßen vor dem Stall und überlegten sich, warum sie eigentlich diese weite Reise gemacht hatten.

Aber dann, sagte der Sepp, schlug das Kind die Augen auf. Na und, fragte der große Anton und setzte sich auf die Schwelle der Hütte, und die beiden anderen Jungen setzten sich neben ihn, so daß sie nun da im Finsteren hockten wie die alten ratlosen Könige, nur daß kein Kind da war und kein besonderer Stern. Was war dann, fragte der große Anton noch einmal und nicht höhnisch, sondern so, als läge ihm etwas daran, eine Antwort zu bekommen.

Da war die Freude, sagte Munk, und, da war die Liebe, sagte Sepp, und weil sie das eigentlich gar nicht hatten sagen wollen, vielmehr etwas aus ihnen herausgesprochen hatte, eine alte Menschenerinnerung, schämten sie sich so furchtbar, daß sie anfingen, mit kleinen Stöcken um sich zu werfen und einander mit Füßen zu treten.

Wieso, warum, fragte der große Anton, und nun sollten sie erklären, was sie gesagt hatten, und konnten es nicht. Darum wurde es plötzlich ganz still vor der Hütte, nur daß drinnen das Mädchen die Worte aufgeschnappt hatte und sie vor sich hinplapperte, Freudeliebefreudeliebefreudeliebe, das war wieder zum Verrücktwerden und klang doch auch ganz schön, wie eine Glocke oder wie ein Gedicht. Halt's Maul, schrien die Jungen alle zugleich, aber sie konnten nicht helfen, daß sie plötzlich guter Dinge waren und auf dem Hügel wie die Geißen herumsprangen. Und als das Mädchen jetzt erschrocken zu weinen anfing, wühlten sie in ihren Hosentaschen und förderten etwas zutage, das sie ihm zum Geschenk hinwarfen, der Sepp eine Rolle Bindfaden und der Munk eine Streichholzschachtel mit einem Sternbild darauf. Der große Anton zog sogar seine Riesenmurmel heraus, die mit dem Schäfchen, das seltsamerweise Lammgottes hieß. Da, sagte er unfreundlich und gab sie dem Mädchen, das gierig seine Finger um die glasklare Kugel schloß. In diesem Augenblick aber fuhren alle Kinder zusammen, weil es jetzt zu läuten anfing, und zwar sehr heftig und von allen Türmen der Stadt.

Natürlich habe ich dieses Mitternachtsläuten auch gehört. Ich bin auch zusammengefahren und zuerst habe ich mich sogar geärgert, weil diese

neuen elektrisch betriebenen Glocken einen Lärm vollführen, der erschrek-
kend und schon beinahe gesundheitsschädlich ist. Aber dann war ich ganz
zufrieden, weil ich mir plötzlich einbildete, daß es gerade diesen lauten,
heftigen Glocken gelingen würde, die weggelaufenen Kinder heimzurufen
in die Stadt.

Ich hatte da nämlich schon eine ganze Weile am Fenster gestanden und
nach den drei Buben Ausschau gehalten, und vor etwa einer Viertelstunde
waren die Eltern, alle drei Elternpaare aus dem Haus gekommen, um dasselbe zu tun. Sie hatten sich dabei laut und aufgeregt unterhalten, und aus
ihren Stimmen hatte Angst geklungen, aber keine Einsicht, weswegen es
dann auch, als die Kinder bald nach dem letzten Glockenschlag auftauch-
ten, ein großes Gezeter gab. Die Jungen widersprachen nicht und heulten
auch nicht. Freundlich lächelnd und so, als ginge sie das alles gar nichts an,
standen sie unter der Laterne und gingen am Ende ganz folgsam mit ihren
Eltern ins Haus. Ich sah ihnen nach, und obwohl ich doch damals noch gar
nicht wissen konnte, wie sie diese Stunden verbracht hatten, taten sie mir
nicht mehr leid.

Ich muß wohl damals schon geahnt haben, was ich seit gestern weiß, daß
die Kinder an jenem Abend ihr Weihnachten selbst gefunden hatten – das
richtige, mit dem es nie zu Ende sein kann, weil Freude und Liebe immer
neu geboren werden, solange es Menschen gibt.

Dino Buzzati · Zuviel Weihnachten

»Entsinnst du dich noch«, fragte im Paradies der Tiere die Seele des Eselchens die Seele des Ochsens, »entsinnst du dich noch zufällig jener Nacht vor vielen Jahren, als wir in einer Art Hütte standen, und gerade dort in der Krippe...?«

»Laß mich nachdenken! Ja richtig«, bestätigte der Ochse, »in der Krippe lag ein neugeborenes Kind. Wie hätte ich das vergessen können? Es war ein so schönes Kind.«

»Seit damals, wenn ich nicht irre«, sagte nun das Eselchen, »weißt du, wie viele Jahre seit damals vergangen sind?«

»Wo denkst du hin, ich mit meinem Ochsengedächtnis.« »Eintausendneunhundertsechzig.« »Was du nicht sagst!«

»Und im übrigen, weißt du übrigens, wer das Kind gewesen ist?«

»Wie soll ich das wissen. Es waren doch Leute auf der Durchreise. Gewiß ein wunderschönes Kindlein. Merkwürdig, daß es mir nie aus dem Sinn gekommen ist, und dabei schienen seine Eltern doch ganz gewöhnliche Menschen. Sag mir, wer war es?«

Das Eselchen flüsterte etwas ins Ohr des Ochsen.

»Aber nein«, sagte dieser verblüfft; »wirklich? Du scherzt doch wohl nur?«

»Nein, es ist die reine Wahrheit. Ich schwöre... übrigens hatte ich es schon damals sofort verstanden.«

»Ich nicht, ich gebe es zu«, sagte der Ochse, »aber du bist eben intelligenter als ich. Ich habe es nicht einmal geahnt. Obwohl es ein wunderschönes Kind war.«

»Nun gut, seit damals feiern die Menschen jedes Jahr ein großes Fest zu seinem Geburtstag. Es gibt keinen schöneren Tag für sie. Wenn du sie nur sehen könntest. Es ist eine Zeit allgemeiner Heiterkeit, der Seelenruhe, der Sanftmut, des Friedens, der Familienfreuden, des Sichgernehabens. Selbst Mörder werden zahm wie Lämmer. Weihnacht nennen es die Menschen. Übrigens, mir kommt ein guter Gedanke. Da wir schon davon sprechen, soll ich sie dir zeigen?«

»Wen?«

»Die Menschen, die Weihnachten feiern.«

»Wo?«

»Unten auf der Erde.«

»Warst du schon einmal dort?«

»Jedes Jahr mache ich einen Sprung hinunter. Ich habe einen besonderen Passierschein. Aber ich denke, du wirst auch einen bekommen, denn nach allem könnten wir zwei wohl auch auf etwas Anerkennung Anspruch erheben.«

»Weil wir das Kindlein damals mit unserem Atem wärmten?«

»Komm, beeile dich, wenn du nicht das Beste versäumen willst. Heute ist Heiliger Abend.«

»Und mein Passierschein?«

»Sofort gemacht, ich habe einen Vetter im Paßamt.«

Der Passierschein wurde bewilligt. Sie setzten sich in Bewegung, und unendlich leicht, wie es körperlosen Säugetieren eigen ist, schwebten sie vom Himmel auf die Erde. Bald entdeckten sie ein Licht und hielten darauf zu. Aus einem wurden Tausende, es war eine riesenhafte Stadt.

Und da durchwanderten nun Eselchen und Ochse, unsichtbar, die Straßen des Zentrums. Da es sich um Geister handelte, fuhren Autobusse, Automobile, Straßenbahnwagen durch sie hindurch, ohne Schaden anzurichten, und selbst durch Mauern war es ihnen gegeben zu gehen, als ob sie Luft wären. So vermochten sie alles nach Herzenslust zu betrachten. Es war wirklich ein eindrucksvolles Schauspiel: Tausende von Lichtern in den Schaufenstern, Blumengewinde, Girlanden, unzählige Tannenbäume; die ungeheure Stauung der Wagen, die sich abmühten, durch enge Straßen zu fahren, und das wirblige Gewimmel und Hin und Her der Menschen, die sich in den Läden drängten, hinein- und wieder herausströmten, sich mit Paketen und Paketchen beluden und alle gespannte Gesichter hatten, als würden sie gejagt. Das Eselchen schien bei diesem Anblick wie verzückt, während der Ochse sich voller Entsetzen umsah.

»Höre, Freund Eselchen, du hast mir gesagt, daß du mir Weihnachten zeigen wolltest! Du hast dich wohl geirrt. Ich sage dir, hier ist doch Krieg!«

»Siehst du denn nicht, wie zufrieden alle sind?«

»Zufrieden? Mir kommen sie wie Wahnsinnige vor. Sieh doch auf ihre besessenen Gesichter, ihre fiebrigen Augen.«

»Du bist eben ein Provinzler, mein lieber Ochse, und bist nie aus dem Paradies herausgekommen. Du verstehst die modernen Menschen nicht. Um sich zu unterhalten, um sich zu freuen, um sich glücklich zu fühlen, haben sie es nötig, ihre Nerven zu ruinieren.«

Laufburschen auf Fahrrädern, die gefährlich große Paketbündel balancierten, zogen vorbei; Lieferwagen wurden be- und entladen; riesige Mengen von Süßigkeiten und Berge von Blumen lösten sich unter dem Ansturm keuchender Menschen auf; Lampen blitzten und verloschen; seltsame Lieder, die Schreien ähnelten, dröhnten von allen Seiten. Dank seiner körperlosen Natur flog der Ochse neugierig zu einem Fenster im siebten Stock hinauf. Das Eselchen folgte gutmütig.

Sie sahen ein reichmöbliertes Zimmer, wo eine sorgenvolle Dame vor einem Tisch saß. Linker Hand lag ein Haufen von fast einem halben Meter farbiger Karten und Kärtchen aufgebaut und rechts von ihr ein Stoß weißer Billette. Die Dame, sichtlich bemüht, keine Minute zu verlieren, nahm hastig ein farbiges Kärtchen, betrachtete es einen Augenblick lang, sah in einem dicken Buch nach und schrieb sodann etwas auf eines der weißen Billetts, steckte es in einen Umschlag, schloß den Umschlag, dann nahm sie vom linken Stoß ein neues buntes Kärtchen und wiederholte die ganze Prozedur. Ihre Hände bewegten sich so schnell, daß man ihnen kaum folgen konnte. Aber der Haufen bunter Kärtchen hatte einen eindrucksvollen Umfang. Wie lange würde sie wohl brauchen, um alles zu erledigen? Man sah es der Unglücklichen an, daß sie fast nicht mehr konnte, und dabei war sie erst am Anfang.

»Hoffentlich bezahlen sie sie wenigstens gut für eine solche Schufterei«, sagte der Ochse.

»Bist du naiv, lieber Freund! Das ist eine außerordentlich reiche Dame aus der besten Gesellschaft.«

»Und warum arbeitet sie sich dann zu Tode?«

»Sie arbeitet sich gar nicht zu Tode, sie antwortet nur auf Glückwunschkarten.« »Glückwunschkarten? Was nützen die?«

»Nichts, absolut nichts. Aber wer weiß warum, die Leute haben jetzt eine besondere Vorliebe dafür.«

Sie sahen in ein anderes Zimmer hinein. Auch da saßen Leute mit Schweiß-
perlen auf der Stirn und in Aufregung und schrieben Glückwünsche auf
Glückwunschkarten. Überall, wo die beiden Tiere hineinschauten, richteten
Männer und Frauen Päckchen, schrieben Adressen, liefen ans Telefon,
eilten blitzschnell von einem Zimmer ins andere, Schnüre, Bänder, Kärtchen, Gehänge tragend, während junge Dienstboten, mit von Müdigkeit
gezeichneten Gesichtern, weitere Päckchen, weitere Schachteln, weitere
Blumen und neue Stöße von Briefen, Rollen, Kärtchen und Bogen herbei-
schleppten. Und alles war Hast, Aufregung, Verwirrung, Mühe und eine
schreckliche Anstrengung.

Überall, wo sie hinkamen, zeigte sich ihnen dasselbe Schauspiel. Kommen
und Gehen, Kaufen oder Verpacken, Absenden oder Empfangen, Ein-
wickeln, Auswickeln, Rufen und Antworten. Und alle blickten immer nach
der Uhr, alle hasteten, alle keuchten von Furcht besessen, nicht zur Zeit
fertig zu werden, jemand brach zusammen, schnappte nach Luft unter der
immer größer werdenden Flut der Pakete, Päckchen, Kärtchen, Kalender,
Geschenke, Telegramme, Briefe, Karten, Billette und so weiter.

»Du hast mir doch gesagt«, bemerkte der Ochse, »daß es ein Fest der
Heiterkeit, des Friedens und der Seelenruhe sei.«

»Tja«, antwortete das Eselchen — »einmal war es auch so. Aber was soll
ich dir sagen, seit einigen Jahren scheinen die Menschen beim Nahen des
Weihnachtsfestes wie von einer geheimnisvollen Tarantel gestochen und
verstehen rein gar nichts mehr. Hör ihnen doch zu.«

Verwundert hörte der Ochse hin. In den Straßen, den Geschäften, den
Büros, den Fabriken sprachen die Menschen schnell miteinander und
wechselten, wie Automaten, monotone Redensarten: »Fröhliche Weihnachten« — »Gesegnete Weihnachten« — »Danke, auch Ihnen« — »Fröhliche
Weihnachten — »Gesegnete Weihnachten« — »Danke« — »Fröhliche Weihnachten« »Fröhliche Weihnachten« . . .

Es war ein Geflüster, das die ganze Stadt füllte.

»Glauben sie denn daran?« fragte der Ochse, »meinen sie es wirklich so?
Lieben sie ihren Nächsten?« Das Eselchen schwieg.

»Wollen wir nicht etwas abseits gehen?« schlug der Ochse vor, »der Kopf
brummt mir, und ich habe Sehnsucht nach dem, was du Weihnachtsstimmung nennst.«

»Im Grunde auch ich«, gab das Eselchen zu.

So schlüpften sie durch die wirbelnden Schleusen der Wagen, entfernten sich ein wenig vom Zentrum, von den Lichtern, dem Lärm, der Raserei.

»Du, der mehr davon verstehst als ich«, begann der Ochse, immer noch wenig überzeugt, »sag mir doch, bist du wirklich sicher, daß das dort keine Verrückten sind?«

»Nein, nein, es ist eben einfach Weihnachten.«

»Dann ist dort zuviel Weihnachten. Erinnerst du dich noch damals in Bethlehem an die Hütte, die Hirten und das schöne Kind? Auch dort war es kalt, aber welcher Frieden, welche Zufriedenheit. Wie anders war es damals.«

»Ja, und die fernen Klänge des Dudelsacks, die man nur ganz leise hörte?«

»Und das sanfte Flügelschlagen auf dem Dach. Was für Vögel das wohl waren?«

»Vögel? Aber nein doch, Engel waren es.«

»Und die drei reichen Herren, die Geschenke brachten, entsinnst du dich noch ihrer? Wie wohlerzogen sie waren, wie leise sie zusammen sprachen, welch vornehme Leute. Könntest du dir sie heute in diesem Rummel vorstellen?«

»Und der Stern? Denkst du noch an den hellen Stern, der damals gerade über der Hütte stand? Ob es ihn heute noch gibt, Sterne haben doch meist ein langes Leben.«

»Ich fürchte nein«, sagte der Ochse skeptisch, »es sieht so wenig nach Sternen hier aus.«

Sie hoben ihre Köpfe, und wirklich, man sah nichts. Über der Stadt lag eine Decke dichten Nebels.

Christine Brückner · Geboren am 24. Dezember 1945

In jener kalten, dunklen Nacht. In Vicovice. Polanka. Rosnova. Nemece.
Oder eine andere tschechische Stadt. Wer weiß heute noch den Namen?
Das ist lange her.

Aber da war ein Kind. Das ist dort geboren. In seinem Paß muß der Name
jener tschechischen Stadt stehen, die es nie gesehen hat. Wo ist dieses Kind
geblieben, dessen Mutter gestorben ist, bevor man erfahren hat, woher sie
kam. Ein Kind, ein neugeborenes Kind in einem tschechischen Lazarett,
zwischen Sterbenden, Schwerverwundeten, Verzweifelten, Hoffenden und:
tschechischer Miliz. In Hunger, in Kälte, ein neugeborenes Kind, in jenem
ersten Winter, in dem der Krieg zu Ende war. War er wirklich zu Ende?

Und dann starb die Mutter, von der niemand etwas wußte, nur daß sie
Maria hieß. Viele Frauen im Osten heißen Maria. Eine junge Mutter, fast
noch ein Mädchen, sie hat dort ihr erstes Kind geboren, einen Sohn, und
weil es der vierundzwanzigste Dezember war, hatte man ihm den Namen
Christian gegeben. Aber nicht nur deshalb. Dieses Kind, von dem niemand
je wieder gehört hat, ist für eine Stunde das Kind in der Krippe gewesen,
das Heil der Welt.

Von jener Weihnachtsnacht in Vicovice, Rosnova, Nemece erzählen die
Männer, die dabeigewesen sind, manchmal ihren Frauen. Jener, der damals
ein Hirte war und heute ein Pfarrer ist, erzählt, wenn er in der Heiligen
Nacht seine Ansprache hält, seiner Gemeinde von diesem Kind; und auch
der, der nur die Beine des Schafes festgehalten hat, erzählt davon, damals
war er Sanitäter, und an jenem Abend war auch er ein Hirte; alle, die noch
am Leben sind, es sind nicht mehr viele, suchen insgeheim noch immer
nach diesem Kind. In seinem Paß muß der Name jener tschechischen Stadt
stehen und das Datum des vierundzwanzigsten Dezember neunzehnhun-
dertfünfundvierzig.

Wenn er noch lebt – sagen sie dann nachdenklich zu ihren Frauen, wenn
er noch am Leben ist –, was ist aus ihm geworden? Er hat doch eine Stunde
in der Krippe gelegen, verstehst du? Und was ist aus den anderen geworden;

dem, der den Hammel festgehalten hat, er war Sanitäter, er konnte Tsche-
chisch, er stand sich gut mit denen, er hat immer den Wassermann geprüft,
dazu braucht man einen Hammel, aber davon verstehst du nichts. Dieses
Tier zwischen uns, das war wichtig, daran erkannte man nämlich, daß wir
Hirten waren, die von dem Felde kamen, weißt du, »und hüteten des
Nachts ihre Herde«, wir kamen doch aus dem Felde, von überall her
kamen wir, es war so ein Sammellazarett. Und dann war da einer, der hat
angefangen: er hat seine Jacke, die innen aus Lammfell war, gegeben, und
dahinein hat ein anderer das Kind gelegt. Er brauchte sie bald nicht mehr,
er wußte das. Er war mit dabei, alle waren wir dabei, die Sterbenden und
die Schwerverwundeten, die beiden Schwestern, die keine Engel sein wollten, nur zuerst, da hatten sie sich aufgestellt wie Engel. Sie hatten sogar
die Haube vom Haar genommen und gelacht, aber dann muß etwas geschehen sein: sie traten zurück, sie wollten nicht im Vordergrund stehen,
zwei Schritte nur, aber alle merkten: Engel waren sie nicht, konnten sie
auch nicht werden, auch eine solche Nacht erlöst ein Mädchen nicht. Sie
reihten sich zu den Hirten, stellten sich neben den Hammel, und die eine
von ihnen hielt die Stallaterne hoch, als die Kerze abgebrannt war. Die
junge Mutter Maria weinte; in ihrem Schoß und zu ihren Füßen lagen Brot,
ein Stück Speck, eine Decke aus Wolle. Weihrauch, Myrrhe und Gold auch
für dieses Kind.

Es waren keine Könige, die vor das Kind hintraten, aber sie sahen aus, als
seien sie weise geworden. Weise aus dem Morgenland. Sie kamen aus dem
Osten, ein unheiliger Stern hatte sie dorthin geführt, wo sie jetzt standen,
aber ein guter Stern würde sie bald nach Hause führen. Sie trugen graue
wattierte Röcke, einer hatte den Arm in der Schlinge, einer hatte nur noch
ein Bein, und ein dritter trug eine Binde vor den zerstörten Augen, er war
der Jüngste von ihnen. Der Älteste hatte den Platz neben Maria einge-
nommen, er hieß Josef, viele heißen so. Er hätte ihr Vater sein können, und
er hätte sie wohl auch länger beschützt als nur diese eine Nacht. Er hatte
niemand mehr, der ihn noch brauchte. Er wollte sie mit sich nehmen, sie
und das Kind. Der Krieg war zu Ende, man mußte ihn bald entlassen, alt
und krank, wie er war. Mit ihr wollte er nach Hause, in ein neues Zuhause.
Sie wußte das noch nicht, er hatte es sich ausgedacht, als er das Kind im
Schein der Laterne sah.

Es hat keinen Zuschauer gegeben in jener Nacht. Es war auch kein Spiel gewesen, kein Spiel an der Krippe mit frommen Liedern. Gesungen hatte keiner.

Angefangen hat es mit diesem Kind. Am späten Vormittag hatte man das Weinen gehört, einer hatte es zuerst gehört, hatte die anderen aufmerksam gemacht: sie horchten. Ein Kind. Ein neugeborenes Kind! Irgendwo im Lazarett, versteckt vor den tschechischen Wachtposten. Also hatte man die Frau doch nicht fortgeschickt. Am Nachmittag trug die Schwester, die jüngere von den beiden, das Kind auf einem Kissen im Arm und lief damit von einem Saal in den anderen und rief: ein Kind! Seht bloß, ein Kind! – Sie war seit drei Jahren im Krieg, seit drei Jahren war sie Krankenschwester, aber sie hatte noch nie ein neugeborenes Kind im Arm getragen. Nur Tote kannte sie. In dem einen Saal hat sie gesagt: Seht! Ein Kind ist uns geboren! – Sie wußte nicht, daß sie mit den Worten des Evangeliums sprach, vielleicht hatte sie die nie gehört. Sie weinte, weil sie erst seit einer Stunde wußte, daß ein Kind Liebe bedeutet und daß alles, was sie von der Liebe wußte, falsch war, weil das Kind die Liebe und die Liebe das Kind ist. Sie weinte und stand zwischen den Betten und hielt den Männern das Kind hin. Keiner hat gelacht. Sie wandten nur die Köpfe weg, zogen die grauen Decken höher, daß man den Atem nicht sah. Dann kam einer von den tschechischen Soldaten und scheuchte die Schwester aus dem Saal; die aber lächelte und hielt auch ihm das Kind hin, und da ließ er sie vorbeigehen, rührte sie nicht an, was er sonst tat und was sie sonst zuließ.

Es dämmerte früh. Kein Baum, keine Lichter, keine Briefe und kein Paket von zu Hause. Schlimmer als im Krieg. Dann weint das Kind, und niemand wußte nachher mehr, wie das alles gekommen war. Sie heißt Maria, hat einer gesagt, und der hat es dem nächsten Bett weitergesagt. – Es geht ihr schlecht. – Sie muß wohl sterben. – Da war es schon eine Stunde später, die Suppe war schon ausgeteilt, die Lampe über der Tür brannte, die vergitterte blaue Glühbirne, bei deren Schein man keinen Brief hätte lesen können.

Bald danach waren sie aufgestanden, hatten ihre wattierten Röcke und Mäntel angezogen, einer hatte dem anderen geholfen. Sie hatten das Kind sehen wollen. Sie hatten eine Frau sehen wollen, die ein Kind geboren hat. – Jeder hatte seinen Platz bald gefunden: die einen als Hirten, die anderen als Könige, als Josef der eine. Sie hatten auch Witze gemacht, so ganz geheuer war es ihnen nicht. Einer von ihnen hieß nämlich Ochse, und der mußte sich neben den Hammel stellen, den Wassermannhammel. Sie trugen herbei, was sie unter dem Kissen vor den Blicken der Kameraden und dem Zugriff der Wachsoldaten versteckt gehalten hatten. Einer soll noch sein Eisernes Kreuz besessen haben, das hat er auch hingelegt. So etwas geschieht, da lacht keiner. Keiner hat darin das Kreuz gesehen, damals, das Kreuz bei der Krippe. Er hat ja auch nur gegeben, was ihm zu geben am schwersten fiel. Die Soldaten standen in der einen Ecke, die Tschechen mit ihren Gewehren in der anderen; zuerst stützten sie sich drauf, dann legten sie sie auf den Boden, zu Füßen des Kindes. Die junge Maria lächelte, die Wangen gerötet, die Augen glänzend und das Haar aufgelöst und blond. Sie verstand nichts mehr von alldem, ihr Kind lag warm und beschützt, sie fürchtete sich nicht mehr, sie lächelte in Traum und Fieber.

Hat wirklich einer gesagt: »Friede auf Erden –?« Gehört hatten sie es alle. In dieser Stunde haben sie alle das Heil der Welt erblickt; die Könige, die keine Weisen waren, die Hirten, der Mann, der den blökenden Hammel an den Beinen hielt, daß er stillstand und nicht störe, und die Schwester, die die Laterne hochhielt, und der Mann, der ein Josef sein wollte, und der, der seine Jacke hergegeben hat, weil er wußte, daß das Kind sie nötiger brauchen würde als er.

In der Weihnachtsnacht, wenn ihre Kinder in den Betten liegen, versuchen die Männer, die damals dabeigewesen sind, in jener kalten, dunklen Nacht in Vicovice, Polanka, Rosnova, Nemece oder wie dieser Ort nun heißen mag, ihren Frauen davon zu erzählen. Und dann fragen die: Wer warst denn du? – Ich? Ich war der mit dem Hammel, sagen sie. – Ich war der Junge, der mit der Binde vor den Augen, weißt du das nicht? Der geführt werden mußte. – Ich war einer von den Königen aus dem Morgenlande, ich hatte einen ganzen Laib Brot –

Wirklich –? fragen die Frauen. Du warst einer von den Königen, den Weisen? – Du warst der mit dem blökenden Hammel? – Du warst jener Josef?

Sie sind ungläubig, sie lachen.

Es ist schwer, diese Geschichte zu erzählen. Von Jahr zu Jahr wird es schwerer.

Lukas - Evangelium

Es begab sich aber zu der Zeit, daß ein Gebot von dem Kaiser Augustus ausging, daß alle Welt geschätzt würde. Und diese Schätzung war die allererste und geschah zu der Zeit, da Cyrenus Landpfleger in Syrien war. Und jedermann ging, daß er sich schätzen ließe, ein jeglicher in seine Stadt. Da machte sich auch Joseph aus Galiläa, aus der Stadt Nazareth, in das jüdische Land zur Stadt Davids, die da heißt Bethlehem, darum, daß er von dem Hause und Geschlechte Davids war, auf, daß er sich schätzen ließe mit Maria, seinem vertrauten Weibe, die war schwanger. Und als sie daselbst waren, kam die Zeit, daß sie gebären sollte. Und sie gebar ihren ersten Sohn und wickelte ihn in Windeln und legte ihn in eine Krippe, denn sie hatten sonst keinen Raum in der Herberge. Und es waren Hirten in derselben Gegend auf dem Felde bei den Hürden, die hüteten des Nachts ihre Herde. Und siehe, des Herrn Engel trat zu ihnen, und die Klarheit des Herrn leuchtete um sie, und sie fürchteten sich sehr. Und der Engel sprach zu ihnen: Fürchtet euch nicht! Siehe, ich verkündige euch große Freude, die allem Volk widerfahren wird, denn euch ist heute der Heiland geboren, welcher ist Christus, der Herr, in der Stadt Davids. Und das habt zum Zeichen: ihr werdet finden das Kind in Windeln gewickelt und in einer Krippe liegen. Und alsbald war da bei dem Engel die Menge der himmlischen Heerscharen, die lobten Gott und sprachen: Ehre sei Gott in der Höhe und Friede auf Erden und den Menschen ein Wohlgefallen! Und da die Engel von ihnen gen Himmel fuhren, sprachen die Hirten untereinander: Laßt uns nun gehen gen Bethlehem und die Geschichte sehen, die da geschehen ist, die uns der Herr kundgetan hat. Und sie kamen eilend und fanden beide, Maria und Joseph, dazu das Kind in der Krippe liegen. Da sie es aber gesehen hatten, breiteten sie das Wort aus, welches zu ihnen von diesem Kinde gesagt war. Und alle, vor die es kam, wunderten sich der Rede, die ihnen die Hirten gesagt hatten. Maria aber behielt alle diese Worte und bewegte sie in ihrem Herzen. Und die Hirten kehrten wieder um, priesen und lobten Gott um alles, was sie gehört und gesehen hatten, wie denn zu ihnen gesagt war.

Bibliographischer Nachweis

Heinrich Böll *Nicht nur zur Weihnachtszeit*
Mit freundlicher Genehmigung des Verlags Kiepenheuer & Witsch, Köln.

Georg Britting *Die Könige sind unterwegs*
Nymphenburger Verlagshandlung, München.

Christine Brückner *Geboren am 24. Dezember 1945*
Mit freundlicher Genehmigung der Autorin.

Dino Buzzati *Zuviel Weihnachen*
Mit freundlicher Genehmigung von Arnoldo Mondadori Editore, Mailand. Aus dem Italienischen von Ingrid Parigi.

Truman Capote *Eine Weihnachtserinnerung*
aus: Truman Capote »Frühstück bei Tiffany«. Mit freundlicher Genehmigung des Limes Verlags, Wiesbaden und München. Aus dem Amerikanischen von Elisabeth Schnack.

Maxim Gorki *Von einem Knaben und einem Mädchen, die nicht erfroren sind*
Mit freundlicher Genehmigung des Aufbau-Verlags, Berlin. Aus dem Russischen von Amalie Schwarz.

Hugo Hartung *Eine ganz belanglose Geschichte*
aus: Hugo Hartung »Die goldenen Gnaden«. Mit freundlicher Genehmigung des Schneekluth Verlags, München.

Manfred Hausmann *Der Junge, der hereinkam*
aus: Manfred Hausmann »Andreas«. Alle Rechte bei C. Bertelsmann Verlag GmbH, München.

O. Henry *Die Weihnachtsansprache*
aus: O. Henry »Hinter der grünen Tür«. Mit freundlicher Genehmigung des Paul List Verlags, München. Aus dem Amerikanischen von Karin Rupé.

Elly Heuss-Knapp *Weihnachten entgegen*
aus: Elly Heuss-Knapp »Rat und Tat«. Mit freundlicher Genehmigung des Rainer Wunderlich Verlags Hermann Leins, Tübingen/Stuttgart.

Marie Luise Kaschnitz   *Alle Jahre wieder*
Mit freundlicher Genehmigung der Autorin.

Selma Lagerlöf   *Trollmusik*
aus: Selma Lagerlöf »Geschichten zur Weihnachtszeit«. Nymphenburger Verlagshandlung, München. Aus dem Schwedischen von Anni Carlsson.

W. Somerset Maugham   *Die Weihnachtsreise*
Mit freundlicher Genehmigung des Diana-Verlags, Zürich.

Val Mulkerns   *Ein Mann, der nicht Weihnachten feiern wollte*
Mit freundlicher Genehmigung von Frau Elisabeth Schnack, Zürich. Übersetzt von Elisabeth Schnack.

Joan O'Donovan   *Kleines braunes Jesuskind*
Mit freundlicher Genehmigung von Frau Elisabeth Schnack, Zürich. Übersetzt von Elisabeth Schnack.

Wolfdietrich Schnurre   *Die Leihgabe*
aus: Wolfdietrich Schnurre »Als Vaters Bart noch rot war. Ein Roman in Geschichten.«
© 1958 by Peter Schifferli, VerlagsAG »Die Arche«, Zürich. Mit freundlicher Genehmigung des Verlags der Arche, Peter Schifferli, Zürich.

Karl Valentin   *Das Christbaumbrettl*
Mit freundlicher Genehmigung des R. Piper & Co Verlag, München 1961.

Hugh Walpole   *Ein reizender Gast*
Mit freundlicher Genehmigung von Frau Elisabeth Schnack, Zürich. Aus dem Englischen von Elisabeth Schnack.

Rudolf Otto Wiemer   *Die Reise nach Bethlehem*
aus: Rudolf Otto Wiemer »Helldunkel«. Mit freundlicher Genehmigung des J. F. Steinkopf Verlags, Stuttgart.

Otto Wittke   *Das Klavier auf dem Fensterbrett*
aus: »Wunderweiße Nacht«. Die Genehmigung zur Übernahme erteilte uns der Henschelverlag Kunst und Gesellschaft, DDR-Berlin. (Alle Rechte vorbehalten)

Friedrich Wolf   *Lichter überm Glauben*
Mit freundlicher Genehmigung des Aufbau-Verlags, Berlin.